Annemarie Schnetzler-Suter

Max Frisch
Dramaturgische Fragen

Europäische Hochschulschriften

European University Papers
Publications Universitaires Européennes

Reihe I
Deutsche Literatur und Germanistik

Série I   Series I

Langue et littérature allemandes
German language and literature

Bd./Vol. 100

Annemarie Schnetzler-Suter

Max Frisch
Dramaturgische Fragen

Herbert Lang Bern
Peter Lang Frankfurt/M.
1974

Annemarie Schnetzler-Suter

Max Frisch
Dramaturgische Fragen

Herbert Lang Bern
Peter Lang Frankfurt/M.
1974

ISBN 3 261 01413 X

©

Herbert Lang&Cie AG, Bern (Schweiz)
Peter Lang GmbH, Frankfurt/M. (BRD)
1974. Alle Rechte vorbehalten.

Druck: Lang Druck AG, Liebefeld/Bern (Schweiz)

INHALT

In den "Theater-Schriften und Reden" beschäftigt sich Dürrenmatt auch mit der Situation des Theaters, wie sie sich ihm, dem Dramatiker, heute bietet. Er legt dar, dass das Theaterschreiben für den Dichter ein Problem wird, wenn er sich nicht mehr an einen einheitlichen Theaterstil halten kann. Und dies ist ihm heute nicht mehr möglich, denn "Stil ist heute nicht mehr etwas Allgemeines, sondern etwas Persönliches, ja, eine Entscheidung von Fall zu Fall geworden... Gibt es nur noch Stile, gibt es nur noch Dramaturgien und keine Dramaturgie mehr: die Dramaturgie Brechts, die Dramaturgie Eliots, jene Claudels, jene Frischs, jene Hochwälders, eine Dramaturgie von Fall zu Fall: Dennoch ist eine Dramaturgie vielleicht denkbar, eine Dramaturgie aller möglichen Fälle eben, so wie es eine Geometrie gibt, die alle möglichen Dimensionen einschliesst. Die Dramaturgie des Aristoteles wäre in dieser Dramaturgie nur eine der möglichen Dramaturgien. Von einer Dramaturgie wäre zu reden, welche die Möglichkeiten nicht einer bestimmten Bühne, sondern der Bühne untersuchen müsste, von einer Dramaturgie des Experiments." (1) Wie aber konnte es zu dieser Situation kommen, was zerstörte die nach allgemeingültigen Regeln geschaffene Dramaturgie, die hier gleichgesetzt ist mit der klassischen Dramaturgie? (2)

Da ein umfassender Ueberblick über die Entwicklung des Dramas seit der Klassik Voraussetzung für das Verständnis des modernen dramatischen Schaffens ist, möchte ich im folgenden die Stationen auf dem Weg zum heutigen Theater nennen. Ich stütze mich dabei in erster Linie auf Peter Szondis eindrückliche Abhandlung über die "Theorie des modernen Dramas". (3)

Die erste grosse Gefahr droht der klassischen Dramaturgie daher, dass die das Drama als Absolutes beherrschende Gegenwart durch die Vergangenheit ersetzt wird. Auf der Bühne spielt sich nicht eine gegenwärtige Handlung ab, sondern die in den Menschen lebende Vergangenheit, um die sich ihr ganzes Denken dreht. Das Zwischenmenschliche, Grundlage des Dramas, wird durch Innermenschliches ersetzt. Das Geschehen wird beiläufig und der Dialog, die zwischenmenschliche Ausspracheform, zum Gefäss monologischer Reflexionen. (4) Vergangenheit und Gegenwart können auch ineinander überfliessen. Es werden dann nur noch Szenen vorgeführt, die für die Entfaltung des einen Helden, des subjektiven Ich, von Bedeutung sind. So wird jede Kontinuität der Szenenfolge aufgegeben und also die Einheit der Zeit wie des Ortes hinfällig. Die Hauptperson, die durch ihre ständige Anwesenheit allein die Szenen verbindet und das Drama zu einem Ganzen schliesst, (5) hat mit der Figur des klassischen Helden nur soviel gemeinsam, als auch sie im Mittelpunkt des Geschehens oder vielmehr der verschiedenen in sich oft geschlossenen oder über den Rahmen des Werkes hinausweisenden Abschnitte des Geschehens steht. Ganz im Gegensatz zum klassischen Helden ist aber ihr Verhältnis zu den übrigen Personen zu sehen: sie steht nicht zwischen ihnen, sondern ihnen gegenüber, wenn nicht sogar über ihnen. (6) Indem das Drama ganz auf dieses subjektive Ich ausgerichtet ist, wird es vom traditionellen Dramenbau weggeführt: "Das Drama, die Kunstform kat'exochen der dialogischen Eröffnung und Offenheit, erhält die Aufgabe, verborgene seelische Geschehnisse darzustellen. Es löst sie, indem es sich auf seine zentrale Gestalt zurückzieht und sich entweder auf sie überhaupt beschränkt (Monodramatik) oder von ihrer Perspektive aus das übrige einfängt (Ich-Dramatik), womit es freilich aufhört, Drama zu sein." (7)

Es ist offensichtlich, dass im derart gefügten Drama ein Gegensatz zwischen Subjekt und Objekt besteht, (8) der dem Prinzip der klassischen dramatischen Form widerspricht. (9) Das Problem des modernen Dramas besteht demnach darin, "dass einem dynamischen Ineinanderübergehen von Subjekt und Objekt in der Form: ihr statisches Auseinandersein im Inhalt gegenübersteht". (10) Die Lösung, die zu einem in sich widerspruchslosen, vom hergebrachten völlig abgetrennten Dramenstil führt, ist in der Richtung zu sehen, dass sich die vom Subjekt-Objekt-Gegensatz beherrschte Thematik, die im Drama der Uebergangszeit (11) in einer ebenfalls motivierten, also thematischen Form verankert wird, sich vollends zur Form niederschlägt und die alte Form sprengt. Es hat sich gezeigt, dass dieser Wandel zu einem wieder einheitlichen Drama hauptsächlich durch das Einbeziehen der Epik in den Bereich der Dramatik vollzogen werden kann. Betrachtet man die berühmt gewordenen Theaterstücke der letzten Jahrzehnte, (12) wobei dem Absurden Theater, da es für Frisch kaum von Bedeutung ist, keine Beachtung geschenkt wird. (13) so bemerkt man mit Erstaunen den Reichtum an Einfällen, der sich in der verschiedenartigen Integrierung der epischen Mittel im Drama äussert. Bringt man etwas Ordnung in die Fülle, zeichnen sich folgende Möglichkeiten ab, die epische Technik im dramatischen Bereich zu bewältigen:

a) Unterbrechung der dramatischen Handlung durch das Hervortreten einzelner Personen: Der Autor schafft eine mittels der dramatischen Handlung allein nicht herzustellende Brücke, indem er einzelne Figuren aus ihren Rollen heraushebt und sie als Schauspieler sprechen lässt oder indem er ihnen, als Figuren des Dramas, Worte in den Mund legt, die zukünftiges, innerhalb des Stückes nicht darstellbares Geschehen erfassen. (14)

b) Einblendung von Vergangenem (seltener auch von Zukünftigem): Der Weg zur Katastrophe, die oft schon im ersten Bild vorweggenommen wird, wird durch neben, oft auch innerhalb der Haupthandlung aufleuchtende Erinnerungsbilder abgesteckt. Diese kommentieren die Haupthandlung und erklären das Verhalten der Figuren, das sie zur Katastrophe führt. (15)

c) Ein Spielleiter tritt auf die Bühne: Er führt in das Drama ein, verbindet die an sich in keinem deutlichen Zusammenhang stehenden Bilder. Was ihn vor allen bisherigen dramatischen Figuren auszeichnet, ist, dass er über dem Spiel steht. In Dramen, in denen diese Möglichkeit der epischen Ueberbrückung in reinster Art ausgeführt ist, bedient er sich der dramatischen Figuren als Marionetten, er leitet sie, greift in ihr Spiel kommentierend oder einhaltgebietend ein. (16)

Auf welche Weise nun haben einzelne Dramatiker, Pirandello, Brecht, Wilder, Miller zum Beispiel, in einigen ihrer Dramen - lange nicht in allen - die in der veränderten Thematik gründende Dialektik von Form und Inhalt überwunden und damit aus ihren Stücken wieder ein einheitliches Ganzes geschaffen? Wie ich dargestellt habe, hat die Krise, die das Drama durchmacht, ihren Ursprung darin, dass die zwischenmenschlichen Beziehungen problematisch wurden. Die dramatische Form aber, an sich unproblematisch, "beruht auf dem zwischenmenschlichen Bezug; die Thematik des Dramas bilden die Konflikte, die dieser entstehen lässt". (17) Brecht hat als einer der ersten erkannt, dass dies den Verzicht auf die dramatische Form bedingt. In seinem Drama "wird der zwischenmenschliche Bezug als Ganzes thematisch, aus der Unfragwürdigkeit der Form gleichsam in die Fragwürdigkeit des Inhalts versetzt. Und das neue Formprinzip besteht im hinzeigenden Abstand des Menschen von diesem Fraglichen; das epische Subjekt-Objekt-Gegenüber tritt so in Brechts Epischem Theater in der Modalität des Wissenschaftlich-Pädagogischen auf." (18)

So ist sich der Spielleiter des Subjekt-Objekt-Verhältnisses, das zwischen ihm und den Personen besteht, bewusst, er verhält sich zu ihnen wie der Epiker zu seinem Gegenstande. Dem Dramatiker ist die Möglichkeit gegeben, mit der Person des Spielleiters die Form zu sichern und, vor allem, durch dessen Stellung über dem Spiel die Thematik wieder in Einklang mit ihr zu bringen: indem er, was bis jetzt im Dialog vorgeführt werden musste und in dieser dramatischen Form durch unerlaubt epische Züge störend auffiel, gleichsam aus dem Spiel herausnimmt und in seinen Mund legt.

Ein weiteres Beispiel ist die auf der Bühne dargestellte Erinnerung. Ibsen konnte sie nur auf die Bühne bringen, indem er sie in einer dazuerfundenen, nebensächlichen Handlung motivierte, und er geriet bei solcher Thematik in Widerspruch mit der Form, das heisst mit der Forderung, dass das Drama je gegenwärtig sein müsse. Als Möglichkeit, wie solches Erinnern mit der Form in Einklang gebracht werden kann, bietet sich das erwähnte Mittel an, vergangenes Geschehen in die Handlung einzublenden, ohne dass durch überleitenden Dialog darauf hingewiesen würde. Auf diese Weise kann Miller in "Death of a Salesman" auf die als "Handlung verkleidete Analyse" verzichten. "Die Gestalten können wortlos zu Schauspielern ihrer selbst werden, denn der Wechsel von aktuell-zwischenmenschlichem Geschehen und vergangen-erinnertem ist im epischen Formprinzip verankert." (19)

Dass die Formexperimente der ersten Hälfte des 20. Jahrhunderts, unter ihnen vor allem diejenigen, die das Problem des modernen Dramas in irgendeiner Weise gelöst haben, das zeitgenössische Theater in bedeutendem Masse prägen, darf man bei einer Untersuchung auf diesem Gebiet nicht übersehen, (20) es scheint mir dies auch selbstverständlich. Ich distanziere mich deshalb in der vorliegenden Arbeit bewusst von der Manier, nach der gerade in der Frisch-Forschung so häufig und so gerne gearbeitet wird: so stelle ich Frisch nicht als Epigonen Brechts, Pirandellos, Wilders, Kafkas ..., nicht als Zeitgenossen Dürrenmatts, sondern als selbständigen Dramatiker vor, was jedoch, wie gesagt, nicht heissen soll, dass ich die Beziehung zu diesen Dramatikern, insbesondere zu Brecht, (21) nicht gelten lasse; ich halte sie vielmehr für wichtig genug, dass sie zum Gegenstand einer eigenen Untersuchung gemacht wird. (22)

Grundlage einer kritischen Darstellung der Dramaturgie eines Dichters, die übrigens nicht nur, wie Dürrenmatt sagt, von Dichter zu Dichter verschieden ist, sondern sich auch im Schaffen eines einzelnen ändern kann, ist die Kenntnis der dramaturgischen Regeln, wie sie im klassischen Theater galten. Sie ist notwendig auch für die Arbeit am modernen Drama, kann es doch nur auf Grund des klassischen verstanden werden. Es sind vor allem drei Werke, die mir über das Wesen des Theaters Aufschluss gegeben haben, sie sind damit für meine Arbeit grundlegend: Gustav Freytag, Die Technik des Dramas, Leipzig 1863; Robert Petsch, Wesen und Formen des Dramas, Halle 1945; Peter Szondi, Theorie des modernen Dramas, Frankfurt a.M. 1968. Während Szondis Abhandlung unentbehrlicher Leitfaden für die Untersuchung von Frischs Dramaturgie gewesen ist, das Hauptkapitel der Arbeit, "Frischs Dramen: Lösung oder Lösungsversuch?", ist ganz auf seinen Erkenntnissen aufgebaut, haben sich die beiden andern Werke, die die Dramaturgie des klassischen Dramas entwickeln, für das Kapitel "Frischs Dramaturgie der Peripetie" als wertvoll erwiesen. Die Unterteilung in die einzelnen Strukturelemente habe ich nach Petschs Vorbild vorgenommen.

Im weitern ist für eine solche Untersuchung die Aussage des Dichters selbst von grösster Bedeutung. Da Frisch sich in ganz verschiedenem Zusammenhange über seine Arbeit geäussert hat, im Tagebuch, in Reden, Artikeln, Interviews, im Anhang zu den Dramen und in den Programmheften, und da diese theoretischen Gedanken, die er besonders in früheren Jahren nur zurückhaltend vor die Oeffentlichkeit gebracht hat, bisher vor allem auch nicht gesammelt worden sind, habe ich es als meine Aufgabe erachtet, sie, soweit sie mir zugänglich waren, zu ordnen und gewissermassen als Basis für die folgenden Ausführungen mitzuteilen. Die Aeusserungen Frischs, die sich auf die Dramaturgie seines letzten Stückes beziehen, sind in dem ihr gewidmeten Kapitel, "Frischs Dramaturgie der Variation", zu suchen. Wie schon erwähnt, habe ich dem Hauptkapitel der Arbeit, in dem ich die Dramen auf ihre Eignung für die Bühne hin untersuche, eine ausführliche Darstellung ihrer Strukturelemente vorangestellt. Dies ist aus der Ueberlegung heraus geschehen, dass das Drama als Ganzes, das heisst so wie es auf der Bühne wirken könnte, nur aufgrund seiner einzelnen Teile vollständig erfasst wird.

Wie wichtig für Frischs Stücke ist, dass man sie aufgeführt sieht, ist mir bei der Durchsicht der Kritiken über die Ur- und Erstaufführungen vor allem der beiden letzten Stücke bewusst geworden. Sie machen deutlich, dass Frischs Stücke auf der Bühne ganz anders erscheinen, als man es von der Lektüre her erwartet, dass die Regie für ihre Wirkung auf den Zuschauer weit mehr verantwortlich ist als bei andern modernen Dramatikern - denn Frisch "errichtet kein imponierend theoretisches Gerüst für die szenische Verwirklichung", (23) der Regisseur ist weitgehend frei in der Gestaltung der Aufführung.

Das Schlusskapitel, "Theater als Prüfstand", präsentiert das Engagement des Dichters, es ist als Ergänzung zu schon Veröffentlichtem gedacht.

Die Seitenzahlen beziehen sich auf die Ex-Libris-Ausgabe der Dramen Frischs, "Max Frisch - Gesammelte Stücke", sie sind in Klammern (D...) im Text angegeben. In der Literaturliste erwähne ich hauptsächlich die Werke, die mit der Arbeit in unmittelbarem Zusammenhang stehen, im übrigen verweise ich auf die grösstenteils vollständige Bibliographie von Klaus-Dietrich Petersen im Anhang der Sammlung von Aufsätzen "Ueber Max Frisch". (24)

Max Frisch möchte ich dafür danken, dass er mir im Sommer 1970 die Zeit für ein Gespräch in Berzona gegeben hat. Das Erlebnis der Begegnung liess mich die Arbeit unter veränderten Gesichtspunkten weiterführen. Danken möchte ich auch den verschiedenen deutschen Zeitungen, die mir innert kürzester Frist, zum Teil kostenlos, die verlangten Artikel von und über Max Frisch photokopiert zusandten.

I. FRISCHS SELBSTVERSTAENDNIS ALS DRAMATIKER

In einem Interview wirft Dieter E. Zimmer fast nebenbei das Problem auf, das sich den Interpreten Frischs, werden sie sich dessen erst bewusst, bei der schriftlichen Ausführung ihrer Gedanken wohl als schwierigstes und auch gefähr-lichstes aufdrängt: "Nun ist sehr viel über Sie geschrieben worden, ja Ihr Werk scheint in besonderem Masse Kommentare zu provozieren, die zu wiederholen suchen, was Sie geschrieben haben, nur sehr viel unverständlicher." (1) Liest man Frisch, vor allem sein Tagebuch, seine gesammelten Reden (2) oder auch eines der wenig bekannten Werke wie zum Beispiel das Hörspiel "Rip van Winkle", stutzt man immer wieder, denn man erkennt, dass hier die eigenen Gedanken in Worte gekleidet sind, die in ihrer Zusammensetzung zum ganzen Text sehr klar und eher schlicht anmuten, die aber, dies wird bei genauem Betrachten deutlich, mit grosser Prägnanz hingesetzt sind. Frischs Schreibweise fällt ganz besonders auf, wenn man sie mit der verschiedener Interpretationen und sehr vieler Kritiken vergleicht: was da auf den ersten Blick gewiss brillant und gelehrt formuliert ist, steht eben vielfach schon bei Frisch selbst, einfacher und grossartig - und man versucht, sich durch solche Einsicht im Hinblick auf die eigene Arbeit leiten zu las-sen. Es ist nicht immer leicht.

Wenn man das Werk Frischs auf Aeusserungen die Dramaturgie betreffend unter-sucht, muss man mit Bedauern, würden sie doch der Arbeit einen festeren Grund abgeben, feststellen, dass sie recht dünn gesät sind: wenige Hinweise auf seine eigene Dramaturgie, (3) noch seltener Gedanken über die moderne Dramaturgie im allgemeinen, wie sie zum Beispiel Dürrenmatt notiert hat. (4) So ist man denn neben den vereinzelten Abschnitten "Zum Theater" und "Zur Schriftstellerei" im Tagebuch, neben den erwähnten Reden vor allem auf die Interviews in Zeitungen, Radio und Fernsehen (5) und auf seine Kommentare zu den Proben und zu den Ur-aufführungen im Zürcher Schauspielhaus angewiesen.

1. DIE AUFGABE DES SCHRIFTSTELLERS IN DER GESELLSCHAFT

Warum schreibt Max Frisch? Die Antwort auf diese sehr häufig gestellte Frage wird, besonders in Interviews, oft fast ungehalten, daneben aber, so wenn er selbst darauf zu sprechen kommt, auch bereitwillig und vor allem sehr offen ge-geben: "Um zu schreiben! Um die Welt zu ertragen, um standzuhalten sich selbst, um am Leben zu bleiben." (6) Oder aus "Bedürfnis nach Kommunikation... Man möchte gehört werden; man möchte nicht so sehr gefallen als wissen, wer man ist." (7) Gehen diese beiden Erklärungen, die sich später jede im ähnlichen Wort-laut wiederholen, wie es auf den ersten Blick aussieht, auseinander? Das Unbeha-gen in der Welt, das Leiden an der heutigen Zeit, das sich im ersten Zitat zum Ge-ständnis formt, erweist sich als Grundthema in Frischs gesamtem Werk. Nicht nur im dramatischen, auch im erzählerischen Schaffen gestaltet er es zu immer neuen Variationen vom in der heutigen Welt zerrissenen oder von der heutigen Gesell-schaft geprägten Menschen. "Um standzuhalten sich selbst, um am Leben zu bleiben", muss der Mensch sein eigenes Ich kennenlernen; der Weg dazu bleibt ihm selbst überlassen. Frisch wählt offenbar das Mittel des Schreibens, und er tut es weniger, um sich im Urteil anderer zu sehen, als vielmehr, um im Gang der Arbeit, durch bewusste Auseinandersetzung mit seinen Gedanken sich zu erfahren. So genommen steht das zweite Zitat neben dem ersten als Antwort und als beste Lösung. Frisch deutet diesen Zusammenhang selbst an, wenn er sagt: "Ich schreibe nicht, um zu lehren, sondern um meine Verfassung auszukundschaften durch Darstellung - meine Verfassung: meinen Zweifel an was?" (8)

Auch wenn ein Schriftsteller, gleichsam als Anstoss dazu, Schreiben als Versuch einer Therapie auffasst, so wird er, vom Moment der Veröffentlichung an, die Oeffentlichkeit: den Leser, den Zuschauer nicht übersehen können. "Denn jedes Kunstwerk hat es in sich, dass es wahrgenommen werden will. Es will, wie monologisch es auch ausfallen mag, jemand ansprechen. Und wenn auch dieser Jemand, den wir ansprechen, von uns durchaus als Fiktion gemeint ist, so bleibt der Verfasser nicht gefeit vor den Folgen: dass nämlich ein Leser, ein leibhaftiger, sich angesprochen fühlen kann und dass der Verfasser, ob es ihm passt oder nicht, eine Wirkung angetreten und eine gesellschaftliche Verantwortung übernommen hat." (9) Frisch gesteht, dass er sich - nachträglich, denn sonst würden sich seine Worte widersprechen - zum Irrtum verstiegen habe, in dieser Verantwortung den Anfang für sein Schreiben zu begründen. Diesem Irrtum, der schuld sei am Misslingen manches Entwurfes, sei wohl vor allem der Schriftsteller ausgesetzt, werde er doch von seiner Leserschaft gleichsam zum Privat-Priester erhoben, während die Kritik jedes neue Werk auf den Drang des Autors nach "Aussage" hin untersuche - politische oder persönliche Aussage. Und schon kommen wieder Zweifel: "Will ich, als Stückeschreiber, wirklich beitragen zur Verwirklichung einer politischen Utopie, oder aber (dies der Verdacht) lieben wir die Utopie, weil das für uns offenbar die produktivere Position ist?" (10)

Das Problem, ob der Schriftsteller im bewussten Verfolgen eines Ziels seine Werke mit politischen Gedanken füllen und auf bestimmte politische Grundsätze aufbauen soll oder Theater machen dürfe aus Lust am Theater - "und was dann die Welt anfängt mit unserm Theater, was nicht, sei ihre Sache, nicht unsere" (11) -, spielt bei Frisch eine bedeutende Rolle.

Frisch will von allem Anfang an dieses Engagement nicht auf ein bestimmtes Land bezogen haben; wenn er eines hat, so gilt es nicht der Schweiz. Der heutige Dichter kann es sich nicht mehr leisten, in dieser mit Hilfe der technischen Mittel klein gemachten Welt, die ihn, ob er will oder nicht, beschäftigt, sein Augenmerk nur auf das Nationale zu richten und als Poet seines Vaterlandes zu wirken. Er wird also in gewissem Sinne vaterlandslos, und dieses Gefühl, das ihn zum Emigranten stempelt, "ein Gefühl der Fremde schlechthin, das übrigens nicht melancholisch ist, ein klares und trockenes Gefühl", (12) wurzelt auch darin, dass er nicht mehr an einen einzelnen integren Staat im alten Sinne glaubt: "Glauben Sie an ein neues Deutschland? Ich frage. Glaube ich an eine neue Schweiz?" (13)

In welcher Weise verbindet Frisch die Idee des Engagements mit dem Künstler, mit dem Kunstwerk? Feststeht, dass die Literatur die Politik nicht beeinflussen kann. Immer wieder betont er dies: "Wir können das Arsenal der Waffen nicht aus der Welt schreiben", und es folgt das Aber, das das Engagement der Literatur begründet: "aber wir können das Arsenal der Phrasen, die man hüben und drüben zur Kriegführung braucht, durcheinanderbringen, je klarer wir als Schriftsteller werden, je konkreter nämlich, je absichtsloser in jener bedingungslosen Aufrichtigkeit gegenüber dem Lebendigen, die aus dem Talent erst den Künstler macht." (14) Und einige Jahre später schreibt er: "Gewisse Haltungen von gestern, obschon noch immer vorhanden, sind heute nicht mehr vertretbar, weil die Literatur sie umgetauft hat auf ihren Wirklichkeitsgehalt hin, und das verändert nicht bloss das Bewusstsein der kleinen Schicht von Literatur-Konsumenten; der Umbau des Vokabulars erreicht alle, die sich einer geliehenen Sprache bedienen, also auch die Politiker. Wer heute gewisse Wörter braucht, wäre entlarvt: dank der Literatur, die den Kurswert der Wörter bestimmt." (15)

Der Sinn des Engagements besteht also sicher nicht darin, dass der Schriftsteller als Politiker in der Oeffentlichkeit auftrete, sein Wirkungsfeld liegt vielmehr im Verborgenen. Braucht Frisch für die Abgrenzung dieser Literatur-Domäne 1958 in der Büchner-Rede noch sehr kämpferische Worte, (16) wirkt er 1964 mit der Rede "Der Autor und das Theater" gemässigt. Was er schon dort kurz angeleuchtet hat, arbeitet er hier aus. Der Schriftsteller, der im wesentlichen Menschen darstellt, muss durch die Art seiner Darstellung auf die Menschen Einfluss nehmen: "aber wenn ich in der Beleuchter-Loge sitze und die Gesichter im Parkett sehe, bin ich doch nicht mehr sicher, dass wir in unsrer Arbeit verantwortungsfrei sind; sie könnte zumindest einen verhängnisvollen Beitrag leisten, indem sie zur Untat aufstachelt oder einschläfert zur Zeit der Untat; das letztere ist das häufigere, das übliche... Also glaube ich plötzlich doch, dass das Theater so etwas wie eine politische Funktion habe? - ich glaube, das ist kein Postulat, sondern eine Wahrnehmung: sozusagen von der Beleuchter-Loge aus; eine Erfahrung, die dann auch am Schreibtisch nicht mehr ganz zu vergessen ist." (17) In welchem Masse und auf welche Weise Frisch sich in seinen Dramen engagiert, wird im letzten Kapitel dieser Arbeit zu untersuchen sein.

2. DER AUTOR UND DAS THEATER

Immer wieder wird in Interviews auch die Frage an Frisch gerichtet, ob er sich über seine Dramaturgie äussern könne. Wie legt er sich in seiner Antwort selbst fest, und wie lässt er sich in der Folge gültig festlegen? Das Tagebuch gibt, wie erwähnt, ausser einigen Ueberlegungen zu Brecht, zu seinem "Kleinen Organon für das Theater", das Frisch als Manuskript vorgelegt bekam, (18) und vereinzelten Abschnitten über das Schauspiel von Shakespeare (19) in der Beziehung nichts her. Wohl schreibt er über das Theater im allgemeinen, nie aber, so scheint es wenigstens, bezieht er sich mit seinen Worten auf den dramaturgischen Bau seiner Stücke. Erst in jüngster Zeit, seit er sich mit den Gedanken an eine neue Dramaturgie trägt, der er in der "Biografie" ihre vorläufige Form gegeben hat, und diese Gedanken auch offen darlegt, erfährt man stückweise, wie er sich zu seinen früheren Dramen verhält, allerdings eben aus der Distanz der Rückschau.

Schon recht früh jedoch, zaghaft zuerst, kommt die Andeutung, dass der Dramatiker die Möglichkeit haben müsse zu experimentieren "Man müsste probieren können..." - "Man sollte fürs Theater nur schreiben, wenn man die Hand hat, das Theater an die Hand zu nehmen... Der Stückeschreiber müsste wissen, was ohne Wort darstellbar ist, und er muss es durch die Anlage der Szene schon bestimmt haben. Auch das Ausgesparte muss gedichtet sein. Ganze Seiten reicher Prosa, die nicht geschrieben werden dürfen, auch nicht einmal als Leitfaden für Schauspieler, müssen in Erscheinung aufgehen können - ohne Verschleppung des Dialogs, also ohne pantomimische Geschwätzigkeit, sondern durch Erfindung eines Gestus, der das Vage im Augenblick bannt... Man müsste spüren, was das Material hergibt, was es eingibt. Man müsste machen. Man müsste Hände haben. Man müsste probieren können..." (20)

Zweifel also an den eigenen dramaturgischen Fähigkeiten? Ein zweites wichtiges Problem des Dramatikers Frisch ist damit genannt, es beschäftigt ihn, wie an oft flüchtig eingeschobenen Bemerkungen deutlich wird, bis in die Gegenwart. Im Interview mit Horst Bienek (21) antwortet er auf die Frage, ob er lieber Prosa oder Theaterstücke schreibe, er tue das, was ihm gelinge. "Wenn ich Ihnen also sage, ich schreibe jetzt Prosa, so können Sie annehmen, dass ich über mein Theater verzweifelt bin." Die gleiche Unsicherheit kommt auch zum Ausdruck, wenn er sagt, dass er noch nie Regie geführt habe. Er sitze in den Proben, um zu lernen, das Handwerk des Theaters zu lernen. (21) Frisch liebt es, den Proben beizuwohnen, und dies nicht nur, weil sie neue, wertvolle Möglichkeiten des Theaters eröffnen. Er findet in ihnen auch das unfertige, abtastende Spiel, eben das Experiment, das für ihn das wahre Theater ausmacht. Proben faszinieren ihn, während das Theater, seit dem Abklingen der ersten Begeisterung in der Jugend, ihn langweilt, sogar irritiert. (22) Immer aber folgt auf die Proben die Aufführung. "Dann aber die fertige Aufführung: So und nur so geschieht's. Wie im Leben, Einläufigkeit anstelle der Auffächerung. Zwar ist alles 'nur' gespielt, aber wie unnatürlich jeder Dialog auch sei, durch Einläufigkeit der Szene wird sie geschichtlich, ich meine: es unterläuft Imitation von Leben, das ja dadurch gekennzeichnet ist, dass in diesem Moment immer nur eine einzige von allen Möglichkeiten sich realisiert, nicht einmal unbedingt die wahrscheinlichste, diese aber unwiderruflich, eben geschichtlich..." (23) Wichtig ist der Gedanke, dass das Theater nur eine von den unendlich vielen Möglichkeiten des Spiels aufzeigt. In ihm wurzelt Frischs Missfallen "an einer Dramaturgie, die nur den zwangsläufigen Ablauf anbietet und damit unterstellt, dass eine Geschichte (Biografie oder Weltgeschichte) nur so und nicht anders habe verlaufen können" (24) - und die Idee, es mit einer Dramaturgie zu versuchen, die diese Zwangsläufigkeit negiert. (25)

Frisch berichtet schon im Tagebuch von einer Probe, besser: einer Vorprobe. Er
sitzt in einer Loge und wartet auf den Beginn, eine Stunde hat er noch Zeit. Auf der
Bühne, die überflutet ist von sogenanntem Arbeitslicht und aus dem übrigen Dunkel
hervorsticht, steht ein Arbeiter, er schimpft, eine Schauspielerin kommt, sie
grüsst ihn. "Die kleine Szene, die sich draussen auf der Strasse tausendfach ergibt, warum wirkt sie hier so anders, so viel stärker?" (26) In der folgenden Betrachtung sieht sich Frisch einen leeren Rahmen nehmen und ihn vor sich hinhalten.
Das Resultat? Er wird gezwungen, das Feld im Rahmen, und sei es auch nur eine
weisse Wand, genau zu betrachten, scheinbar Bekanntes, Vertrautes wird auf einmal reich an Neuem, bisher nicht Beachtetem. "Es ist der leere Rahmen, der uns
zum Sehen zwingt." Wie die Bilder durch den Rahmen aus der Natur gelöst werden -
"er ist ein Fenster nach einem ganz anderen Raum, ein Fenster nach dem Geist,
wo die Blume, die gemalte, nicht mehr eine Blume ist, welche welkt, sondern Deu-
tung aller Blumen... das Sinn-Bild" -, so hebt die Bühne mit ihrem Rahmen ein
Stück Leben aus der Fülle der Leben heraus, sie bringt durch ihre Begrenzung
nicht die unpersönliche Masse der Strasse zur Darstellung, sondern die Person,
die die Millionen vertritt "und einzig wirklich ist".

Frisch kommt in dieser Betrachtung über die Bühne auch auf die Rampe zu sprechen, "die ein Teil jenes Rahmens ist, und zwar der entscheidende. Eine Bühne,
die keine Rampe hat, wäre ein Tor. Und gerade das will sie offenbar nicht sein.
Sie lässt uns nicht eintreten. Sie ist ein Fenster, das uns nur hinüberschauen
lässt." (27) Wohl nennt er Dichter, so zum Beispiel Wilder, die auf dieser klassischen Bühne die Kluft zum Publikum zu überbrücken suchen, die die Rampe über-
spielen; von einem diesbezüglichen Vorhaben, das sich später in den meisten
Stücken realisierte, ist aber mit keinem Wort die Rede. Auch Frisch erkennt,
dass dieses epische Mittel ein verzweifelter Ausbruch der Dichtung ist, die sich
ihrer eigenen Ohnmacht bewusst geworden ist und sie nun auf diese Weise offen-
bart. (28)

Was eignet sich zur Darstellung auf einer solchen Bühne, die infolge der veränderten
Thematik heute nicht mehr nur klassische Guckkastenbühne sein kann? Mit der Fabel, von der die klassische Dramaturgie als erstes forderte, dass sie spielbar sei,
(29) scheinen auch die meisten heutigen Stücke zu stehen und zu fallen. (30) Woraus
setzt sich also der Grundstoff zusammen, der in der Arbeit durch immer neue
Einfälle und Veränderungen zur Fabel geformt wird? Dass sich der Schriftsteller
immer in irgendeiner Weise engagiert, wurde bereits erwähnt. Auch wenn er
sich in einsame Gegend zurückzieht, sieht er sich doch immer der Oeffentlichkeit gegenüber, "die eine mehr oder minder bekannte Realität ist, eine meist
anonyme oder durch fragwürdige Personen vertretene Macht", (31) die zumindest
seinen Ton, seine Sprache durch ihre Haltung, freundliche oder feindliche, beeinflusst, und er muss versuchen, ihr den Inhalt mundgerecht anzubieten. Es bleibt
seiner Kunst überlassen, diesem Inhalt trotzdem sein persönliches Gepräge zu geben, ihm sein Gedankengut, kritisch und damit der Oeffentlichkeit unangenehm, ein-
zuschliessen. Als altbewährtes Mittel drängt sich die Tarnung durch örtliche und
zeitliche Entfremdung auf. Der Schriftsteller entfremdet dem Zuschauer das Stück,
indem er es ohne zeitliche Veränderung in einem andern Land spielen lässt oder

es sogar in historischer Verkleidung vorführt und somit den in ihm enthaltenen
Vorwurf wenigstens für den Augenblick der Aufführung von seinem Bewusstsein
distanziert. So taten es berühmte Dramatiker, so taten es zum Beispiel Brecht
und Shakespeare. Veränderung also, um der Zensur zu entgehen? "Offenbar ist
es eine ungeheuerliche Anmassung, die jedem Dichten zugrunde liegt. Je näher sie
aber zusammenkommen in der Zeit und im Raum, der Gegenstand einer Dichtung
und diese Dichtung selber, um so lauter wird die Frage, um so peinlicher, um so
unerträglicher - gewiss, es gibt das erprobte und fast sichere Mittel der historischen Verkleidung: man schlägt die Geschichte, die Ereignisse aus dem soundso-
vielten Jahrhundert, und man meint die Gegenwart. Das Mittel hat vieles für sich.
Man entschlüpft der Zensur: man zeigt dem Hof, ob er fürstlich oder anders
heisst, seinen Spiegel, und es merken das immer nur jene, die den Spiegel schon
in sich tragen." (32) Frisch sieht aber in der Zensur nicht den eigentlichen Grund
für die Ansiedlung der Fabel jenseits der jeweils vorhandenen Welt. Wer selber
schreibe, erfahre den Grund sehr bald: "man muss verändern, um darstellen zu
können, und was sich darstellen lässt ist immer schon Utopie... Allein dadurch,
dass wir ein Stück-Leben in ein Theater-Stück umzubauen versuchen, kommt Ver-
änderbares zum Vorschein... Jede Szene, jede Erzählung, jedes Bild, jeder Satz
bedeutet Veränderung: nicht der Welt, aber des Materials, das wir der Welt entnehmen; Veränderung um der Darstellbarkeit willen." (33)

Wie etwas Alltägliches, wird es auf die Bühne gebracht, ungewollt, allein schon
durch die Einrahmung verändert wird, plötzlich an ungewohnter Bedeutung gewinnt,
so muss der Dichter das Stück Leben, das er auf die Bühne bringen will, für die
Bühne zurechtmachen, nach den hier geltenden Regeln, wobei dies in den meisten
Fällen im Sinne einer Abstraktion, einer Stilisierung geschieht. Allzunahes müsse
durchsichtig werden auf klassische Distanz. Ein Satz aus dem Tagebuch fällt dazu
ein: "Es ist nicht die Schuld des Theaters, wenn der Dichter es nicht brauchen kann.
Wer auf die Bühne tritt und die Bühne nicht braucht, hat sie gegen sich. Brauchen
würde heissen: nicht auf der Bühne dichten, sondern mit der Bühne -". (34)

Das Interesse des Stückeschreibers hat in erster Linie der Darstellung zu gelten,
seine Meinungen als Mensch und als Staatsbürger dürfen sich nur innerhalb der
dem Theater gesteckten Grenzen entfalten und kundtun, das heisst, sie dürfen den
Rahmen der Aufführung, die immer Spiel ist, nicht sprengen. Die Bühne des
Theaters ist nicht als politische Bühne gedacht, sie eignet sich auch nicht dazu. (35)

In der Darstellung wendet sich der Dramatiker durch den Menschen an den Menschen, an die Oeffentlichkeit. Was er darstellt, ist damit von vornherein gegeben,
wie er es tut, bleibt seinem Willen und seiner Phantasie überlassen. Er wird ihn
zeigen, wie er ihn erfährt, und sich so der Gefahr der immergleichen Thematik
aussetzen. (36) Frisch wählt, "was die Soziologie nicht erfasst, was die Biologie
nicht erfasst: das Einzelwesen, das Ich, nicht mein Ich, aber ein Ich, die Person,
die die Welt erfährt als Ich, die stirbt als Ich, die Person in allen ihren biologi-
schen und gesellschaftlichen Bedingtheiten; also die Darstellung der Person, die
in der Statistik enthalten ist, aber in der Statistik nicht zur Sprache kommt und
im Hinblick auf das Ganze irrelevant ist, aber leben muss mit dem Bewusstsein,

dass sie irrelevant ist - ... alles, was Menschen erfahren, Geschlecht, Technik, Politik als Realität und als Utopie, aber im Gegensatz zur Wissenschaft bezogen auf das Ich, das erfährt." (37)

Frisch bringt mit diesen Worten auch zum Ausdruck, dass er den Menschen als Mittelpunkt-Personnage im Drama gelten lässt. Er richtet die Handlung seiner Stücke, auch der beiden letzten, auf den einzelnen Menschen aus - und dies in einer Zeit, die nicht vom Individuum, sondern vom Kollektiv geprägt ist. Er weiss, dass er sich mit seinem Theater in einen Gegensatz zur Wirklichkeit stellt, sieht aber keine Möglichkeit, dies zu ändern. Denn das Kollektiv ist nicht für ein Theater geschaffen, das das Stück Leben, das es aufgreift, verändern muss, um ihm in seinem Rahmen Bedeutung zu verleihen. So kann das Theater, weil es seinem Wesen nach auf das Erscheinen von Menschen (38) auf der Bühne angewiesen ist, gar nicht Abbild unserer heutigen Zeit sein: "Es bleibt der Mensch als Mittelpunkt-Personnage - auf der Bühne, im Gegensatz zur Wirklichkeit, und vielleicht hat unser Bewusstsein auch darum Mühe mit dem Theater, zumindest wenn es Welt-Theater sein will und mehr als Kammerspiel." (39) In diesem Gegensatz liegt nach Frisch "eine fundamentale Problematik heutigen Theaters". Dass er in seinem Urteilen nicht nur auf andere Versuche abstellt, sondern selbst mit dem Kollektiv experimentierte, geht aus den folgenden Worten hervor: "Als ich das 'Biografie'-Stück schrieb, betrachtete ich es als eine Vorübung mit dem Ziel: Varianten-Spiel nicht an der Biographie einer Einzelperson, sondern an einem Kollektiv." Was aber mit den Mitteln des herkömmlichen modernen Dramas noch möglich ist, wenn auch meist mit nur geringem Anspruch auf Erfolg, das wird durch das Varianten-Spiel verunmöglicht. Frisch kapitulierte vor der unübersehbaren Anzahl von Möglichkeiten. Der Versuch führt zu einer Permutation, "die ich nicht mehr zu denken vermag; aber auch wenn ein Computer sie mir ausrechnet, sehe ich die Darstellbarkeit auf der Bühne nicht mehr -". (40) Das Stück ist aber auch verfehlt, wenn es Mächte personifiziert, wenn es Staatsmänner zu Protagonisten im klassischen Sinne macht. Dies erinnert an einen Gedanken Dürrenmatts: "Mit einem kleinen Schieber, mit einem Kanzlisten, mit einem Polizisten lässt sich die heutige Welt besser wiedergeben als mit einem Bundesrat, als mit einem Bundeskanzler." (41)

Was veranlasst Frisch, der nach der Meinung vieler eher Epiker denn Dramatiker ist, immer wieder für die Bühne zu schreiben? Worin liegt für ihn der Reiz des Theaters also? Im Tagebuch fragt er sich einmal, was der Begriff des Theatralischen, den er mit Vorliebe brauche, eigentlich bedeute; und er kommt zum Schluss: "Wahrnehmung und Imagination. Ihr Zusammenspiel, ihr Bezug zueinander, das Spannungsfeld, das sich zwischen ihnen ergibt, das ist es, was man, wie mir scheint, als das Theatralische bezeichnen könnte." Wahrnehmung: was das Auge auf der Bühne aufnimmt, zum Beispiel wenn der Vorhang aufgeht, wenn zwei sich gegenüberstehen. Imagination: wenn die beiden zu sprechen beginnen. Neben das Bild der Wahrnehmung stellt sich dasjenige der Vorstellung, das durch das Gesprochene hervorgerufen wird. Das Wahrnehmbare ist ein Teil des Theaters, dem der Dichter, will er echtes Theater machen, nicht ausweichen kann. Es ist gegenwärtig, "auch wenn der Dichter es vergisst, mächtig ..., auch wenn der

Dichter es nicht benutzt - gegen ihn ..., und zwar so, dass keine Sprache ihn
rettet, keine." (42) Wenn der Dichter aber die Bühne beherrscht, so liefert sie
ihm eine steigernde Folie für das Wort; Frisch sieht darin eine Verlockung, Theater zu machen, auch für den nicht-dramatischen Dichter! (43)

Das Drama ist, zum Beispiel im Vergleich mit dem Hörspiel, das zumindest
sprachlich mit ähnlichen Mitteln arbeitet, noch aus einem anderen Grunde reizvoll: Der Dichter wird durch das Theater gezwungen, sich in der Aufführung seines Stückes dem Publikum direkt auszusetzen, er stellt sich und sein Werk zur
Schau, besser: er legt es zur Prüfung vor, er will die "unverborgene, sichtbare,
öffentliche Konfrontation ... mit seiner Zeitgenossenschaft". (44)

Im Wesen des Theaters liegt auch begründet - und deshalb werde es auch so dringlich gebraucht -, dass es zulässt, was im Leben nicht möglich ist: es kann Geschehenes wiederaufnehmen, ändern, variieren. Da aber gerade diese Erkenntnis
richtungsweisend für Frischs letzte dramaturgische Versuche ist und da diese Versuche später noch ausführlich behandelt werden, genüge hier dieser Hinweis. (45)

Eigenart und Aufgabe des modernen Theaters scheint mit der von Frisch geprägten
Formel "Theater als Prüfstand" (46) knapp und trefflich festgelegt. Er erklärt sie
damit, dass auf der Bühne eine allabendliche Kundgebung stattfinde. "Zumindest
zeigt sich, was die Mitbürger wissen wollen, was nicht, was sie für heilig halten,
was sie empört und womit sie zu trösten sind. Indem sie beispielsweise ein Vorgang,
den sie in der Wirklichkeit jahrein jahraus hinnehmen, auf dem Theater entrüstet,
zeigt sich (im Dunkel des Zuschauerraumes deutlicher als im hellichten Alltag)
ihr Verhältnis zur Wirklichkeit ausserhalb des Theaters." (46) - In diesem Sinne
ist das Theater auch für Frisch eine eminent aktuelle Institution, wenn auch das
Beiwort "politisch" an dieser Stelle vorsichtig beiseitegeschoben wird. Im Interview mit Horst Bienek geht er weiter: "Das Theater (wenn Sie mich jetzt richtig
verstehen, nämlich buchstäblich) ist eine politische Anstalt; es setzt eine Polis
voraus, die sich bekennt... Theater ist Auseinandersetzung mit einer Gesellschaft,
die ihr Bekenntnis lebt oder korrumpiert... Komödie oder Tragödie, beides setzt
ein öffentliches Wertbekenntnis voraus, eine Gesinnung, ob sie mir passt oder
nicht. Es gibt, meine ich, kein Drama vor Tarnkappen - oder es bleibt das absur-
de Theater." (47)

II. FRISCHS DRAMATURGIE DER PERIPETIE

1. DIE FABEL - ENTWURF UND AUSFUEHRUNG

"Was wir in Wahrheit haben, sind Erfahrungen, Erlebnismuster. Nicht nur indem wir schreiben, auch indem wir leben, erfinden wir Geschichten, die unser Erlebnismuster ausdrücken, die unsere Erfahrung lesbar machen. Dabei glaube ich, und das ist entscheidend für die Möglichkeit der Darstellung: Erfahrung ist ein Einfall, nicht ein Ergebnis aus Vorfällen." (1) Verdeutlicht werden diese Worte, die die Frage nach Ursprung und Wahl des Stoffes beantworten, noch durch einen Gedanken, den Frisch in dem Gespräch äusserte, das ich mit ihm über meine Arbeit führen durfte. (2) Er meinte, er könne nur das darstellen, was er selbst erlebt habe, was er als Erfahrung in sich trage. Er habe als Bürger gelebt, als Angestellter und Boss und auch als Intellektueller, somit dürfe er den Stoff, die Grundlage des dichterischen Werkes, nur im Bereich dieser Schichten suchen. Die Welt des Bauern und des Arbeiters sei ihm nicht vertraut und deshalb für ihn als Stoff unbrauchbar.

Frisch gibt damit Auskunft über die Beschaffenheit der Welt, die er auf die Bühne bringt, und zeichnet auch die Grenzen, die seinen Fabeln gesetzt sind. Zugleich legt er den Menschen fest, um den sich die Fabel aufbaut. (3)

Einzelne Fabeln muten bekannt an. Man hat sie schon bei der Lektüre des Tagebuches aufgenommen und wird nun wieder an sie erinnert. Frisch schreibt über diese Eintragungen: "Ich war damals, wie schon erwähnt, Architekt. Auf dem Heimweg vom Atelier, in einem Café, manchmal sogar im Atelier, wenn die Angestellten es nicht sehen konnten, schrieb ich solche Skizzen ... abgesehen davon, dass ich nie das hehre Gefühl von Berufung kannte, hatte ich damals gar nicht Zeit, die Entwürfe auszuführen. Ich musste Geld verdienen." (4) Er nennt diese ersten Entwürfe einer Fabel Skizzen; sie wirken aber selbst in Tagebuchform abgeschlossen, zu Ende gedacht, wenn sie auch nicht ausgefeilt sind. Erst wenn man sie mit der Fabel des Dramas vergleicht, wird klar, wie einseitig sie im Tagebuch vorgeführt werden, wie viel mehr Ungesagtes, nicht einmal zu Ahnendes, für den Dichter in diesen Stoffen liegt.

Am Anfang des Tagebuches von 1946, dem ersten, steht zum Beispiel die Geschichte vom "andorranischen Juden". Andri wird da in sachlichem Ton beschrieben: "In Andorra lebte ein junger Mann, den man für einen Juden hielt. Zu erzählen wäre die vermeintliche Geschichte seiner Herkunft, sein täglicher Umgang mit den Andorranern, die in ihm den Juden sehen: das fertige Bildnis, das ihn überall erwartet." - "Offenbar konnte er überhaupt nicht lieben, nicht im andorranischen Sinn; er hatte die Hitze der Leidenschaft, gewiss, dazu die Kälte seines Verstandes, und diesen empfand man als eine immer bereite Geheimwaffe seiner Rachsucht; es fehlte ihm das Gemüt, das Verbindende; es fehlte ihm, und das war unverkennbar, die Wärme des Vertrauens." (5) Auch im Drama wird Andri durch klare, eindeutige Worte charakterisiert, so zum Beispiel wenn der Pater, der ihn sein

Anderssein annehmen heisst, sagt: "Du gefällst mir, Andri, mehr als alle andern, ja, grad weil du anders bist als alle... Du bist gescheiter als sie. Jawohl! Das gefällt mir an dir, Andri..." (D 634) Der Pater streicht aber nur einen Wesenszug heraus, die andern Merkmale, die im Tagebuch im selben Atemzug genannt sind, muss sich der Zuschauer aus dem Handeln und dem Benehmen Andris und aus den Aeusserungen der Andorraner selbst heraussuchen.

In diesem Beispiel, das für andere steht, zeichnet sich ein erster Unterschied zwischen der epischen und der dramatischen Bearbeitung eines Stoffes ab: Was in der Prosaskizze nur im Bericht wiedergegeben werden kann - Aussage reiht sich an Aussage -, erfährt im dramatischen Entwurf eine klare Teilung in Gestik und Sprache. (6)

Die Einheit der Skizze, die ganz auf Andri ausgerichtet ist, kommt auch darin zum Ausdruck, dass die Andorraner nicht typisiert werden. Sie stehen dem vermeintlichen Juden als einige Umwelt, mächtig in ihrer Gleichheit, gegenüber, ohne ihm etwas anzutun - "also auch nichts Gutes". Erst mit der Ankündigung des Todes - was ihn herbeigeführt hat und wie er eingetreten ist, kann man nur ahnen - tritt der Erzähler auf ihre Seite über und schildert mit wenigen Worten ihre Reaktion auf das Geschehene. Der Spalt zwischen Andri und den Andorranern ist im sachlichen Bericht nur schwach angedeutet, auch darin unterscheidet er sich vom Drama: Weil die Parteien als Verkörperung des Problems auf die Bühne gebracht werden müssen, sie also im Rahmen des Theaters Wirklichkeit werden, ist ihr Gegenübersein offenbar. Die Konfrontation macht zugleich bewusst, warum die Fabel des Dramas breiter, vielschichtiger angelegt sein muss: Die Masse der Andorraner in der Prosaskizze gliedert sich in die verschiedenen Vertreter der Parteien, sie nimmt Gestalt an.

Nur angedeutet sei schliesslich die folgende Ueberlegung: Auffallend ist, dass die Beziehung des Juden zu seinem Vaterland in der Skizze erwähnt wird. "Denn der Jude, auch das wussten die Andorraner, hat Vaterländer, die er wählt, die er kauft, aber nicht ein Vaterland wie wir, nicht ein zugeborenes..." Sie mag im Drama gegenwärtig sein, so wenn die Andorraner sich und das Vaterland preisen und wenn der Doktor zu Andri sagt: "Sie hocken auf allen Lehrstühlen der Welt. Sie sind nicht zu ändern." (7), dass aber der Zuschauer darauf hingelenkt würde, wie dies in der Prosaskizze geschieht, ist nirgends zu beobachten. Und trotzdem spielt die Beziehung Andri-Vaterland eine Rolle; sie fällt nicht ins Auge, weil Frisch sie mit dem Hauptproblem koppelt: Indem sich Andri von den Andorranern distanziert, sich distanzieren muss, verliert er das Vaterland, wird es doch von seinen Bewohnern verkörpert.

Die "Burleske", (8) in der man die Fabel von "Biedermann und die Brandstifter" wiederfindet, erinnert in ihrem Ton an die Skizze vom "andorranischen Juden": nüchterner, analysierender Bericht - mit dem Unterschied, dass der Bericht mehr noch auf die Hauptperson ausgerichtet ist. Frisch gelingt dies, indem er erstens nur aus der Sicht Biedermanns - der Name wird noch nicht genannt - berichtet, die Brandstifter sind nur wichtig in ihrer Beziehung zu ihm, all ihr Tun und Sagen ist nur auf ihn bezogen, während in der Skizze des "andorranischen Juden" der Blick des Berichterstatters am Schluss wenigstens kurz auf die Andorraner geht. Und zweitens indem er in der Hauptperson ein Du anspricht und ihm die Zeit von seinem Fehltritt an, der Aufnahme des einen Brandstifters in sein Haus, bis zur Katastrophe, seinem Tod, kommentierend und kritisierend vor Augen führt. "Eines Morgens kommt ein Mann, ein Unbekannter, und du kannst nicht umhin, du gibst ihm eine Suppe und ein Brot dazu. Denn das Unrecht, das er seiner Erzählung nach erfahren hat, ist unleugbar, und du möchtest nicht, dass es an dir gerächt werde." So der Anfang, und das Ende: "...und am Morgen, siehe da, bist du verkohlt und kannst dich nicht einmal über deine Geschichte verwundern..." Der Berichterstatter der "Burleske", der den Leser durch sein Urteil immer wieder auf den Sinn hinführt und dadurch die Möglichkeit einer Fehldeutung ausschliesst, erscheint in der gleichen Funktion wieder im Chor, aufgeteilt in Chorführer und Chor: "Wenn sie keine Brandstifter sind, tust du ihnen sehr unrecht, und das Unrecht macht sie zu bösen Menschen. Böse gegen dich. Das willst du nicht. Das auf keinen Fall. Alles, nur kein schlechtes Gewissen. Und dann ist es immer so schwierig, die Zukunft vorauszusehen; wer keine Tatsachen sehen kann, ohne Schlüsse zu ziehen, und wer sich alles bewusst macht, was er im Grunde weiss, mag sein, dass er manches voraussieht, aber er wird keinen Augenblick der Ruhe haben; ganz zu schweigen von den Ahnungen." So spricht der Berichterstatter - und der Chor: "Blinder als blind ist der Aengstliche, / Zitternd vor Hoffnung, es sei nicht das Böse, / Freundlich empfängt er's, / Wehrlos, ach, müde der Angst, / Hoffend das beste... / Bis es zu spät ist." (D 495) Die Handlung des Dramas ist in der "Burleske" zum Teil bis in Details festgelegt: So löffelt der Brandstifter auch hier sein Ei, allerdings in Gegenwart des Gastgebers, nicht Babettes, steigt der Gastgeber auf den Stuhl, um das Vorgehen auf dem Estrich zu verfolgen, wird ein "allzu besonderes, ein auffälliges Abendessen" vermieden. Die von der Hauptlinie der Fabel abweichenden Nebenhandlungen, die sie im Drama teils veranschaulichen, teils einfach ausschmücken, fehlen. Babette wird nicht erwähnt, das Du steht allein den Brandstiftern gegenüber, auch die Handlung um Knechtling, die im Drama der Charakterisierung Biedermanns dient, wird mit keinem Wort angedeutet. In dem Sinne ist die "Burleske" eine Zusammenfassung des Stücks: Man könnte die Fabel von "Biedermann und die Brandstifter" nicht knapper und treffender wiedergeben als mit den Worten Frischs im Tagebuch.

Nur kurz möchte ich die Notiz über die Fabel von "Als der Krieg zu Ende war" betrachten. Frisch leitet sie folgendermassen ein: "Frank, unser Gastgeber, erzählt mir einen Fall aus der sogenannten Russenzeit, die auf den Nerven mancher Frauen, aber auch vieler Männer schwerer lastet als die Bombenzeit." (9) Und lässt dann die Erzählung folgen. Auch sie ist die genaue Vorwegnahme des Dramas, Punkt für Punkt wird die Handlung berichtet, im Unterschied zur "Burleske" aber nicht kommentiert. Mit keinem Wort gibt der Erzähler seine Gedanken preis, auf den Sinn weist er nur an einer einzigen Stelle hin: "Mit der Zeit (der Bericht wird sehr sprunghaft) hat sich offenbar eine Liebe ergeben, die auch gelebt wird. Ohne Sprache." Einige Tagebuchseiten später erklärt sich Frisch in einem Nachtrag: "Was mich an dem Fall fesselt"; (10) er zeigt die ganze Problematik dieser Episode, die "eine Ausnahme darstellt, ein Besonderes, einen lebendigen Widerspruch gegen die Regel, gegen das Vorurteil". Es sind dies Gedanken und Erkenntnisse, die zwar im Programmheft zur Uraufführung im Zürcher Schauspielhaus in ähnlicher Form wiederkehren und den Zuschauer vorbereiten sollen, (11) im Stück aber allein in der Handlung Ausdruck finden, aus dem Verhalten der Personen herausgelesen werden müssen.

Die Skizze "Der Graf von Oederland" (12) im Tagebuch erscheint als Mischform von Drama und Erzählung. Sie ist in Szenen eingeteilt und besteht grösstenteils aus direkter Rede, in die aber ausführliche Schilderungen der von der Rede losgelösten Handlung eingeschoben sind. Diese Abschnitte sind in anderem Ton gehalten, als man ihn von Regieanweisungen gewöhnt ist, in weicherem, fliessendem, im Tone der Erzählung: "Das ist eine alte Geschichte (der Vater will die Geschichte vom Grafen Oederland erzählen), und die Mutter will nicht, dass der Vater davon erzählt; überhaupt ärgert sie die Art, wie sich der Vater gegenüber dem Fremden benimmt, und sie macht sich selber um so höflicher.", und sie fährt fort: "Es tut mir leid, dass es so lange geht mit dem Teller -." (13) Der Dialog der Skizze eignet sich nicht für das Drama, er erweist sich als zu zäh, langfädig, für die Mischform von Erzählung und Drama wohl geeignet, für die Bühne aber, wo Wort und Gestik sich ergänzen müssen, als zu wenig aussagekräftig, zu wenig gestrafft. Beispiele dafür finden sich in jeder Szene, ich greife das eindrücklichste heraus. Der Staatsanwalt wird angehalten mitzuessen. Tagebuch: "Der andere Teller, müssen Sie wissen, wir brauchen nie einen vierten Teller, und drum haben wir ihn manchmal bei den Hühnern, da muss das Kind ihn erst waschen, aber er wird gleich kommen! Ich stelle die Suppe nochmals auf den Herd -" Drama: "Der Herr müssen halt Geduld haben. Das Kind muss ihn erst waschen, den Teller, wir brauchen nie einen vierten Teller." (D 321)

Die Skizze beginnt mit der Szene, die im Drama mit "Der Staatsanwalt kommt zu seiner Axt" überschrieben ist. Sie ist insofern von Bedeutung und geeignet für diese exponierte Stellung, als in ihr die Verwandlung vom Staatsanwalt zur Wahnfigur des Grafen Oederland vollzogen wird. Die Exposition, die im Drama die ersten beiden Bilder beansprucht, das heisst die Vorstellung des Staatsanwalts und seiner Umwelt und die Einführung des Mörders, fehlt. Es ist aber nicht so, dass Frisch auch im folgenden auf diese Bereiche - im einen ist die Person des Grafen verankert, im andern sein Problem - verzichten würde. Als zweite Szene folgt nämlich das Gespräch zwischen Dr. Hahn und dem Mörder, das aber, da es sich nicht auf die grundlegende erste Szene, die Einführung des Staatsanwalts, stützen kann, im Ganzen einen andern Charakter gewinnt: sie erscheint als Anfang einer neuen, parallel geführten Handlung und ist mit der ersten Szene allein durch das Motiv der Axt verbunden. Vom Anfang abgesehen entspricht die Szenenfolge der Skizze der des Dramas. Frisch hat in der Moritat allerdings darauf verzichtet, die Handlung des dritten Bildes ("Der Staatsanwalt kommt zu seiner Axt") wie im Tagebuch durch eine eingeschobene Szene zu unterbrechen, würde er doch damit gegen ihre Formprinzipien verstossen. (14) Die private Welt des Staatsanwalts wird in der vierten Szene, an gleicher Stelle also wie im Stück, vorgeführt, mit dem "Arbeitszimmer des verschollenen Oberrichters". Hier spielt sich das Gespräch ab zwischen der Gattin des Verschollenen, die zuerst als Dame bezeichnet

24

und dann mit Elsa angesprochen wird, und dem aus der Unterredung mit dem Mörder bereits bekannten Dr. Hahn - "der dritte ... der mitten im Raume steht, ist eine sonderbare Gestalt, ein kleiner und hässlicher Mann mit einer theatralischen Mähne, die man nicht berühren möchte, und seine Hände, da die Rockärmel zu kurz sind, wirken wie Flossen, wenn er sie in die Hüften stemmt, oder manchmal nimmt er sie auch ans Kinn, als prüfe er, ob er ordentlich geschabt ist": der Hellseher, den die beiden gerufen haben. - Fast zu Beginn seiner Aufzeichnungen setzt sich Frisch mit dem Begriff der Zeit auseinander: Sie zerlegt das Leben, "das eine Allgegenwart alles Möglichen ist", (15) in ein Nacheinander und macht uns auf diese Weise verständlich, "was eigentlich ein Ineinander ist, ein Zugleich, das wir allerdings als solches nicht wahrnehmen können". Als Grund, warum ihm der Gedanke an den Hellseher im Zusammenhang mit der Zeit gekommen sei, führt Frisch an, dass der Hellseher ein Bild, aber nicht den Ort und nicht die Zeit sehe, "und wenn er sich darüber äussert, dann irrt er sich leicht... Er sieht nicht das Nacheinander, und das scheint mir vor allem bemerkenswert: er sieht nicht Geschichte, sondern Sein, die Allgegenwart des Möglichen, die wir mit unserem Bewusstsein nicht wahrnehmen können, und offenbar müssen auch jene, damit sie aus dem Urganzen heraus sehen können, das Bewusstsein ausschalten, das unser Sein immer in Ort und Zeit zerlegt; sie brauchen die Trance." Dass Frisch diese Figur gerade in die Fabel von "Graf Oederland" eingewoben hat, lässt sich folgendermassen begründen: Es ist nicht zu übersehen, dass diese Rolle sich ohne weiteres, das heisst ohne aufgesetzt zu wirken, in die Fabel einfügt, im Gegensatz zu vielen Einfällen, die, aus dem Augenblick heraus betrachtet, gewiss gelungen erscheinen, im Gefüge der Fabel aber als Fremdkörper empfunden werden und so auch ihre Wirkung einbüssen. (16) Wodurch wird diese vollständige Eingliederung ermöglicht? Der Hellseher trägt zweifellos geheimnisvolle Züge, er ist nicht rational zu werten und zu erklären, genausowenig wie die Figur Hildes, die in Inge und Coco wieder vor den Zuschauer tritt. Der Vergleich mit Hilde zeigt, dass das mysteriöse, nicht wirklich fassbare Element, das der Hellseher in der Fabel verkörpert, nicht einzig dasteht, dass es an verschiedenen Stellen der Moritat verankert ist. Oder anders ausgedrückt: dass das vierte Bild, das durch den Hellseher die erste Verbindung zwischen der Welt des Staatsanwalts und der des Grafen schafft, seine Entsprechung hat schon in der ersten Szene, wo Hilde übernatürliche, fast magische Kraft ausströmt und den Staatsanwalt in ihren Bann zieht, in der Waldszene, wo durch Inges Worte, auch in ihnen liegt diese Kraft, die Verwandlung zum Grafen vollzogen wird, dann, weniger ausgeprägt, in der Köhlerszene und vor allem in der Schlussszene der dritten Fassung, wo Traum und Wirklichkeit ineinanderfliessen.

Es bleiben "Santa Cruz", "Nun singen sie wieder", "Die Chinesische Mauer" und "Don Juan oder Die Liebe zur Geometrie"; die Fabeln dieser Stücke sind nicht im Tagebuch entworfen. - Die Frage, ob für ein Drama das Gerüst der Fabel nicht unerlässlich sei, beantwortet Frisch mit den Worten: "Freilich halte ich die Fabel für wichtig, wenn ich eine habe... Wenn es ohne Fabel gelingt, halte ich sie nicht für wichtig. Auf Dogmen ist kein Verlass bei mir." (17) Von allen seinen Stücken ist jedoch allein "Die Chinesische Mauer" ohne Fabel konstruiert - genaugenommen: sie ist in ihren Grundzügen auch hier vorhanden, sie dient aber lediglich dazu, dem Drama den für die Bühne notwendigen Halt zu geben. (18)

Der Rittmeister in "Santa Cruz" ist mit Graf Oederland und Don Juan verwandt in seiner grossen Sehnsucht, die, auch wenn sie genau besehen viel komplexer ist, schliesslich doch auf den gemeinsamen Nenner "Freiheit" gebracht werden kann. So ist den Fabeln zumindest die Suche nach der Verwirklichung dieser Idee gemeinsam: der Mensch bricht auf, aus der vollkommenen Ordnung, die ihm Pflicht und Zwang bedeutet, in die Welt seiner Träume. "Ich erinnere mich. Früher schon hatte ich dieses Gefühl. Immer schon. So ein hohles Gefühl, dass ich anderswo erwartet werde. Immer anderswo. Und dass ich jetzt etwas erledigen müsste." (Staatsanwalt, D 323) - "Wenn ich am Feierabend neben dir sitze, zum Beispiel, wenn ich lese - was suchen wir denn anderes als Ihn, der unser anderes, vielleicht unser wirklicheres Leben führt..." (Rittmeister, D 25) Das Geschehen der Fabel, das vom Handeln der Hauptpersonen abhängig ist, das heisst der Weg zur erstrebten Erfüllung ist verschieden, der eine kämpft sich mit der Axt durch, der andere legt ihn in seinem Innern zurück, das Ende aber mutet gleich an: Viola sagt am Schluss von "Santa Cruz": "Ich bin aus deinem Blute das Kind, Viola, die alles von neuem erfährt, die alles noch einmal beginnt." (D 84) - und der Präsident zum Staatsanwalt: "Wer, um frei zu sein, die Macht stürzt, übernimmt das Gegenteil der Freiheit, die Macht." (D 390)

Frisch sprach in Berzona von Stoffen, zu denen er heute keinen Zugang mehr finde, und er meinte damit vor allem die Geschichte von "Santa Cruz", das er aus diesem Grunde für Aufführungen - ausser in Schulen (19) - gesperrt hat. Auch der Leser hat Mühe, sich in diese Welt einzufühlen, nicht weil es eine Welt des Märchens ist, auch Graf Oederland sieht sein Ziel in Santorin, sondern weil die Personen, Pelegrin, der Rittmeister, Elvira, die Fabel in nicht überzeugender Weise verkörpern, sich nicht ohne weiteres an diese vielschichtige Welt, örtlich und zeitlich gesehen, anpassen können. (20) - Auch für "Graf Oederland" hat Frisch den Bühnen die Aufführungsrechte entzogen, allerdings aus andern Gründen: nicht Geschichte und vor allem Problematik sprechen ihn nicht mehr an, es ist vielmehr die Form, die ihn nicht überzeugt, das Typische der Moritat sollte eindeutiger noch zum Ausdruck gebracht werden. (21)

Don Juan steht fester noch als alle übrigen Gestalten Frischs im Mittelpunkt der Fabel (22) - der Fabel, die der Zuschauer zu kennen glaubt. Der Name zumindest tönt bekannt; er erweckt bestimmte Vorstellungen: "Seine Erscheinung blendet, seine Bewegungen reissen hin, seine Stimme betört, sein Lachen befremdet, seine Unruhe verwirrt, seine Gedächtnislosigkeit verstört...: Don Juan Tenorio, der wilde Kavalier aus Sevilla." (23) Auch Frisch wird von diesem Mythos fasziniert, die "nachträglichen" Gedanken im Anhang zu den Dramen (D 811 ff) beweisen, wie sehr ihn diese Figur beschäftigt hat, zum ersten und bisher auch einzigen Mal hat er sich in so aussergewöhnlicher Breite mit der Hauptperson eines Werkes, Roman oder Drama, auseinandergesetzt. Frisch betont zwar, dass es nicht diese Gedanken gewesen sind, "die den Verfasser bewogen haben, das vorliegende Theaterstück zu schreiben - sondern die Lust, ein Theaterstück zu schreiben." (D 819) Warum dann aber gerade Don Juan? Die scharfsinnigen Ausführungen im Anhang zeigen, wie sehr er für eine Darstellung durch Frisch geeignet wäre (24) - wenn sie ihm zu Beginn der Arbeit auch nicht in so vollendeter Form gegenwärtig sein mochten, werden es doch solche Ueberlegungen gewesen sein, die ihn zum Entscheid für Don Juan geführt haben.

Im letzten Akt des Stücks erwähnt der Bischof von Sevilla im Gespräch mit Don Juan und Miranda den Namen Tirso de Molina: "Haben Sie das Spektakel in Sevilla gesehen? Sie geben es jetzt auf dem Theater - ... 'Der Burlador von Sevilla', nennt es sich, 'Oder der steinerne Gast'... Uebrigens zweifle ich, ob es wirklich ein Tirso de Molina ist; es ist allzu fromm, scheint mir, und sprachlich nicht auf der Höhe seiner andern Stücke." (D 467/8) Frisch bringt damit die erste Bearbeitung des Don Juan-Stoffes, 1630 erschienen, in sein Drama, schafft gleichsam die Beziehung über Jahrhunderte hinweg, die sich ebenfalls ausgiebig mit dieser Figur beschäftigt haben. Vor Tirso de Molina existiert Don Juan nur in Sagen, die bis ins 14. Jahrhundert zurückgehen; historisch ist er nicht nachweisbar. "Tirso de Molina hat zwei ursprünglich unabhängige Motive, die schon in den frühen Sagen Spaniens und in Varianten in ganz Europa nachweisbar sind, miteinander verknüpft. Das erste Motiv ist das des Burlador, des liebesglücklichen Mannes, dem alle Frauen verfallen, der alle betrügt und verlässt. Das zweite Motiv ist das vom steinernen Gast, der redenden Statue, die von einem tolldreisten Jüngling in lästerlichem Spass herausgefordert wird. Eine hintersinnig spiritistische Geschichte wird mit dem Charakter eines masslos sinnlichen Helden verknüpft." (23) Auch Frisch verwendet diese beiden Motive. Dass er den Spanier bewusst hervorhebt, könnte darauf hindeuten, dass er sich allein auf diese Grundlage als die ursprüngliche, reine Fabel bezogen haben will und sich von allen übrigen Bearbeitungen distanziert. Das heisst nicht, dass er sich in seiner Fabel genau an die Vorlage hält; sie stimmt allein in den beiden Hauptmotiven, die ihren Charakter im Grossen festlegen, überein. Frischs Don Juan bemerkt, "dass die Liebe nie stimmt, dass sie utopisch bleibt. So erhofft er das Unbedingte, das, was stimmt, nicht mehr von der Liebe. Seine Utopie heisst Geometrie... Wenn es das Utopische an der Liebe ist, das verführt, so muss die Utopie Geometrie erst recht verführen, ist sie doch erdenferner und todnäher. Was soll aber dann aus dem so beschwerlich unglaubwürdigen Requisit der Sage, der Höllenfahrt Don Juans werden? Frisch löst dieses Problem aufs eleganteste." Don Juan, der seines bisherigen Lebens überdrüssig ist, bietet "der Kirche den attraktiven Mythos einer Höllenfahrt an. In Gegenwart all der Damen und Witwen, die ihn zur Liebe nötigen, wird ein grosser Theaterzauber organisiert: unter Donner und Rauch versinken Don Juan in den Keller - und die Damen in Ohnmacht... Aufs ergötzlichste wird hier also die mythische Höllenfahrt parodiert." (23)

Im Programmheft zur Uraufführung gibt Frisch Auskunft darüber, woher er die Idee zur Fabel von "Nun singen sie wieder" hat, er beantwortet zugleich die Frage, ob und in welcher Weise der Dichter das Zeitereignis in sein Werk aufnehmen dürfe. (25) "Wie unwillkürlich, wie unausweichlich das Zeitereignis auch von uns erlebt wird, die es nicht mit Augen sehen und die es nicht unmittelbar betrifft, das zeigt uns übrigens der eigene Traum: fast jede zweite Nacht verrät er uns als Genossen einer grauenhaften Zeit. Der Traum aber, glauben wir, sei die einzig unbestechliche und die letzte hörbare Stimme, die wir befragen können, um sicher zu sein, was unter der Oberfläche uns wirklich bewegt, was auszusprechen wir

mindestens versuchen sollten im Masse unserer Mittel." Im Traume zeigt es
sich also, was uns unbewusst beschäftigt, was wir, gerade weil wir nicht von
ihm loskommen, auszusprechen versuchen sollten. Und es zeigt sich in Bildern:
"Wieder ein brennendes Flugzeug! ... Die Flieger sassen daneben und spielten
bereits Karten, nicht übelgelaunt... Ob sie es selber wussten, dass sie Tote waren, blieb eine offene Frage... Eine Gruppe von Leuten ging über den Platz. Geiseln! sagte ich..." Frisch fasst geträumte Szenen in Worte, die einem bekannt
vorkommen; nicht vollständig, als Ideen nur, die ausgearbeitet und ins Ganze eingefügt werden müssen, hat er sie in der Fabel des Dramas übernommen. (26)

Frisch erwähnt im Programmheft zu "Biedermann und die Brandstifter": "Die Geschichte, radikal undramatisch, indem es sich um einen gradlinigen Verlauf ohne
jedes Gegen-Ereignis handelt..." (27) Wenn das Stück auch, eben wegen seiner Fabel, ihrer konsequenten Durchführung und ihres zwingenden Verlaufs - immer wieder erhält man den Eindruck, dass sie sich nur so und nicht anders entwickeln könne -, in Frischs dramatischem Werk eine Sonderstellung einnimmt, wird man bei
näherer Untersuchung doch erkennen, dass dies die übliche Form der Fabel ist.
Ihr gradliniger Verlauf, der wie gesagt nie so streng ist wie in "Biedermann und
die Brandstifter", äussert sich vor allem darin, dass die Figuren ausschliesslicher noch als im klassischen Drama um die Hauptfigur gruppiert sind, verdanken
sie ihr Leben doch allein dem Umstand, dass der Dramatiker durch sie die Möglichkeit bekommt, Problem und Hauptfigur umfassend darzustellen und zu erläutern. So haben sie kaum ein Eigenleben, schliessen sich nie zu einem eigenen Kreis
zusammen, von dem aus eine neue Handlung, ein Zweig der Haupthandlung, von ihr
abhängig, aber doch in sich geschlossen, sich entwickeln würde. Unbedeutende
Ausnahmen findet man in "Nun singen sie wieder", vielleicht auch in "Andorra",
vor allem aber in "Don Juan". (28) In "Nun singen sie wieder" zeichnen sich zwei
Handlungsstränge ab, genaugenommen sogar drei: Die Welt der Deutschen, die
sich um zwei Mittelpunkte bewegt, den Vater Karls und den Popen, und die Welt
der feindlichen Flieger. Es verhält sich jedoch nicht so, dass sich der eine Strang
vom andern für eine neue Fabel mit einem weiteren Problem löste und sich am
Schluss wieder mit dem Hauptstrang vereinigte; die beiden Handlungen verlaufen
vielmehr parallel, jede zeigt das dem Drama eigene Problem aus einer andern
Perspektive, der Perspektive des Feindes. Am Schluss laufen die beiden Stränge
wieder zusammen; mit andern Worten: die Parteien lösen sich auf, finden sich
im Reich der Toten, zugleich aber tut sich über die dargestellte Fabel hinaus in
die Zukunft deutend eine neue Kluft auf, die nicht mehr Nationen, sondern Tote und
Lebende trennt.

Es entsteht der Eindruck, hier wie auch in den übrigen Dramen, dass nur soviel
Handlung für die Gestaltung des Dramas herangezogen wurde, als sie die Darstellung auf der Bühne erfordert. Aus diesem Grunde wirkt auch die Fabel äusserst
einfach. Die erste Idee zu einer spielbaren Fabel scheint also nur so weit ausgeführt zu sein, dass ein Gerüst entsteht, an dem der Dramatiker das Problem befestigen kann, das anschaulich und wirkungsvoll vor die Oeffentlichkeit zu bringen,
ihm erstes Anliegen ist. (29) Wie Frisch die Fabel auf dem Theater darbietet und

wie er sie mit der Problematik des Stückes verbindet, wird eingehend erst an späterer Stelle behandelt. Weil ich aber die nur sekundäre Bedeutung der Fabel an einem Beispiel, an dem von "Andorra", veranschaulichen möchte, nehme ich in diesem Zusammenhange schon einige Beobachtungen vorweg, ohne sie aber im einzelnen auszuführen.

Damit dass Andri Tischler werden möchte, beginnt, nach der Exposition im ersten und im zweiten Bild, die Fabel. Von da aus entwickelt sich auch das Problem: Andri muss versagen - "Tischler werden ist nicht einfach, wenn's einer nicht im Blut hat." (D 607) -, der Prozess der Umbildung zum Juden ist somit eingeleitet. Bis zum Eintreffen der fremden Senora im achten Bild geschieht wenig. Die dazwischenliegenden Gespräche haben die Aufgabe, das Problem von verschiedenen Ebenen aus zu beleuchten und zu erweitern. Andri wird in ihnen den drei Welten, die sein Schicksal prägen, entgegengestellt: Der Doktor verkörpert Andorra, der Pater erscheint als der Vertreter der Trost und Rat spendenden Kirche, er steht - er sollte über den Parteien stehen, seine Rolle ist die eines Mittlers, der Vater schliesslich, der sich von der Masse gelöst hat, stellt den einzigen fassbaren und im Grunde auch allein schuldigen Gegner dar. Die Szenen zwischen dem Tod der Senora und der Judenschau sind wieder mit Gesprächen ausgefüllt, die denen des ersten Teiles gleichen.

Das Beispiel will zeigen, dass sich die Fabel des Dramas strenggenommen mit diesen drei Stellen wiedergeben lässt - Andris Versagen als Tischler, Tod der Senora, Judenschau -, dass sie also unbedingt geradlinig ist. Auf keiner der erwähnten Ebenen wird eine von der Haupthandlung abzweigende Nebenhandlung entwickelt, sie schliessen sich vielmehr zusammen zu Andris Lebensraum. Dies wird vor allem deutlich, wenn man die einzelnen Gespräche betrachtet. Die Beobachtung gilt übrigens für alle Dramen Frischs: In "Andorra" ist Andri, der "Held", meist selbst an ihnen beteiligt, das bedingt, dass er fast die ganze Zeit auf der Bühne gegenwärtig ist, eine von seiner Person abgelöste Nebenhandlung somit nicht einmal Raum fände, sich zu entfalten. Die Gespräche, die ohne ihn stattfinden, drehen sich nun aber nicht in erster Linie um ihn, die Hauptperson, wie das in andern Dramen üblich ist, (30) sondern sie schaffen die für die Judenschau notwendige Grundlage, indem sie im Zuschauer das Verständnis für das Verhalten der Andorraner in diesem entscheidenden Moment, auf den das ganze Drama ausgerichtet ist, wecken. Mit Andri hängen sie aber insofern zusammen, als sie seinen Weg in die Katastrophe kommentieren und also auf sein Ende vorbereiten. Obwohl sich deutlich zwei Problemkreise abzeichnen, in ihren Mittelpunkten stehen Andri und die Andorraner, ist die Handlung des Stücks eindimensional; erst im Zusammenwirken dieser beiden Kräfte nämlich, die nebeneinander auf den Schluss hinarbeiten, fügt sich die Handlung zu einem Ganzen. Ohne die Angst der Andorraner würde Andri, der Fremdling, nicht auf diese Weise in den Tod gejagt, ohne sein Anderssein, als einer von ihnen, nicht ihr Opfer. Im Sinne der klassischen Dramaturgie, die die dramatische Fabel in Vorgang und Handlung zerlegt, (31) erhalten diese getrennt geführten, einander aber ergänzenden Problemkreise die Funktion der Vorgänge - ebenso wie die Beziehung von Andri zu Barblin und zu dem Soldaten Peider, die als dritter Kreis den Charakter der Fabel mitbestimmt.

Die Vorgänge bilden die einzelnen Träger der dramatischen Handlung, sie geben
ihr in der Art ihres Zusammenwirkens ihre endgültige Form.

Aehnlich verhält es sich mit der Fabel von "Don Juan". Rein formal betrachtet,
scheint sich die Fabel aufzuteilen: in das Spiel auf der Vorbühne, das Zwischen-
Spiel, mit Celestina im Mittelpunkt, und in das eigentliche Geschehen, das auf
der Bühne um die Figur von Don Juan herum abläuft. Doch bei näherer Betrachtung
wird ersichtlich, dass sich das Zwischen-Spiel, Frisch bezeichnet es in diesem
Stück als Intermezzo, nicht als selbständige Nebenhandlung von der Haupthandlung
löst, dass die beiden Linien vielmehr parallel zueinander verlaufen, das Geschehen um Celestina sich ins Ganze nur als einzelner Vorgang einfügt, der das Problem von einer bestimmten Seite entwickelt und vorführt. Was in "Andorra" galt,
gilt noch ausschliesslicher für "Don Juan". Der geradlinige Verlauf der Fabel zeigt
sich hauptsächlich daran, dass Don Juan durch seine ständige Anwesenheit das ganze Geschehen auf der Bühne beherrscht, wodurch auch hier das Aufkommen einer
Nebenhandlung verunmöglicht wird. So steht er auch im Mittelpunkt der einleitenden Gespräche im ersten Akt, die in Erwartung seiner Person geführt werden
und einzig seinen Auftritt vorbereiten. Auch die erwähnten Gespräche des Zwischen-
spiels drehen sich fast nur um ihn, um sein die Problematik bedingendes Wesen.

Abschliessend sei noch ein Blick auf die Gestaltung der Fabel in "Graf Oederland"
geworfen. Das Stück unterscheidet sich in erster Linie darin von den übrigen,
dass man hier mit gewissem Recht von einer Nebenhandlung sprechen kann: Die
Geschichte um den Mörder hat ihren eigenen Schauplatz und ist ganz in sich geschlossen. Ihre wichtigsten Stationen: Im Gespräch mit Dr. Hahn werden Vorgeschichte und Situation umrissen, später wird der Mörder wegen allgemeiner
Amnestie freigelassen, sein erster Gang führt ihn zur Witwe seines Opfers, infolge
seines unvorsichtigen Verhaltens - er ist darauf bedacht, die neugewonnene Freiheit um jeden Preis zu bewahren - wird er vom Gendarm auf der Flucht erschossen.
Trotz ihres im Grunde selbständigen Charakters ist die Fabel der Nebenhandlung
eng mit derjenigen der Haupthandlung verbunden. Dadurch dass die Motivation für
die Flucht des Staatsanwalts also durch den Anstoss, den die Nebenhandlung gibt,
erst für das Stück lebendig wird, wird die Nebenhandlung zum wichtigsten Träger
des Geschehens. Ohne das in gleichmässigen Abständen vorgenommene Einblenden
in die Welt des Mörders wäre das Verhalten des Grafen nur sehr schwer zu verstehen; die Aussagekraft des Stücks, die allein auf der Ausserordentlichkeit dieser Figur beruht, würde dadurch, wenn nicht ganz aufgehoben, so doch in beträcht-
lichem Masse geschwächt. So stimmt diese Nebenhandlung, die in diesem Fall doch
nur beschränkt eigenständigen Charakter hat, in ihrer Funktion mit dem als Vorgang bezeichneten Geschehen in "Andorra" und "Don Juan" überein, indem sie wie
dieser das Hauptproblem an einer bestimmten Stelle aufrollt und somit als unentbehrlicher Teil des Ganzen Bedeutung gewinnt. Ob das Geschehen um den Mörder
als Nebenhandlung oder als Vorgang im Drama einzugliedern ist, bleibe unter den
vorgeführten Umständen dahingestellt. - Graf Oederland als zentrale Figur der Fabel ist mit Andri und mehr noch mit Don Juan verwandt. Das einzige Gespräch,
das ohne ihn gehalten wird, das Gespräch zwischen Hahn und Elsa, dreht sich ausschliesslich um seine Person, er ist auf der Bühne anwesend allein in den Worten

dieser beiden ihm eigentlich feindlich gesinnten Menschen. (32) Auch in den Gesprächen mit dem Mörder tritt der Staatsanwalt von Zeit zu Zeit hervor - sehr deutlich wird dadurch die Verbindung zur Haupthandlung hergestellt. (33)

Da sich, wie mir scheint, keine deutliche Entwicklung in der Folge der Fabeln abzeichnet, verzichte ich darauf, die Fabeln abschliessend nochmals miteinander in Verbindung zu bringen, sie gegeneinander abzuwägen. Es soll aber nochmals hervorgehoben werden, worin sie im allgemeinen übereinstimmen: Die Geschichte ist dann zu Ende erzählt, wenn sie wieder von vorne beginnt. So ist es in "Santa Cruz" und in "Nun singen sie wieder", so auch in der "Chinesischen Mauer" und in "Graf Oederland". "Die Andorraner, die 'nachher' davon sprechen, dass sie nicht schuld gewesen seien, verraten damit, dass das gleiche Stück morgen wieder von Neuem beginnen könnte." (34) Am Schluss von "Biedermann und die Brandstifter" wehklagt der Chor: "Sinnlos ist viel, und nichts/ Sinnloser als diese Geschichte:/ Die nämlich, einmal entfacht, / Tötete viele, ach, aber nicht alle/ Und änderte gar nichts." (D 540) Biedermann selbst, der die Katastrophe am eigenen Leib erfahren, sie sogar ausgelöst hat, sagt, kaum in der Hölle angekommen: "Ich bin schuldlos!... Ich hatte einen einzigen Fehler auf Erden, ich war zu gutherzig, mag sein, einfach zu gutherzig." (D 823) So können sich denn die beiden Brandstifter am Ende wieder auf den Weg machen, ihr Ziel ist die wiedererstandene Stadt. (35) Eisenring, im Nachspiel mit "Figur" bezeichnet, prophezeit ihr Ende, alles wird in gleicher Weise vor sich gehen, denn die Stadt ist im Herzen die alte geblieben: "Noch einmal Funken und prasselnde Flammen. Sirenen, die immer zu spät sind, Hundegebell und Rauch und Menschenschrei - und Asche!" (D 840) Die Zukunft, die im Nachspiel gespielt wird, ist schon im Stück selbst, im Schlussgesang des Chores, angedeutet, in den Worten: "Und änderte gar nichts". Auch in den andern Stücken ändert sich nichts - oder doch fast nichts.

2. DER RAUM - BUEHNE UND "SPIELPLATZ DER SEELE"

Frisch bestimmt im Vorwort zu "Santa Cruz" (1) den Raum, in dem sich das Stück abspielt: "Es möchte die Dinge nicht spielen lassen, wie sie im Kalender stehen, sondern so, wie sie in unserem Bewusstsein spielen, wie sie auftreten auf der Bühne unseres seelischen Erlebens: also nicht Chronik, sondern Synchronik." Er stellt auf der Bühne dar, was in der menschlichen Seele unbewusst und unterbewusst lebendig ist, und er bringt es durch die Darstellung allgemein zu Bewusstsein. (2) Der eigentliche Spielplatz seiner Stücke ist deshalb die menschliche Seele (3): Das Bühnenbild darf die Atmosphäre, in der das Stück spielt, nur antönen, es darf im Grunde nur als Rahmen fungieren; dem Schauspieler, dem Zuschauer muss die Möglichkeit gegeben sein, das Feld innerhalb dieses Rahmens mit der Gestaltung, mit der eigenen Vorstellung auszufüllen, den wahrgenommenen im imaginierten Raum aufgehen zu lassen und umgekehrt. Erst im Zusammenwirken nämlich von wahrgenommenem und imaginiertem Raum entsteht die Einheit des dramatischen Raumes. Dies wird auch in der folgenden Anmerkung zu "Nun singen sie wieder" deutlich: "Der Ort, wo seine einzelnen Bilder spielen, geht immer aus dem gesprochenen Wort hervor; Requisiten sollten nur soweit vorhanden sein,

als der Schauspieler sie braucht, und auf keinen Fall dürfen sie eine Wirklichkeit
vortäuschen wollen. Denn es muss der Eindruck eines Spieles durchaus bewahrt
bleiben, so, dass keiner es am wirklichen Geschehen vergleichen wird, das ungeheuer ist." (4) Es sei an dieser Stelle an Stücke wie "Our Town" erinnert,
die mit einem Minimum an Requisiten auskommen, in denen jede Handlung mit
imaginierten Gegenständen ausgeführt wird, allein durch die Geste lebt, weil der
Zuschauer ganz auf den Dialog konzentriert werden soll. (5)

Wie legt Frisch das Bühnenbild, das also nur von sekundärer Bedeutung ist, für
seine Stücke fest? Auch hier ist man auf wenige Angaben angewiesen, die im Anhang zu den Stücken stehen, vor allem die Notizen zu "Die grosse Wut des Philipp
Hotz" und zu "Andorra". Frisch stellt sich das Zimmer von Philipp Hotz, das im
Vorspann als "Zimmer einer modernen Mietwohnung" bezeichnet wird, als Podium
vor: "Es soll eine Bühne auf der Bühne sein, ein Podest, eine Schlachtbank... -
und zwar: Schmalseite des Podiums nach vorn, der alte Bauernschrank steht hin-
ten, rings um dieses Podium ist es leer -" (D 843). Hat man sich eben noch gefragt,
warum Frisch gerade bei diesem Stück eine Anmerkung zum Bühnenbild gibt, erkennt man jetzt, wie wichtig sie ist, wie durch diese Aufteilung der Bühne, die aus
der Lektüre nicht ersichtlich ist, der äussere Schauplatz endgültig - sofern sich
der Regisseur an die Angabe hält - bestimmt wird. (6)

Auch für "Andorra" fordert Frisch, dass die Bühne so leer wie möglich sei, dass
auf der Spielfläche nur stehe, was die Schauspieler brauchen: "Es braucht kein
Anti-Illusionismus demonstriert zu werden, aber der Zuschauer soll daran erinnert bleiben, dass ein Modell gezeigt wird, wie auf dem Theater eigentlich immer."
(D 845) Damit ist eine weitere Absicht genannt, die mit dem Bestreben, das Bühnenbild so unaufdringlich wie möglich zu gestalten, verbunden ist: Die Aufmerksamkeit des Zuschauers soll dadurch nicht nur gezielt auf den Dialog gelenkt werden, der Autor will ihn auch von Anfang an davon abhalten, sich in die Welt, die
das Spiel vor ihm öffnet, zu integrieren. So darf sich auch der Vorhang zwischen
den einzelnen Szenen nicht mehr senken, so wird das Bühnenbild auf offner Szene
verändert. Frisch bedient sich dieser Mittel, die ein Einfühlen auch später, während des Spiels, verhindern sollen, in der "Chinesischen Mauer", in "Andorra"
und, der eigenen Struktur dieses Stückes entsprechend, in der "Biografie". Er war
während der Proben zur Uraufführung von "Andorra" anwesend, die Anmerkungen,
im Tone des Protokolls niedergeschrieben, sind das Resultat der Zusammenarbeit
mit Regisseur und Schauspielern. Die Einsicht, dass zum Beispiel der Pfahl nicht
in Wirklichkeit, sondern nur in den Worten bestehen kann, als Symbol wirken muss,
dass Andris Schuhe am Schluss nicht parallel, sondern verschoben zu stellen sind,
(7) dass Links und Rechts der Bühne nicht beliebig vertauscht werden können, dass
der Schauspieler sich so und nicht anders bewegen darf - diese Einsicht kommt
erst durch das Arbeiten auf und mit der Bühne, und sie kommt nur, wenn Autor
und Regisseur fähig sind, sich miteinander zu besprechen, aufeinander zu hören.
Wie in "Die grosse Wut des Philipp Hotz" wird auch in "Andorra" der Schauplatz
kaum durch das gesprochene Wort geformt. Er wird durch die Regieanweisungen
zu Beginn jeder Szene so vage bestimmt wie dort das "Zimmer einer modernen
Mietwohnung": "Vor einem andorranischen Haus - Andri und Barblin auf der Schwel-

le vor der Kammer der Barblin - Stube beim Lehrer - Platz von Andorra", der laut Frischs Angabe in den Anmerkungen das Grundbild für das ganze Stück ist. Nur zweimal wird Andorra im Dialog direkt charakterisiert. Der Doktor preist es im Gespräch mit den Andorranern: "... jedes Kind in der Welt weiss, dass Andorra ein Hort ist, ein Hort des Friedens und der Freiheit und der Menschenrechte." (D 640) Andri schildert die nach dem Einbruch der Schwarzen völlig veränderte Stadt: "Alle Läden herunter, jede Tür zu. Es gibt nur noch Hunde und Katzen in eurem schneeweissen Andorra ..." (D 661) Die Ergänzungen im Anhang festigen die Umrisse des Schauplatzes und erlauben wieder, ihn mit den Augen des Autors zu sehen.

Die übrigen Stücke stimmen in der Form ihrer Regieanweisungen mit "Andorra" überein. Der Raum, in dem sich die Szene abspielt, wird nur genannt, nie beschrieben: "In einer Pinte - Im Schloss" ("Santa Cruz"), "Waschküche im Keller - Das Wohnzimmer" ("Als der Krieg zu Ende war"), "Arbeitszimmer in der Villa des Staatsanwalts - Gefängniszelle" ("Graf Oederland"), "Vor dem Schloss - Saal im Schloss" ("Don Juan"), "Eine Stube, ein Dachboden" (8) ("Biedermann und die Brandstifter"). In wenigen Fällen werden im Verlauf des Spiels Angaben über die Einrichtung des Raumes gemacht: "Ein Schreiber sitzt am Tisch, wo die Kerzen stehen" (D 18), "Der Rittmeister steht vor dem Globus - Sie kauert zum Kamin" (D 22/3 "Santa Cruz"), oder in "Graf Oederland": "Auf dem Schreibtisch brennt eine Arbeitslampe - Blick gegen die Wand, die aus lauter Ordnern besteht" (D 303). Der Bühnenraum von "Als der Krieg zu Ende war" wird in gleicher Weise gegliedert. Man erfährt, dass im Keller eine Pritsche steht, ein Teil durch eine Wand abgetrennt und das Wohnzimmer mit Diwan, Polstersessel und Flügel eingerichtet ist. Aehnlich verhält es sich mit "Don Juan". Auch da bleibt es vorwiegend der Phantasie des Lesers und des Bühnenbildners überlassen, die Bühne im Detail auszustatten: "Vor dem Schloss... Ein junger Mann schleicht die Treppe hinauf, um von der Terrasse ins Schloss zu spähen - Don Juan ... steht vor einer festlichen Tafel mit Silber und Kerzen... Im Hintergrund ein grosser Vorhang" (D 393/439).

"Der Ort, wo die Szenen spielen, geht immer aus dem gesprochenen Wort hervor" (D 804). Und wirklich, Frisch verzichtet in "Nun singen sie wieder" gänzlich darauf, Angaben über den Ort und damit auch über die Situation zu machen. Zu Beginn der Szene werden nur die Personen, die beim Oeffnen des Vorhangs gerade auf der Bühne stehen, genannt: "Herbert, ein Offizier, und Karl, ein Soldat - Maria mit dem Kind - Sieben junge Flieger" (D 87/94/100). Das Geschehen ist auf drei Schauplätze verteilt: Von den Deutschen erobertes Gebiet "an der Front", das im Laufe des Spiels zum Totenreich wird - Haus eines deutschen Oberlehrers - Quartier von Soldaten, die einem der alliierten Länder, wahrscheinlich England angehören. (9) Verbunden sind sie durch das Medium der europäischen, insbesondere der deutschen Kultur. Durch die bildende Kunst: "Hast du das schöne Fresko bemerkt? Drüben in der mittleren Apsis? ... Ich muss an deinen Vater denken, Karl." (D 89, Herbert) - "Mein Bruder ist an der Front. Zurzeit sind sie in einem Kloster, schreibt er, da gebe es mittelalterliche Fresken: unser Oberlehrer würde staunen, schreibt er." (D 97, Liesel) Und vor allem durch die Musik: "Herbert ist mein bester Schüler gewesen, Zeit meines Lebens, und Cello hat er spielen können..." (D 97, Ober-

lehrer) Im Quartier der Flieger ertönt aus dem Radio ein Choral aus der Matthäus-
passion von Johann Sebastian Bach: "Diese Art von Musik verdaue ich nicht" -
"Weil es deutsche Musik ist? Musik ist ihr Bestes." (D 101, Funker/Eduard)
Der Funker schafft mit den folgenden Worten die Beziehung zu den beiden andern
Schauplätzen: "Ich habe einen Menschen gekannt, der spielte solche Musik, wunder-
bar... Und doch ist es der gleiche Mensch, der Hunderte von Geiseln erschiesst...
genau der gleiche, so wie er Cello spielt, so innerlich, verstehst du, so innerlich..."
(D 102) Weil also nicht die Welt, die auf der Bühne vorgeführt wird, sondern vielmehr die Umwelt, in deren Rahmen das Stück spielt, die es mit ihren Geschehnissen in seinen Grundzügen prägt, von Bedeutung ist, kann Frisch auf Angaben über
die Gestaltung des Bühnenbildes verzichten.

Auch in andern Stücken spielt die Umwelt ins Drama hinein, legt es von vornherein
fest. In zwei Fällen setzt Frisch den Ort, von dem der Raum der Bühne nur ein
Ausschnitt ist, dem Stück deutlich voraus: "Als der Krieg zu Ende war" kann nur
mit Berlin im Hintergrund verstanden werden: "Das Stück spielt in Berlin: Früh-
jahr 1945" (D 248) (10) - "Don Juan" ist der Legende nach mit Sevilla in Verbindung
zu bringen: "Ort: Ein theatralisches Sevilla" (D 392).

Im übrigen ist die genaue Bestimmung der Aussenwelt nicht zwingend, fast in jedem Stück wird jedoch im Dialog auf sie Bezug genommen, wird sie dem Zuschauer
mit vagen oder mit festen Strichen gezeichnet. Immer wieder wird in "Santa Cruz"
darauf hingewiesen, dass die Welt um das Wirtshaus, um das Schloss in Schnee
versinkt. (11) Vor dem Abschied in Santa Cruz schildert Pelegrin Elvira das Leben,
das er, an sie gebunden, führen würde, das sie mit dem Rittmeister dann auch führen wird. (12) Auffallend deutlich wird die Welt, die besondere Atmosphäre von
Santa Cruz in den Worten Pedros gezeigt, denn sie muss, da sie im Raum der Bühne nur angedeutet werden kann, für das ganze Geschehen aber von zentraler Bedeutung ist, auf diese Weise der Vorstellung des Zuschauers eingegeben werden (D 52).
Auch die andern Ziele der Sehnsucht Pelegrins, Kuba und Hawaii, sind eindrücklich
beschrieben (D 12/62).

Der Heutige bestätigt der Mutter zu Beginn des Spiels: "Wir sind in Nanking"
(D 152). Es ist der Ort, der die beiden Räume des Stücks in sich vereinigt: die
Welt um den Kaiser Hwang Ti, in der Min Ko, die Stimme des Volkes, verfolgt
wird, in der Figuren auftreten, "die unser Hirn bevölkern" (D 159), und die Welt
des Heutigen, in der das Atom teilbar ist. Die Aussenwelt, hier China, es könnte
auch ein anderes Land sein - man hat sich durch die Worte der Mutter, die es
durchwandert hat, durch den Prinzen, der in ihm und für es gekämpft hat und nun
von seinen Schlachtfeldern zurückkehrt, bereits ein Bild von ihm gemacht -, diese
Aussenwelt wird in der letzten Szene auf die Bühne gebracht, wenn die Aufständi-
schen in den Thronsaal einbrechen und Rechenschaft und Gerechtigkeit fordern.
Die andere Welt, die des Heutigen, tritt, da er versagt hat, am Schluss hinter die
Welt der Bühne, die Welt Hwang Tis, auf der sich die Wirklichkeit abspielt, zurück.

In den Berichten von Agnes und Gitta wird das Berlin von 1945 lebendig, (13) in
der Beichte Gonzalos, die er vor der Hochzeit seiner Tochter Pater Diego ablegt,
die Welt, in der die Handlung um Don Juan möglich ist. In gleicher Weise geschieht es in "Graf Oederland": Elsa und der Staatsanwalt geben im ersten Gespräch
Auskunft über ihre Welt, die eine Welt der Ordnung ist. Das Bild wird durch den
Mörder und durch Hilde ergänzt. Die Welt um den Grafen, die sich, wie man erfährt, auf ihn abgestimmt hat, wird im Gespräch zwischen Concierge und Gendarm
(7. Bild) und vor allem in den drei letzten Bildern vorgeführt. Wie in "Santa Cruz"
wird der Ort der Sehnsucht in seiner ganzen fremden Schönheit geschildert (D 334
Mario, 353 Staatsanwalt). Nur so kann er dem Gesprächspartner und dem Zuschauer als Kulisse, vor der sich das ganze Geschehen eigentlich abwickelt, einge-
prägt werden. (14)

Der Raum von "Biedermann und die Brandstifter" ist gegen die Umwelt abgeschlossen; für Biedermann existiert vom Moment an, da der erste der Brandstifter bei
ihm eindringt, nur noch, was in seiner Stube, und besonders, was auf seinem Dachboden geschieht. So deckt denn der Chor zu Beginn in erster Linie die Situation auf,
in die das Stück zu stellen ist (D 473).

Die Welt, die Andorra umgibt, spielt, obwohl sie im Dialog kaum gezeichnet ist,
(15) in bedeutendem Masse in die Handlung auf der Bühne hinein. Immer wieder
erinnern die Andorraner in der ersten Hälfte des Stücks daran, dass dem Land
die Gefahr der Schwarzen drohe, bis sie dann mit dem Erscheinen der Senora
selbst Einfluss auf das Geschehen nehmen, es vor allem in seinem Ende bestimmen: Wie die Figuren der "Chinesischen Mauer" werden die Andorraner mit ihrer
Umwelt konfrontiert. Die Angst, die sich, wie aus ihren Aeusserungen ersichtlich
ist, immer mehr gesteigert hat, macht sie zu Verrätern, zu Mördern; um sich zu
retten, liefern sie Andri dem Feind aus.

3. DIE ZEIT - MONTAGE UND WIEDERHOLUNG

Da Frisch sich über die zeitliche Gliederung besonders der frühen Dramen nicht
geäussert hat, ist man gezwungen, den Abschnitten im Tagebuch, in denen er sich
mit dem Begriff der Zeit auseinandersetzt, grösste Aufmerksamkeit zu schenken.
Man muss also die zeitliche Struktur der Dramen, das heisst die praktische Ausführung, aufgrund dieser theoretischen Betrachtungen prüfen. Frisch beschäftigt
offenbar der Gedanke, dass die Zeit nur scheinbar sein könnte, "ein blosser Be-
helf für unsere Vorstellung, die in ein Nacheinander zerlegt, was wesentlich eine
Allgegenwart ist - ... ein Ineinander..., ein Zugleich, das wir allerdings als solches nicht wahrnehmen können." (1) Zeit als Nacheinander verstanden, bedeutet
Vergängnis; sie wird vom menschlichen Bewusstsein als Vergangenheit, Gegenwart und Zukunft erfasst, wobei im Grunde aber nur Erwartung und Erinnerung erlebt werden können. "Ihr Schnittpunkt, die Gegenwart, ist als solche kaum erleb-
bar." Für Frisch verbindet sich noch etwas anderes mit dem Begriff "Vergängnis":
der Tod. Er ist das Erlebnis davon, "dass unserem Dasein stets ein anderes gegenübersteht, ein Nichtsein, das wir als Tod bezeichnen". (2) Wie das Bewusst-

sein des Todes sich auf den Menschen auswirkt, ist an dieser Stelle von geringer
Bedeutung, festzuhalten ist lediglich, dass der Mensch, eben weil er den Tod nicht
wie das Tier als zeitloses Ganzes, als Allgegenwart in sich trägt, sondern sich
innerhalb einer bestimmten zeitlichen Ordnung befindet, ständig mit dem Gedanken
an ihn leben muss, ständig an ihn erinnert wird. Der Tod als Ende des menschlichen Seins ist für den Dichter, den Dramatiker und den Epiker, aber in erster
Linie aus einem andern Grunde wichtig: mit ihm hört auch die Wiederholung auf,
auf der der Dichter Frisch sein Werk zum grössten Teil aufbaut. Sie ist die eigentliche Voraussetzung für die Arbeit, sei's am Schauspiel, sei's am Roman, denn
sie stellt den gewichtigsten Unterschied zwischen wirklicher und erdichteter Welt
dar. Was im Leben unwiderruflich festgelegt ist, kann auf der Bühne, im Roman,
beliebig wiederaufgerollt und verändert werden. Die Idee der Wiederholung wird
im Zusammenhang mit der "Biografie" ihre eingehende Behandlung erfahren. Die
folgende Untersuchung sei im Hinblick auf Frischs Auffassung von der Zeit durchgeführt; ich erinnere daran, dass Zeit in unserer Vorstellung ein Nacheinander,
Vergängnis bedeutet, dass sie für Frisch ein Ineinander, Wiederholung ist.

a) Die Zeitstruktur von "Santa Cruz"

In einer bestimmten Sphäre, am Rande seines Bewusstseins, kann der Mensch die
Zeit in ihrer ursprünglichen Form, als Ineinander, erleben: im Traum. (3) Von
da aus ist der Versuch, den Frisch hinsichtlich der zeitlichen Gliederung mit
"Santa Cruz" wagte, zu verstehen - der Versuch, die Zeit aus ihrer Begrenzung
durch Vergangenheit, Gegenwart, Zukunft herauszuheben, mit ihr als möglichst
ungegliedertem Ganzem, als Allgegenwart, zu arbeiten. Traum und Wirklichkeit
weben ineinander; schon die einführende Bemerkung Frischs deutet darauf hin,
lässt ein Spiel mit der Zeit vermuten: "Das Stück spielt in sieben Tagen und in
siebzehn Jahren." (D 8) Die Handlung erstreckt sich über sieben Tage, dies ist
die äusserlich fassbare Zeit. Die Frage stellt sich nun, wie Frisch das Stück in
diese Zeitspanne einbaut, wie er sie dem Zuschauer zu Bewusstsein bringt. -
Die Zeit der Handlung ist noch in anderer Weise bestimmt: das Stück spielt im
Winter. Die Jahreszeit ist aber über ihre rein zeitliche Bedeutung hinaus vor
allem Fundament für Frischs eigentliches Anliegen in diesem Stück: der Problematik, auf der Bühne in den handelnden Personen verkörpert, soll durch die Jahreszeit, die im wiederholten "es schneit" ständig erinnert wird, symbolischer
Gehalt verliehen werden, die geistige Auseinandersetzung wird verdeutlicht an der
Auseinandersetzung mit der Natur. Der Rittmeister und Elvira brechen aus ihrer
erstarrten Ehe aus, sie indem sie träumt, er, indem er flieht, bevor es sie einschneit für immer.

Dem Stück ist also eine Frist von sieben Tagen gesetzt. Sie kommt jedoch nicht
als eigentlich gespielte Zeit auf der Bühne zur Darstellung, zwei Abende nur werden herausgehoben, der erste und der letzte dieser Woche. Der Zeit dazwischen
wird kaum Beachtung geschenkt, sie ist nur als Frist, die Pelegrin bis zu seinem
Tode noch hat, von Bedeutung. Keinen Einfluss nimmt sie jedoch auf die Problematik des Stücks, sie kann somit mit wenigen Worten überbrückt werden: "Sieben

Tage und sieben Nächte schon schneit es... Sieben Tage und sieben Nächte ohne
Unterlass, das bedeute was, sagen sie, und nur der Fremdling, der mit seiner
Gitarre auf dem Tische sitzt, lacht uns allemal aus... vor sechs Tagen kam er
ins Schloss. Er schien uns betrunken, er wusste nicht einmal, was er wollte. Wir
legten ihn auf Stroh. Am andern Morgen aber schneite es und schneite..." (D 21/22)
Das Stück ist mit Vorspiel und Spiel zeitlich in diese beiden Abende gegliedert. Der
Vagant, der während vieler Wochen krank lag, feiert mit seinem Arzt die Genesung.
Von Anfang an aber wird sie in Zweifel gezogen; (4) der Verdacht, dass Pelegrin
todkrank ist, steigert sich von Satz zu Satz, bis der Doktor am Schluss des Vorspiels die Gewissheit gibt, dass der Vagant sterben wird. Er setzt damit die Zeit
des Spiels fest: "In einem Monat?" - "In einer Woche... Fast beneide ich ihn." -
"Dass er nur noch eine Woche lang lebt?" - "Sagen wir: dass er eine Woche lang
lebt..." (D 17 Wirtin/Doktor) (5)

Auf das besondere Gepräge dieses einen Abends, der auf der Bühne zur Darstellung
kommt, weisen die Figuren immer wieder hin. Immer wieder wird angedeutet, dass
es Pelegrins letzter ist: "Ich glaube, ich lebe nicht mehr sehr lange... In wenigen
Stunden wird der Morgen grauen." (D 51) Pedro, als Ueberleitung zum fünften Akt:
"... heute, siebzehn Jahre später. Es ist, auch dieses wissen wir, die letzte
Nacht, die Pelegrin zu leben hat." (D 68) Unmittelbar darauf Pelegrin: "In einer
Stunde wird der Morgen grauen - Ich sass in der Pinte - ja, schon eine Woche ist
es her." (D 69/73) Und kurz vor seinem Tode: "Der Morgen graut. - Es ist nichts
Grässliches dabei: Ich habe gelebt." (D 80) Es scheint, als ob das Bewusstsein
von der Zeit, die ja immer die gleiche ist, dem Zuschauer geradezu eingehämmert
werden sollte. Die Zeit, die immer die gleiche ist? Das Stück wird zu Beginn noch
anders fixiert, neben den sieben Tagen stehen die siebzehn Jahre. Schon bei der
Lektüre fällt die häufige Nennung dieser Zahl auf, und bei einer Untersuchung des
Stücks auf die die Zeit bestimmenden Angaben hin erweist sich denn auch, dass
diese zeitliche Ebene, dadurch dass die Zahl regelmässig, fast aufdringlich regelmässig wiederholt wird, sich über die primär erfassbare schiebt. Auch für sie
liegt die Grundlage im Vorspiel. Der Vagant bekennt dem Doktor: "Mag sein, ich
habe mich wie ein Schuft benommen, damals vor siebzehn Jahren." (D 10) "Vor
siebzehn Jahren" - immer wieder klingt es während des Spiels auf, im gesamten
siebzehnmal, gleich einer Formel, die das damalige Geschehen zur Gegenwart
heraufbeschwört und durch die Wiederholung in dieser Ebene befestigen will.

Um die Geschichte, die sich vor siebzehn Jahren ereignet hat, im Spiele (6) darstellen zu können, bedient sich Frisch nun des Mittels, das er sich im Tagebuch
theoretisch zurechtgelegt hat: des Traums. Die Erinnerung an das Geschehen vor
siebzehn Jahren schiebt sich als Traumspiel zweimal in die Darstellung der Wieder-
Begegnung auf dem Schloss ein; und zwar so, dass Traum und Wirklichkeit in
Akte gegliedert einander ablösen. Da mit dem Wechsel der Zeit auch ein Wechsel
des Schauplatzes verbunden ist, erscheint eine derartige Gliederung natürlich und
gerechtfertigt. Frisch wendet sich noch in anderer Weise gegen die Gefahr der zeitlichen Verwirrung, die ohne Zweifel bei diesem Versuch besteht: Am Schluss jedes
Aktes werden Spieler und vor allem Zuschauer durch überleitende Bemerkungen
Pelegrins und Pedros auf die neue Welt, die sie nach Oeffnen des Vorhangs aufneh-

men wird, vorbereitet. "Musik..." - "Woher?" - "Das haben sie immer gesungen, die Matrosen, diese braunen Teufel mit den Katzenaugen..." (D 33 Pelegrin/ Rittmeister) - "Alles das, alles das, warum träume ich es immer wieder?" - "Und der Rittmeister, der alles das nicht sehen kann: hinter der Stirne seiner schlafenden Frau..." (D 44 Elvira/Pedro) - "Sie warten auf unsere Herrin?" - "Stören Sie sie nicht, solange sie träumt; wecken Sie sie nicht." (D 51 Schreiber/Pelegrin) - "So ungefähr war es damals, so ungefähr... Wir spielen noch das letzte Bild: heute siebzehn Jahre später..." (D 68 Pedro)

Die Bedeutung des Stücks, von heute aus gesehen, liegt nicht in seiner Thematik, sondern im Versuch, die Zeit durch das Medium des Traums aus der Linearität zu lösen und in anfangs erwähntem Sinne als Ganzes, als Allgegenwart, nicht als Folge anzunehmen. (7) Es bedarf aber ausser den angeführten Bemerkungen, die den Akt beschliessen und zum folgenden überleiten, noch anderer Stellen, vor allem auch innerhalb des Aktes, die das zeitliche Verhältnis klar zum Ausdruck bringen, die die Regeln dieses Spiels mit den Zeiten im Bewusstsein des Zuschauers fixieren. Die fast magisch wirkende Formel "vor siebzehn Jahren" - sie beschwört die vergangene Zeit herauf, die die Personen der Gegenwart prägt (8) - erfüllt diese Funktion. Im ersten Akt, ja schon im Vorspiel (D 10/26), wird man durch sie und durch die sich oft daran anschliessende Erinnerung auf das Geschehen vorbereitet, das im zweiten Akt auf der Bühne zur Darstellung kommt. Pedro beginnt die Geschichte zu erzählen - "Vor siebzehn Jahren, sage ich, und auf diesem Schiffe hat er sie entführt, Elvira hat sie geheissen, ein Fräulein, sage ich euch, ein Fräulein..." (D 36) -, und er ruft mit diesen Worten die handelnden Personen selbst auf den Plan. Erzählung geht in Spiel über, auch in ihm ist die Formel übernommen. Elvira spielt zwar die Rolle, die sie vor siebzehn Jahren gespielt hat, doch sie kennt die Zukunft und fürchtet sich vor ihr: "Ich weiss es doch, Pelegrin, was in der Kajüte geschehen ist - als die Schiesserei vorüber war... vor siebzehn Jahren..." (D 43) Das Vergangene erscheint somit aus der Sicht des Gegenwärtigen, es ist mit Erfahrung belastet.

Dasselbe gilt für die beiden folgenden Akte. Im dritten zieht der Rittmeister "das Wams seiner Jugend" über, im vierten Akt tritt er in dieser Bekleidung auf dem Schauplatz von Santa Cruz auf. Dazwischen immer wieder, gleich festen Punkten einer Linie, die als Hilfsmittel für unsere Vorstellung von der Zeit gezeichnet worden ist, die bekannte Formel. Wichtig ist auch, dass die Eigenart Pelegrins, dessen Erscheinen das Geschehen in seinem zeitlichen wie auch im handlungsmässigen Ablauf bestimmt, im Stück selbst mit eindeutigen Worten ausgedrückt wird. "Mitten in der Nacht... meinen Sie eigentlich, Sie können alle Zeiten durcheinander machen? Wir sind ein Haus der Ordnung, verstanden! Was vergangen ist, das ist vergangen. Gestern, heute, morgen! Sie blättern in den Jahren herum, vorwärts und rückwärts - so eine Schweinerei!" (D 50 Schreiber)

Frisch sucht mit diesen Mitteln das Problem von "Santa Cruz" zu lösen, das Problem des analytischen Dramas überhaupt, (9) das darin liegt, dass die Vergangenheit, auf die sich das gegenwärtige Geschehen konzentriert, auf der Bühne ebenfalls gegenwärtig werde. Im Traum heben sich die Grenzen zwischen den Zeiten auf, die direkte Darstellung, die sonst der Kunstform des Romans vorbehalten ist, wird auf diese Weise möglich. (10) Zeit wird aber nicht nur mittels Montage, sondern vor allem auch in der Wiederholung bewusst gemacht. Zwei Möglichkeiten bieten sich dem Dramatiker an:

1. Das Stück ist kreisförmig gebaut, das heisst die letzte Szene knüpft an die erste an.

2. Leitmotivartig kehren, in meist unregelmässigen Abständen, zum Beispiel an bedeutungsschweren Stellen der Handlung, gleiche Worte oder gleiche Melodien wieder.

Frisch wendet in "Santa Cruz" beide an. Wie ich bereits gezeigt habe, (11) wird das Problem der Eltern am Schluss auf das Kind übertragen. Gleich dem wiederholten "vor siebzehn Jahren" weist auch die von Zeit zu Zeit erklingende Melodie auf das in der Vergangenheit Vorgefallene zurück - auf die Szene auf dem Schiff, die im zweiten Akt dargestellt wird. Es ist die Melodie eines javanischen Liedes. Der Vagant, "der auf dem Tische hockt, Gitarre spielt" (D 9), summt sie zu Beginn des Vorspiels. Die Musik ertönt wieder an verschiedenen Stellen: Wenn der Vagant auf dem Weg ins Schloss ist und der Doktor in der Pinte seinen nahen Tod verkündet. "Hören Sie? So ist ihm zumute... er fühlt sich voll Leben... voll Musik..." (D 17) Wenn Pelegrin dem Rittmeister von seinen Reisen erzählt. Sie verklingt jedoch mit dem zweiten Akt, mit dem Traum Elviras von ihrem Erlebnis auf dem Schiff. Wie die Angaben über die Zeit leitet auch sie den Zuschauer in die Vergangenheit zurück, schafft in ihm das Verständnis für den Wechsel des Schauplatzes und der Zeit im zweiten Akt. (12)

b) Die Zeitstruktur der übrigen Werke

1. Montage: Frisch braucht in keinem andern Werk mehr das Mittel des Traums, um die verschiedenen Zeitstufen einzuebnen. Auch "Graf Oederland" kann nicht als Traumspiel bezeichnet werden, denn Frisch zeigt nicht, wie Adelheid Weise meint, "das Ineinander von Vergangenheit, Gegenwart und Zukunft als ein Traumspiel, in dem die Wahrheit geschaut und erlebt wird, das aber nicht in die Wirklichkeit hinüberreicht". (13) Der Staatsanwalt glaubt zwar am Schluss, dass man ihn geträumt habe (D 389/90), und will "erwachen! - jetzt: rasch - jetzt: erwachen, erwachen - erwachen..." (D 383/90), doch die schmutzigen Stiefel, die halbleere Zigarrenschachtel, das Erscheinen von Sträfling und Staatspräsident in der Villa und deren Worte wie auch die unpersönliche Form "man" anstelle von "ich" drängen den Gedanken an den Traum weit in den Hintergrund - wenn er auch nicht gänzlich abgewiesen werden kann, ein leiser Zweifel wird vom Dichter bewusst wachgehalten. So zum Beispiel dadurch, dass der Anfang der letzten Szene das gleiche Bild bietet wie der Beginn des Stückes: "Arbeitszimmer in der Villa des Staatsanwalts. Nacht. Auf dem Schreibtisch brennt eine Arbeitslampe. Der Staatsanwalt steht reglos, allein. Einziger Unterschied: er trägt die Schlammstiefel wie in der Kanalisation." (D 382) Auch die Turmuhr schlägt. Wenn er zu sprechen beginnt, scheint er aus dem Traum zu erwachen. Langsam vollzieht sich der Uebergang von der einen Welt in die andere, vom vermeintlichen Traum in die Wirklich-

keit. Gleich darauf aber klären die oben erwähnten Merkmale auf, dass es vielmehr ein Uebergang aus dem Zustand krankhaften Wahns in denjenigen klaren
Bewusstseins ist. Man muss annehmen, dass sich die Erlebnisse des Staatsanwalts
für ihn, den Wahnsinnigen, zwar nur in der Vorstellung, für die Aussenwelt aber
in Wirklichkeit abgespielt haben. Daraufhin deuten übrigens während des Spiels
Bild vier und Bild sieben, in denen Elsa und Hahn auftreten, und vor allem auch
die Szenen, die auf den Mörder ausgerichtet sind: Zwischen die Abenteuer des
Staatsanwalts schiebt sich in gleichmässigen Abständen die wirkliche Welt der
andern ein, die durch seine Taten gestört wird.

Vor allem aber wird nicht vergangenes Geschehen auf die Bühne gebracht - die
Handlung um den Staatsanwalt spielt sich parallel und nicht etwa als Folge der
Handlung um den Mörder ab; die Gespräche zwischen Staatsanwalt und Mörder,
die vor Einsetzen der Handlung stattgefunden haben, werden nicht aufgezeigt, es
geht in diesen Szenen vielmehr um das Leben des Mörders nach der Flucht des
Staatsanwalts. Die Vergangenheit ist nur insofern wichtig, als in ihr der Anstoss
für das Geschehen der Gegenwart, eben die Flucht des Staatsanwalts, liegt; sie
wird aber in der szenischen Darstellung weder gegenwärtig wie in "Santa Cruz",
noch ist sie notwendige Grundlage des gegenwärtigen Geschehens und Thema des
Dialogs wie im analytischen Drama vor allem Ibsens.

Auf der Bühne wird also nur Gegenwart, nie Vergangenheit entwickelt, wie es das
Zitat von Adelheid Weise vermuten lässt. Von noch geringerer Bedeutung ist die
Zukunft, die übrigens auch in "Santa Cruz" eine sehr kleine Rolle spielt. "Santa
Cruz" lässt nur ganz am Schluss einen Ausblick auf das Geschehen ausserhalb
des Stückes zu: aus den Worten des Rittmeisters und Elviras geht hervor, dass
ihre Ehe frei von den bisherigen Schatten sein wird, Viola wird aber als ihr Kind
alles von neuem erfahren. Noch unsicherer ist der Fortgang in "Graf Oederland":
hinter dem Staatsanwalt öffnet sich die Wand zu einem prächtig ausgestatteten Zimmer, öffnet sich der Zugang zur Macht, die der Staatsanwalt, "um frei zu sein"
(D 390), stürzen wollte. Der Staatsanwalt jedoch bleibt teilnahmslos sitzen. Ein
Hinweis könnte höchstens in der Anrede des Präsidenten verborgen sein, die nun
nicht mehr "Herr Doktor", sondern "Exzellenz" lautet.

"Santa Cruz" ist nicht der einzige Versuch Frischs, die Zeit aus ihrer linearen
Ordnung herauszuheben und als Allgegenwart bewusst zu machen. Sei's aber,
dass die folgenden Stücke sich thematisch nicht dafür eignen, sei's, dass ihn die
für "Santa Cruz" gefundene Lösung nicht befriedigt hat, Frisch wendet sich dem
Problem erst viel später, mit "Andorra", wieder zu. Nicht die Vergangenheit soll
da auf der Bühne vergegenwärtigt werden, sondern die Zukunft, und zwar wieder
in den handelnden Personen selbst, die zwischen den Szenen an die Zeugenschranke
treten und aussagen. So wird es Frisch möglich, das gegenwärtige Geschehen
selbst unter normalen Bedingungen auf der Bühne abzuspielen, es aber gleichzeitig
im gewünschten Licht erscheinen zu lassen - das heisst der Zuschauer wird durch
die Zeugenaussagen, die das Ende, die Zukunft, soweit sie in Spiel und Bericht dargestellt ist, vorwegnehmen, angeleitet, wie er das gegenwärtige Geschehen zu beurteilen hat. Wie in "Santa Cruz" wird das Verhalten der Personen in der Gegen-

wart dadurch, dass die Mitteilung von ihrem früheren oder ihrem künftigen Verhalten und Denken in irgendeiner Weise ins Spiel integriert wird, erklärt. Frisch äussert sich im Anhang darüber: "Das Buch verlangt, dass jeder Andorraner einmal aus der Handlung heraustritt, um sich von heute aus zu rechtfertigen - oder formal gesprochen: um die Handlung, die eben auf der Bühne vor sich geht, in die Ferne zu rücken und dem Zuschauer zu helfen, dass er sie von ihrem Ende her, also als Ganzes, beurteilen kann..." (D 854) Mit der Zeitmontage wird somit weniger das Ineinander der Zeit deutlich gemacht, sie wird vielmehr gebraucht, damit der Zuschauer die Gegenwart - das heisst die Zeit des Spiels und nicht das Heute, das die Zeit der Zeugenaussagen ist - richtig aufnimmt. (14)

"Andorra" ist nicht Frischs erster Versuch seit "Santa Cruz", sich von der traditionellen Einheit der Zeit zu lösen. So ist denn die "Chinesische Mauer" als das Spiel mit den Zeiten zu bezeichnen. Ist in "Santa Cruz" und auch in "Andorra" innerhalb der Handlung noch eine eigentliche zeitliche Ordnung zu erkennen, ist sie in der "Chinesischen Mauer" fast ganz aufgegeben worden. Zwar legt der Heutige das Spiel zu Beginn deutlich auf die Zeit von "heute abend" (D 156) fest, doch erweist sich der Begriff in der Folge als sehr ungewiss, ungewisser noch als die Lokalisierung der Handlung. (15)

Wie lässt sich die Zeit dieses Abends fassen? Frisch äussert sich wie oben erwähnt im Tagebuch über die Gegenwart als Schnittpunkt von Vergangenheit und Zukunft. (16) Auf diesen Grundgedanken einer zeitlichen Gliederung lässt sich das ganze komplizierte Gebilde reduzieren. Das Geschehen - auf ein Minimum eingeschränkt - spielt sich, der Regel entsprechend, (17) wie der Heutige unterstreicht, in der Gegenwart der Bühne ab, das heisst an einem Tag im Leben des Kaisers Hwang Ti. (18) Es treffen da Vergangenheit und Zukunft aufeinander, verkörpert durch die verschiedenen historischen Gestalten und durch den Heutigen. Frisch führt den zitierten Gedanken noch weiter, er bezeichnet die Gegenwart als Sehenszeit. (19) Auf der Bühne wird sie, die Zeit der Wahrnehmung, zum Schnittpunkt von Erwartung und Erinnerung: Nur im wahrnehmbaren Spiel kann Vergangenheit, erinnert durch die "Figuren, die unser Hirn bevölkern", (20) lebendig gemacht, kann die Zukunft, gemalt in den Worten des Heutigen, (21) vergegenwärtigt werden. Das Stück hat also nicht die üblichen drei, sondern vier Zeitebenen: die Gegenwart, die Zeit, da die Chinesische Mauer gebaut wurde, die Vergangenheit, die Epochen, aus denen die geschichtlichen Figuren kommen, die erste Ebene der Zukunft, die Zeit, da die Atombombe erfunden und erstmals abgeworfen wird, die zweite Ebene der Zukunft, die Zeit, da die Welt durch die Atombombe vernichtet ist.

"Zeit der Handlung: heute abend. (Also in einem Zeitalter, wo der Bau von Chinesischen Mauern, versteht sich, eine Farce ist.)" (D 156): Der Bestimmung der Zeit des Stücks kommt durch die in Klammer gesetzte Anmerkung noch eine andere Bedeutung zu. Frisch verleiht dem Geschehen von "heute abend" Allgemeingültigkeit. Er deutet mit diesen Worten den gerade Anwesenden an, dass, obgleich der Bau der Chinesischen Mauer im heutigen Zeitalter eine Farce (22) ist, die mit ihm verbundene Aussage noch gültig ist, (23) dass wir von Geschichte und Kultur geprägt sind, dass auch die Zukunft Männer wie Cäsar, Hwang Ti, Napoleon, Hitler, die die Welt mit den ihnen verfügbaren Mitteln zerstört haben, hervorbringt, dass ein Heutiger, ein Einzelner inmitten der Masse, resignieren muss. Die für Mee Lan gültige Wirklichkeit hat keine Grenzen: "Das ist die Wirklichkeit: Du, der Ohnmächtige, und ich, die Geschändete, so stehen wir in dieser Zeit, und die Welt geht über uns hin. Das ist unsere Geschichte." (D 245) Wie in "Santa Cruz" werden auch auf dieser Bühne die verschiedenen Zeiten auf eine Ebene gebracht. Der Grundgedanke ist derselbe, anders ist nur das Vorgehen. Wie in "Santa Cruz" liegt im Ende der Anfang und die mit ihm verbundene Hoffnungslosigkeit. (24)

2. Wiederholung: Ein wichtiges Merkmal von Frischs Fabeln ist, dass er ihnen kein eigentliches Ende setzt. Vielfach betont er auch mit dem Ende, dass sich das ganze Geschehen, vielleicht in wenig veränderter Form, wiederholen wird. Die Zeit geht weiter, die Probleme bleiben bestehen. (25) Doch auch die übrigen Möglichkeiten der Wiederholung verwendet Frisch sehr häufig; die genaue Untersuchung ergibt, dass sie sich in allen Stücken in mehr oder weniger ausgeprägter Form und Häufigkeit finden. Und zwar sind es vor allem einzelne Sätze, die, Ausrufen mit manchmal fast beschwörendem Unterton gleich, meist über den ganzen Dialog verstreut sind, wie zum Beispiel in "Nun singen sie wieder": "Satane sind es" und "Nun singen sie wieder", (26) das eine bringt die zeitliche Parallelität der verschiedenen Szenen zum Ausdruck, das andere weist immer wieder auf Zeit und Handlung des Anfangs zurück. Ebenfalls an ein bestimmtes Ereignis will das in "Don Juan" wiederholt gebrauchte "Der Himmel zerschmettere den Frevler" erinnern, wie auch die an der Zeugenschranke geäusserte Beteuerung der Andorraner "ich bin nicht schuld" und die Lüge des Wirtes, dass er den Stein nicht geworfen habe. Manchmal wird ein Satz nur einmal wiederholt und will weniger Zeit und Ereignis als vielmehr die Atmosphäre einer bestimmten Szene heraufbeschwören. Als Beispiel dafür ist vor allem ein Satz Herberts im ersten Bilde zu nennen, der im folgenden Bild von Liesel in einem völlig andern Zusammenhang nachgesprochen wird: "Er schaufelt, als habe er eine Zwiebel gesteckt, so sorgsam schaufelt er, und was für eine kostbare Zwiebel; im Frühling, wenn es gut geht, da kommt eine Tulpe heraus!" - "Es ist eine Zwiebel darin (im Blumentopf); im Frühling, wenn es gut geht, da kommt eine Tulpe heraus." (D 89/97) Hilde spricht im ersten Bild von "Graf Oederland" die Worte: "Wie bei den Köhlern, als der Graf Oederland kam. Hoch lebe der Graf! und da sagte die Fee, als die Köhler erschraken, denn es brannten ihre eigenen Hütten, es brannten die Dörfer und Städte - ... Wie das scheint!" (D 310) Man denkt an sie, wenn sie im fünften Bild Wirklichkeit werden, wenn das in ihnen gemalte Bild auf der Bühne zur Darstellung kommt. Ganz am Schluss klingen sie nochmals auf, wie längst vergessene Töne: der Staatsanwalt spricht sie nun aus, zu Hilde, die wie im ersten Bild Feuer macht. (D 340/85)

Aber auch eine ganze Szene - oder ein Teil von ihr - kann wiederkehren, vielleicht ein wenig abgewandelt, doch ist ihre Uebereinstimmung mit der früheren sofort erkennbar: sie spielt zwar in einer anderen Zeit, ihre Aussage aber hat auch da noch Gültigkeit; was vielleicht früher ersehnt wurde, hat sich jetzt erfüllt: Das zweite

Bild von "Nun singen sie wieder" zeigt Maria mit dem Kind; sie malt ihm traurig und wehmütig den Frühling aus, der, und das ist ein Hoffnungsschimmer, einmal kommen muss. Im sechsten Bild spricht Maria zu ihrem Kind die gleichen Worte - nur: "Mag sein, nun ist der Frühling da..." (D 135), die Zeit ist weitergegangen, sie beide sind tot. Aehnlich wirkt die Szene im dritten Akt von "Don Juan", wenn Don Juan vor Miranda, der verkleideten Braut, niederkniet. Das erste Zusammentreffen zwischen Don Juan und Anna, Don Juan schildert es zu Beginn des Aktes seinem Freund Roderigo, wird damit in Szene gesetzt. Auch hier wird deutlich - eindrücklicher noch als in "Nun singen sie wieder" -, dass die Zeit zwischen der ersten, im Bericht wiedergegebenen, also imaginären Begegnung und der zweiten, auf der Bühne wahrnehmbaren bedeutende Veränderungen gebracht hat: Im Moment, da Don Juan die Braut annimmt und mit ihr fliehen will, wird, für ihn noch nicht sichtbar, die tote Anna auf die Bühne getragen. Die beiden Begegnungen treffen in diesem Moment in der Zeit zusammen, da die imaginäre in der wahrnehmbaren vergegenwärtigt wird; sobald Don Juan aber seinen Irrtum bemerkt, werden sie wieder weit auseinandergeschoben. Das Geschehene lässt sich nicht aufheben. (27) Auch in "Biedermann und die Brandstifter" findet sich ein Beispiel. Biedermann liest zu Beginn der ersten Szene die Zeitung: "Aufhängen sollte man sie. Hab ich's nicht immer gesagt? Schon wieder eine Brandstiftung. Und wieder dieselbe Geschichte, sage und schreibe: wieder so ein Hausierer, der sich im Dachboden einnistet, ein harmloser Hausierer..." (D 475) Wenig später, in derselben Szene, liest Schmitz während des Abendessens die gleiche Zeitung, Biedermann hat sie ihm gereicht: "- scheint es den Sachverständigen, dass die Brandstiftung nach dem gleichen Muster geplant und durchgeführt worden ist wie schon das letzte Mal." (D 482) Wie klein ist die Zeitspanne, und wie sehr hat sich die Situation verändert!

Daneben finden sich auch Wiederholungen, die wenig und zum Teil gar keinen Bezug auf die Zeit nehmen und nur als Beteuerung und Akzentuierung von schon Gesagtem gesetzt sind. Es sind dies Sätze wie "Auch unsere machen das gleiche" (D 118, Oberlehrer, Jemand) - "So war er noch nie" (D 496/97, 503, Schmitz) - "Siehst du" (D 497, 498, 501, Eisenring) - "Leider herrscht Föhn-" (D 518, ähnlich 527, 536). Hotz redet sich und dem Zuschauer ein, dass er die Wut nicht verlieren darf (D 547, 550, 560). Der beteuernde Charakter dieser wiederholten Sätze kommt vor allem dadurch zum Ausdruck, dass sie kurz aufeinander folgen. Barblin will davon überzeugen, dass sie verlobt ist (585, zweimal); sie will von der Grundlosigkeit ihrer Angst vor den Schwarzen überzeugt werden, wenn sie zweimal fragt: "Und wenn sie trotzdem kommen?" (D 589) So will auch der Doktor sich selbst von der Unfehlbarkeit des Judenschauers vergewissern; zweimal betont er: "Der hat den Blick. Verlasst euch drauf!" (D 677, 688) Oft sind es auch nur einzelne Worte, die immer wieder ausgesprochen werden, oder Gedanken, die als Leitmotive das Stück durchziehen; sie muten in ihrer Form wohl bekannt an, stimmen aber selten im Wortlaut überein. (28)

Es bleibt die Möglichkeit, Wiederholung durch von Zeit zu Zeit aufklingende Musik anzudeuten; auch sie wird von Frisch oft verwendet. In fast allen Stücken ertönt an irgendeiner Stelle Musik; Frisch braucht sie jedoch nicht in allen Stücken dazu, die Zeit selbst oder ein Ereignis bewusst zu machen, oft muss sie lediglich Atmosphäre schaffen, den Eindruck eines bestimmten Milieus erwecken. Meist ist sie dann nicht leitmotivisch gebraucht: Die Ballmusik und das Spiel der Musikanten vor und während der Erscheinung des Steinernen Gastes haben nichts gemeinsam, sind nur auf den Moment bezogen ("Don Juan", erster und vierter Akt). Auch in der "Chinesischen Mauer" hat die Musik die Vorstellung vom fernen Balltreiben zu vermitteln. Sie wird stärker, wenn das Spiel auf der Bühne von den Masken beherrscht wird. Allein die Musik, die zu Beginn der zweitletzten Szene aufklingt, deutet eine Wiederholung an: "Auftreten Romeo und Julia wie zu Anfang, Musik wie zu Anfang." (D 241) Der Kreis ist geschlossen, das Stück kann wieder beginnen. (29) Auch am Schluss von "Graf Oederland" setzt Musik ein, sie ist ein wichtiger Bestandteil des prächtigen Bildes, das sich vor dem Staatsanwalt auftut.

Ausser in "Santa Cruz" eignen der Musik allein in "Nun singen sie wieder" und in "Andorra" leitmotivische Züge. Vor allem in "Nun singen sie wieder" ist das Lied der Geiseln mit grosser Systematik in die Handlung eingefügt: Die Geiseln singen, wenn Unrecht geschieht. Zum erstenmal, wenn Karl den Auftrag, den Popen zu erschiessen, ausführen soll, dann, bevor sich Karl erhängt; beim Einzug der toten Flieger und wieder, wenn ihnen allmählich bewusst wird, dass sie tot sind; beim Erscheinen Karls in der Welt des Popen und ein letztes Mal am Schluss, der auch hier in den Anfang übergeht. (30) Spielerischer geht Frisch in "Andorra" mit diesem Medium um. Mit dem Erklingen des Orchestrions verbindet sich keine Assoziation; im Gegenteil: Fast scheint es, als sei die Musik ein Element weniger des Milieus als vielmehr der Charakterisierung Andris. Sie ist an die Szenen auf dem Platz von Andorra, vor der Pinte, gebunden, wirkt allein insofern als Leitmotiv, als sie von der "immergleichen Platte" (D 691) stammt. Erst am Schluss wird der zeitliche Bezug, der in dieser Wiederholung liegt, deutlich: Wenn Andri zum letztenmal eine Münze ins Orchestrion wirft und, während zwei Soldaten in schwarzer Uniform an der Rampe zu patrouillieren beginnen, langsam verschwindet, vor allem aber, wenn das Orchestrion in der letzten Szene von selbst zu spielen beginnt, erinnert man sich an den Anfang, wo Andri pfeifend auf dem Plattenwähler sucht. Die Zeit dazwischen hat viel verändert: Andri hat die Unbeschwertheit, die zu Beginn an ihm auffiel, verloren; in welcher Weise sich sein Schicksal besiegelt hat, zeigt sich am Schluss auch in der Musik, er ist nur noch in ihr auf der Bühne gegenwärtig - und in seinen Schuhen. - Der Musik, die in "Als der Krieg zu Ende war" ertönt, (31) kommt die Aufgabe zu, die Aussenwelt auf die Bühne zu bringen. Indem sie die Parallelität von Geschehen in Bühnenraum und Umwelt bewusst macht, deutet sie ganz schwach auch ein zeitliches Verhältnis an.

Noch ein Mittel, dessen Frisch sich in zwei Dramen bedient, um die Zeit auszudrücken, muss abschliessend erwähnt werden: die Uhr selbst. In "Graf Oederland" schlägt die Turmuhr bezeichnenderweise nur am Anfang und am Schluss, zweimal und viermal, (32) denn nur in seinem Arbeitszimmer und im Moment des klaren Bewusstseins ist die Zeit für den Staatsanwalt wichtig, existiert sie für ihn überhaupt. Alles, was sich dazwischen abspielt, ist für ihn zeitlich nicht fixiert, spielt sich nicht als gewohnte Folge ab. Dies ist auch daraus ersichtlich, dass der zeitliche Stand der Handlung ausschliesslich von den Personen, die in der geordneten Welt des Staatsanwalts zurückgeblieben sind, angegeben wird. (33)

Noch deutlicher zeigt Frisch den zeitlichen Ablauf in "Biedermann und die Brandstifter". Dreimal schlägt die Turmuhr, die die Viertelstunden angibt, in die erste
Rede des Chors hinein. Der Chor setzt sich, "während der Stundenschlag tönt:
neun Uhr" (D 473/4). Die Standuhr, die neunmal schlägt, macht die zeitliche
Parallelität der Szene im Hause Biedermanns bewusst (D 479). - Meist wird durch
das Schlagen die Zeit des Auftritts der Feuerwehrleute erfasst: Die Gefahr, der sie
wissend und machtlos gegenüberstehen, wird von Stunde zu Stunde, von Nacht zu
Nacht grösser (D 486/7, 494/5), bis schliesslich der Abend der Katastrophe da
ist. Seine Bedeutung wird mit akustischen Mitteln hervorgehoben: Es schlägt nicht
nur eine Turmuhr, es ertönen alle Glocken der Stadt: "Es ist Samstagabend, wie
Sie hören, und ich werde so eine dumme Ahnung nicht los: dass sie vielleicht zum
letzten Mal so läuten, die Glocken unsrer Stadt..." (D 518, Babette) Das Glockengeläute leitet über zur letzten Szene, die mit den Vorbereitungen Biedermanns
für das Festessen beginnt - "Man hört das Glockengeläute sehr laut." (D 520) Am
Schluss schlägt die Standuhr, sie läutet den Untergang ein (D 539).

c) Spielzeit und gespielte Zeit

Auf das Verhältnis der beiden Zeiten sei nur kurz hingewiesen. Um es bestimmen
zu können, habe ich die Dramen daraufhin untersucht, wie ihre Fabel auf der Bühne zur Darstellung kommt, das heisst, welche Momente in den einzelnen Szenen
herausgehoben werden. Es lassen sich drei Gruppen bilden:

1. Die Fabel wird ganz oder doch nahezu vollständig in Szene gesetzt, was bedeutet, dass sich Spielzeit und gespielte Zeit decken: Sieht man vom Vorspiel
   ab, so entspricht die Handlung von "Santa Cruz" dem Geschehen eines Abends.
   Auch die eingeschobenen Szenen, die vor siebzehn Jahren in Santa Cruz spielen,
   können in die Zeit dieses Abends eingeordnet werden, der Durchbruch der Einheit von Zeit und Ort vollzieht sich ja nicht in Wirklichkeit, sondern in der Vorstellung der versammelten Personen, in Traum und Erinnerung. Aehnlich verhält es sich mit "Die grosse Wut des Philipp Hotz", doch ist die Uebereinstimmung im Einakter weniger bemerkenswert als im fünfaktigen Drama. Der Zuschauer nimmt teil an den Geschehnissen eines Morgens oder eines Nachmittags.
   Entsprechend dem Vorspiel in "Santa Cruz" hängt sich hier mit dem Ausbruch
   Hotz' eine Art Nachspiel an die Handlung an. Vollkommen stimmen die beiden
   Zeiten in der "Chinesischen Mauer" überein. (34)

2. Weitaus am häufigsten werden einzelne wesentliche Szenen herausgehoben und
   durch den Dialog, sei's im Bericht, sei's in der Anspielung auf etwas Voraus-
   gegangenes, in einen Zusammenhang gebracht und schliesslich zum Ganzen gefügt. Die Dauer des Vorgeführten geht somit weit über den Rahmen des Abends
   hinaus. In diese Gruppe gehören: "Nun singen sie wieder", "Als der Krieg zu
   Ende war", "Graf Oederland", "Don Juan", "Andorra". Ausser bei "Als der
   Krieg zu Ende war" kann bei keinem dieser Stücke die genaue Dauer angegeben
   werden. (35)

3. Die Uebergänge der einzelnen Szenen sind fliessend, das heisst, der Wechsel von einem Zeitpunkt zum andern wird auf der Bühne miterlebt. Frisch wendet diese Technik nur in "Biedermann und die Brandstifter" an. Sie ist zwar nicht ausschliesslich an die Form des Einakters gebunden, sie ist vor allem aber für sie geeignet, erweist sie sich doch als die einzige Möglichkeit, Zeit und Ort im Einakter zu verändern. (36)

4. DER MENSCH - GRUPPIERUNG UND CHARAKTERISIERUNG

Da für die Untersuchung von Frischs dramatischen Figuren von grundlegender Bedeutung ist, nach welchen Gesichtspunkten er sie auswählt, sei im folgenden nochmals an seine diesbezüglichen Aeusserungen erinnert:

1. Frisch stellt die Person dar, "die in der Statistik enthalten ist, aber in der Statistik nicht zur Sprache kommt und im Hinblick aufs Ganze irrelevant ist, aber leben muss mit dem Bewusstsein, dass sie irrelevant ist-". (1) Es erscheint ihm darstellenswert: "alles, was Menschen erfahren, Geschlecht, Technik, Politik als Realität und als Utopie, aber im Gegensatz zur Wissenschaft bezogen auf das Ich, das erfährt".

2. Die Figur muss den Lebensbereichen entstammen, die Frisch selbst kennt, das heisst, sie kann Bürger oder Intellektueller sein - Angestellter oder Boss.

3. In den meisten Stücken ist die ganze Handlung auf eine Figur zentriert, "alles andere sind Nebenfiguren". Mancher moderne Dramatiker bringt anstelle des Protagonisten das Kollektiv auf die Bühne, das besser die Strukturierung unserer heutigen Welt wiedergebe. Frisch erkennt den Sinn dieser Verschiebung, für ihn bleibt aber die Mittelpunkt-Personnage das geeignete Mittel, die heutige Welt im Theater zu zeigen. "Anders als an einzelnen Menschen, ob sie nun nackt auftreten oder in Kostüm, lässt sich auch die Entmenschlichung nicht zeigen auf der Bühne; die Bühne ist anti-statistisch."

Im Hinblick auf diese Gedanken teile ich die Personen zuerst hauptsächlich aufgrund ihres Namens in verschiedene Gruppen ein und untersuche dann, wie Frisch das Mittel der direkten und der indirekten Charakterisierung zur Zeichnung ihres Wesens einsetzt.

a) Personengruppen

Erster Anhaltspunkt für das, was sich Zuschauer und Leser unter den verschiedenen Personen eines Stückes vorzustellen haben, ist der Name und die Stellung des Namens im Personenverzeichnis. Während diese normalerweise Auskunft darüber gibt, ob die betreffende Figur als Haupt- oder Nebenfigur auf die Bühne tritt, deutet der Name oft die Zugehörigkeit zu einer der gesellschaftlichen Schichten an und - so vor allem im modernen Drama - zu einem bestimmten Menschentypus. Vielfach ist der Name lediglich Hinweis darauf, wie die Figur ins Stück einzufügen ist, wie ihr Wesen von der Problemstellung aus verstanden werden muss. - Ich habe diesen Versuch einer Funktionsbestimmung des Namens bereits mit Blick auf die Namengebung bei Frisch unternommen. Untersucht man nämlich die von ihm gesetzten Namen vor allem der Hauptpersonen, stellt man als erstes fest, dass in ihnen fast immer ein symbolischer Bezug liegt; das heisst der Name prägt die Figur, indem er Aufschluss gibt über:

1. ihre Zugehörigkeit zu einem bestimmten Menschentypus und damit über

2. ihren Lebensbereich

3. ihre Stellung im Sinnbereich des Stücks.

1. Frisch setzt zur Benennung seiner Figuren häufig Typenbezeichnungen ein, und zwar verwendet er sie in den frühen wie in den späten Stücken, vor allem jedoch in "Santa Cruz", "Nun singen sie wieder", "Graf Oederland", dann in "Andorra" und in der "Biografie". Fast ausnahmslos handelt es sich bei diesen Typenbezeichnungen um Berufsnamen, Verwandtschaftsnamen und Titel. In "Andorra" zum Beispiel sind nur die beiden Hauptfiguren, Andri und Barblin, mit Eigennamen genannt. Neben ihnen spielen der Lehrer, der Pater, der Soldat, der Wirt, der Tischler, die Mutter, die Senora, der Doktor und der Geselle. Oft erfährt der Zuschauer im Dialog noch die genauen Namen einzelner Figuren. (2) Betrachtet man aber die Figuren auf ihre Funktion in der Handlung hin, so scheint es, dass Frisch diese Namen nur braucht, um eine für den Dialog geeignete Anredeform zu haben, würde doch die gegenseitige Anrede der im Drama doch mehr oder weniger eng verbundenen Figuren mit den Typenbezeichnungen befremden und zudem den Fluss des Dialogs hemmen. Dabei drängt sich ein erster Schluss bezüglich der Darstellungsweise der einzelnen Personen auf. Offensichtlich will Frisch den Menschen, der auf seiner Bühne auftritt, nicht als eigenständige Persönlichkeit, sondern als Glied unserer Gesellschaft gesehen wissen; er greift aus den verschiedenen Gruppen, die die Gesellschaft ausmachen, einen Menschen heraus und stellt ihn, mit den typischen Merkmalen versehen, auf die Bühne. Erst mit dieser Erkenntnis lassen sich die theoretischen Aeusserungen ganz erklären, wird deutlich, was Frisch versteht unter der Person, "die in der Statistik enthalten ist, aber in der Statistik nicht zur Sprache kommt", was unter der Einsicht, "dass Weltliteratur nie entsteht aus Flucht vor der eignen Art, sondern aus Darstellung der eignen Art", dass der Mensch nur dargestellt werden könne, wo man ihn erfahren hat. (3)

Auffallend ist, dass es sich bei diesen Typen, wie schon erwähnt, fast immer um die Vertreter einzelner Berufe handelt - als ob Frisch bewusst machen wollte, dass der Mensch Teil einer "Industrie-Gesellschaft", einer "Konsum-Gesellschaft" (4) ist, dass er hauptsächlich als gezeichneter Berufsmensch und nicht als originales Individuum erlebt wird. Auch Figuren wie die Herren in Frack und Cut in der "Chinesischen Mauer" gliedern sich in diese Reihe ein. Sie repräsentieren keinesfalls den an der Kunst interessierten Menschen, sie sind dem kulturellen Leben allein durch ihren Beruf, also als Vertreter einer bestimmten gesellschaftlichen Stufe verpflichtet. Wie der Ausbruch des Staatsanwalts nur aus der durch den Beruf bedingten Situation zu erklären ist, (5) so sind auch dem Handeln des Dr.phil. in "Biedermann und die Brandstifter", wenn Frisch ihn unter diesem Namen eingeführt, von vornherein Grenzen gesetzt. Er erscheint nicht als Individuum, sondern als Vertreter seines Standes. Auf eine andere Art unpersönlich ist auch der Jemand, der einen beliebigen Andorraner und somit im Grunde die Masse der nicht namentlich erwähnten Andorraner verkörpert. (6)

2. Der Lebensbereich dieser Menschen ist mit der Angabe ihres Berufes bereits festgelegt. Wirtin und Wirt, Doktor, Schreiber, Lehrer und Oberlehrer, Staatsanwalt, Polizist oder Gendarm, Pater und Pope, sie alle gehören der breiten Mittelschicht an, an deren unteren Grenze Pächter, Matrosen, Diener und Dienstmädchen, an deren oberen neben den verschiedenen Doktoren und Ministern die meisten Hauptpersonen stehen: Biedermann, der recht vermögende Haarwasserfabrikant, der Rittmeister, der Staatsanwalt und auch Kürmann, der erfolgreiche Wissenschafter. Davon ist als erstes abzuleiten, dass Frisch auf der Bühne nicht soziale Miss- oder Notstände aufdecken will; es geht ihm um andere Probleme, die ich hier nur andeute, eingehend werden sie im letzten Kapitel behandelt.

Die Personen unterscheiden sich also nicht durch ihre Stellung in der sozialen Rangordnung, sondern, wie ein Vergleich ergibt, allein durch den Grad ihrer Bildung. Frisch wählt fast durchwegs Intellektuelle als Hauptpersonen und unter ihnen wieder einzelne Typen, konfrontiert sie mit ihrer Umwelt, das heisst mit den verschiedenartigsten Menschen, und versucht die Probleme, die aus dieser Konfrontation erwachsen, aufzuzeigen und zu kommentieren. Zum Wesen des Intellektuellen gehört es, dass er diese Probleme und die Gefahren, die sich im Zusammenleben einer Gesellschaft ergeben, wohl kennt, aber gehemmt durch die Angst, sich zu entscheiden und die Konsequenzen seiner Entscheidungen zu tragen, ferner durch das Bewusstsein, in vollständiger Isolation handeln zu müssen, nicht gegen sie aufzukommen vermag. Verzweifelt über seine Ohnmacht und sein Versagen, flieht er in den Bereich der "geistigen Existenz", (7) aus dem er aber, da er auch hier weitgehend isoliert ist, verwirrt und haltlos geworden, nach einiger Zeit oft wieder hervorbricht.

Frisch stellt dem Intellektuellen - dem Heutigen, dem Staatsanwalt, Hotz und Kürmann, in weiterem Sinne gefasst auch Pelegrin, Don Juan und Andri - den Typus gegenüber, der gemeinhin als Bürger bezeichnet wird. (8) Es ist dies der nicht oder wenig gebildete, der unwissende Mensch, der erstarrt ist in seinem Denken und Urteilen und der - hierin liegt das charakteristische Merkmal - in keiner Weise versucht, sich aus dieser Erstarrung zu lösen. "Er ist der materiellen Existenz soweit verhaftet, dass er sich mit seinem Besitz identifiziert und die Geistigkeit des Menschen verneint." Er fühlt sich wohl "in der Determinierung durch die Gesellschaft ... solange seine materielle Existenz unangetastet bleibt". (9)

In den meisten Dramen gewinnt der Bürger nur in der Auseinandersetzung mit dem Intellektuellen oder, wie zum Beispiel in "Andorra" und "Santa Cruz", mit einer ihm verwandten Figur Bedeutung. So stehen sich Pelegrin und der Rittmeister gegenüber, der Heutige und Hwang Ti, hinter dem die ganze Welt versammelt ist, der Staatsanwalt und Elsa mit Dr. Hahn, Andri und die Andorraner, Hotz und Dorli. Der Konflikt zwischen Bürger und Intellektuellem, zwischen dem unwissenden, erstarrten Menschen, der aber als Teil der Masse Macht besitzt, und dem wissenden, der einsam und daher ohne Macht ist, klingt als Grundthema fast überall auf, wird aber durch die je verschiedene Problematik abgeändert und in immer neue Bahnen gelenkt.

Die Bemerkung, dass Frisch den Bürger immer nur als Gegenüber auftreten lasse, gilt mit einer Ausnahme: Biedermann. Er stattet diese Figur mit den typischen Eigenschaften des im bürgerlichen Denken festgefahrenen Menschen aus (10) und zeigt an seinem Beispiel, wie verhängnisvoll sich solches Denken auswirken kann. Mit Biedermann stellt Frisch zum ersten und bisher einzigen Mal den Bürger als Hauptperson auf die Bühne, und zwar macht er ihn zum Protagonisten im wahrsten Sinn. Denn Biedermann spielt im Grunde sein Spiel allein, steht allein vor dem Publikum, die übrigen Personen, vor allem Schmitz und Eisenring, sind nicht seine Partner, sondern nur der Anlass für sein Handeln, für die Demonstration seiner Unwissenheit. (11) Der Intellektuelle tritt auch hier auf, in der Figur des Dr.phil. Er sieht die von Biedermann eingeleitete Katastrophe kommen, zögert aber mit seinem Warnen bis kurz vor ihrem Ausbruch: "Sehen Sie, Herr Biedermann, ich war ein Weltverbesserer, ein ernster und ehrlicher, ich habe alles gewusst, was sie auf dem Dachboden machten, alles, nur das eine nicht: Die machen es aus purer Lust!" (D 539) Der Zwiespalt, die Ohnmacht auch des Intellektuellen ist damit in Worten ausgedrückt: Er ist nicht fähig, blosses Spiel zu begreifen, zu begreifen, dass "aus purer Lust" gehandelt wird, er sucht Gründe und Ziele, will "Weltverbesserer" sein; und er ist deshalb nicht fähig, zur rechten Zeit zu handeln. (12)

3. Als Abschluss des ersten Teils der Untersuchung über den dramatischen Menschen seien noch jene Namen erwähnt, die auf den Sinn des Stücks schliessen lassen. Es sind allerdings verglichen mit der Zahl der Typennamen nur einige wenige:

Pelegrin, der Vagant, der nicht bleiben kann, der zu immer neuen Ländern und Menschen getrieben wird, der Heutige, Agnes, die "insofern heilig ist, als sie das Bildnis überwindet" (D 808) - dies ist die Rechtfertigung für den Namen, den Frisch ihr gegeben hat: "Agnes heisst Unschuld, Reinheit". Auch Namen wie Hahn, Oederland, Biedermann und Kürmann verbinden sich sofort mit einer bestimmten, somit provozierten Vorstellung. Dieser Gruppe muss ebenfalls Andri zugeteilt werden, obwohl die Bedeutung dieses Namens, "der Andere", erst aus der Handlung heraus klar wird. Wie die häufig verwendeten Typennamen deuten auch diese Eigennamen mit ihrem Symbolgehalt darauf hin, dass die Figur in erster Linie als Träger einer Idee wirken muss, dass sie also "auf einen Sinngehalt reduziert" wird. (13) Wie Frisch von "Andorra" als von einem Modell spricht (D 584), so ist man versucht, bei diesen Figuren als von Modellfiguren zu sprechen, die kaum selbständigen Charakter haben, sondern als Sprachrohr des Dichters wirken. (14) - Zu bemerken ist noch, dass die Frauenfiguren - sofern sie Hauptfiguren sind - ausnahmslos mit ihrem Eigennamen aufgeführt werden, vor allem also auch in jenen Stücken, in denen die männlichen Figuren fast durchwegs Typennamen tragen, so in "Santa Cruz" (Elvira, Viola), "Graf Oederland" (Elsa, Inge, Hilde), "Andorra" (Barblin), "Biografie" (Antoinette). (15)

Zur Verkörperung des Problems benötigt Frisch in der "Chinesischen Mauer" einen weiteren Typus: die historische Figur. Er trennt sie von den übrigen Personen, indem er diese Figuren, jene Masken nennt, als die sie als Teilnehmer am Maskenball des Kaisers ja auch auftreten. Ihre wirkliche Funktion wird jedoch im Drama selbst, in den Worten des Heutigen, deutlich. Er bezeichnet sie, das sind: Romeo und Julia, Napoleon Bonaparte, Columbus, Pontius Pilatus, Don Juan Tenorio, (16) Brutus, Philipp von Spanien, Cleopatra, als "Herrschaften... die unser Hirn bevölkern", als "Lemuren einer Geschichte, die nicht zu wiederholen ist" (D 161/2). All diese Gestalten, in deren Reihe sich noch Kaiser Hwang Ti (17) stellt, sind Gedankenträger, sie entwickeln und formen in ihrem Spiel die Aussage des Stücks. (18)

b) Charakterisierung der Personen

Frisch legt das Schwergewicht der Charakterisierung fast ausschliesslich auf die dramatische Person selbst, und er entspricht damit ihrem Wesen als Modellfigur. Sie wird also von aussen, in den Worten der andern kaum beschrieben; das heisst, sie wird, insbesondere auch vor ihrem ersten Auftritt, nicht präsentiert, sondern demonstriert sich selbst in ihren Aussagen, in ihren Gesten. Der Zuschauer erlebt demnach die Figur, das Modell, nicht durch das Empfinden anderer, sondern soweit wie möglich aus eigner Anschauung. - Der zweite Teil der Untersuchung über den dramatischen Menschen gibt Auskunft darüber, wie Frisch die beiden hauptsächlichen Mittel der Personencharakterisierung, die direkte, soweit er sie eben anwendet, und die indirekte Charakterisierung, einsetzt.

Vorerst gilt es zu prüfen, wie die Hauptpersonen eingeführt werden. Wie geht Frisch vor, wenn er sie zu Beginn, wie, wenn er sie später auftreten lässt?

Auffallend ist, dass er wie gesagt die Person von allem Anfang an so diskret und sparsam wie nur möglich in direkter Weise charakterisiert. So sind denn die meisten Hauptfiguren schon in der ersten Szene am Spiel beteiligt, was bedeutet, dass die übrigen Figuren weder Gelegenheit haben, ihren Auftritt vorzubereiten, noch sie in ihrem Wesen von vornherein zu fixieren. Denn der Zuschauer muss noch unbefangen sein, darf das fertige Bildnis nicht schon in sich tragen, wenn er zum erstenmal mit ihr konfrontiert wird. Mit diesem Vorgehen ist ein weiterer Zweck verbunden: Der Zuschauer wird durch Figuren wie Pelegrin, Agnes, Staatsanwalt, Hotz und Heutiger nicht nur in die Handlung, sondern besonders auch in die Problematik des Stücks eingeführt, stellen sie doch, wie ich bereits gezeigt habe, die eigentliche Verkörperung der Problematik dar.

Noch ein Wort zu den erwähnten Figuren: So wenig sie in den Worten anderer vorgestellt werden, so sehr charakterisieren sie sich in ihren ersten Gesprächen selbst. Das Bild Pelegrins kann nach der Unterhaltung mit dem Doktor kaum mehr erweitert werden, sein Charakter ist also am Schluss des Vorspiels schon fest umrissen. (19) Die weiteren Gespräche können den ersten Eindruck nur noch bestätigen und vertiefen. Das gleiche gilt für Herbert und Karl und im Grunde auch für den Staatsanwalt. Wie im Gespräch zwischen Herbert und Karl verbindet sich in dem zwischen dem Staatsanwalt und Elsa mit der Motivation für sein späteres Handeln die Charakterisierung seiner Person. (20) Auch Hotz verrät sein Wesen in den ersten Worten und mehr noch in seinen Gesten, während der Heutige nach dem Gespräch mit der Mutter und mit den Masken erst in der Begegnung mit Mee Lan Aufschluss über sich gibt (7. Szene).

Wenn die Hauptfiguren oder andere wichtige Figuren im Verlauf des Spiels erst auftreten, führt Frisch sie oft in den ersten Dialogen ein, indem er ihre wichtigsten Merkmale, jene, die ihr Handeln bestimmen, angibt. Wieder ist die Person nicht als einzelner Charakter, als Mensch, sondern als Sinnträger von Bedeutung: (21)

Der Rittmeister wird im Vorspiel zu "Santa Cruz" von der Wirtin und vom Vaganten vorgestellt: "Ein Mann der Ordnung ... das Gegenteil von einem Vaganten..." - "Wie sieht er eigentlich aus?... So - sagen wir: wie ein Adler, der eine Tabakpfeife raucht?" (D 14) Er selbst schliesst mit seinen ersten Worten im ersten Akt an diese Charakterisierung an. Obwohl er den fröhlichen Burschen, der ihm während achteinhalb Jahren Tabak gestohlen hat, gut mag, (22) muss er ihn entlassen, denn "Ordnung muss sein", dies wiederholt er in kurzen Abständen (D 18/19). Die Figur des Staatsanwalts dagegen ist zu bedeutend für das Stück, als dass sie durch andere eingeführt werden könnte. Sie muss durch sich selbst wirken. - Herbert denkt beim Betrachten des Freskos an den Oberlehrer, Karls Vater: "Unser Oberlehrer, wenn er das sehen könnte, er würde sich alle zehn Finger lecken. Und einen Vortrag würde er halten... Ich muss an unseren Oberlehrer denken, oft, nichts kann ich sehen, ohne zu wissen, was seine Bildung dazu sagen würde. Nichts Schönes, meine ich. Er hat ja immer nur über das Schöne gesprochen..." (D 89/90) Indem er diesen charakterisiert, charakterisiert er sich.

Wenn Andri am Schluss des ersten Bildes zuerst in der kurzen Szene mit Barblin, dann vor allem im Gespräch mit Peider erstmals hervortritt, ist er dem Zuschauer bereits bekannt, und zwar weniger in seinem Charakter als vielmehr in seiner Gestalt. Während Barblin den Pater über die Gefahr, die ihnen von Seiten der Schwarzen droht, ausfragt und der Lehrer sich beim Tischler und beim Wirt um seinen "Pflegesohn" bemüht, der, wie sich dabei herausstellt, Jud ist, während also in verschiedenen kurzen Dialogen die Handlung und mit ihr die Problematik in ihren Grundzügen herausgeformt werden, erscheint rechts im Vordergrund, wo ein Orchestrion steht, Andri, der Küchenjunge; zuerst mit dem Tischler, dann mit dem Jemand. Er lässt mit seinem Trinkgeld das Orchestrion ertönen. Frisch untermalt, indem er ihn auftreten lässt, die charakterisierenden Worte der andern und schafft gleichzeitig ein Spannungsverhältnis zwischen Wort und Wahrnehmung: Er setzt der Modellperson Andri, die aus dem Gesagten herauswächst, den wirklichen Andri, der, vorläufig noch, verspielt und kindlich ist, entgegen. (23)

Aehnlich wie in "Andorra" geht Frisch in "Biedermann und die Brandstifter" vor. Biedermann wird kurz vorgestellt. Er zündet, umgeben von Feuerwehrmännern in Helmen, eine Zigarre an, "Nicht einmal eine Zigarre kann man heutzutage anzünden, ohne an Feuersbrunst zu denken!... das ist ja widerlich-" (D 473), dann verzieht er sich. Der Chor knüpft an die Worte Biedermanns die Einführung in die Problematik an, die, da sie ja durch Biedermann verkörpert ist - die Identifikation ist in diesem Stück am weitesten getrieben -, im Grunde auch eine Einführung in den Charakter des Bürgers Biedermann, so wie er gesehen werden soll, bedeutet. Allerdings besteht bei ihm kaum ein Unterschied zwischen wirklichem und vorgestelltem Wesen, wie er für Andri gilt. Biedermann ist nur Modellfigur.

Don Juan ist die einzige dramatische Person Frischs, deren Leben und Charakter vor ihrem ersten Auftritt sehr genau aufgedeckt wird. Er ist auch der einzige, der an den Helden des traditionellen Theaters erinnert. Die Handlung ist in vollkommener Weise auf ihn zugespitzt, Ruhm, wenn auch ein fragwürdiger, umgibt ihn auf dem Höhepunkt seines Lebens, dessen Wende im vierten Akt auf der Bühne dargestellt wird, und schliesslich bricht auch über ihn die Katastrophe herein, die den tragischen Helden vernichtet. - Die Handlung ist in vollkommener Weise auf Don Juan zugespitzt: Don Juan steht zwar am Anfang nicht auf der Bühne, dennoch ist er, vom ersten Moment an, wenn Donna Elvira nach ihm ruft, gegenwärtig. Im ersten Gespräch zwischen Tenorio, Don Gonzalo und Pater Diego nimmt sein Wesen schon sehr genaue Formen an: sie zeichnen das Bild eines ausserordentlichen, eigenwilligen jungen Menschen, jeder auf seine Art, (24) Tenorio als besorgter Vater, Don Gonzalo als "Held der Christen" (D 411/420) im Krieg gegen die Heiden. (25) Gleich darauf wird das Bild von weiblicher Seite erweitert; auch in seinem Aeussern ist er ungewöhnlich: "Ich habe ihn erst aus der Ferne gesehen, aber ihr Sohn, Vater Tenorio, ist der zierlichste Reiter, der sich je von einem Schimmel geschwungen hat, hopp! und wie er auf die Füsse springt, als habe er Flügel." (D 396, Donna Elvira) (26) Frisch gibt ihm die Eigenschaften, die den Helden ausmachen: Ungewöhnlichkeit, Mut und Schönheit. Und der Nimbus des Helden bleibt ihm erhalten, auch wenn sich herausstellt, dass er sich den Ruf des "Helden von Cordoba" (D 400) nicht durch mutiges Verhalten, sondern allein durch seine Kenntnisse der Geometrie verdient hat.

Ueber Agnes ist wenig zu sagen. Sie wird ausschliesslich auf indirekte Weise charakterisiert, was bedeutet, durch die Aeusserungen ihrer Gedanken und Gefühle, die sie im "Gespräch" mit Stepan und später auch in der Auseinandersetzung mit Horst in Worten auszudrücken sucht. Im ersten Gespräch zwischen Gitta, Horst und ihr ist von ihrem Wesen nicht die Rede, auch gibt sie selbst weder direkt noch indirekt Anhaltspunkte.

Kürmann (27) ist wohl die am besten charakterisierte Figur. Dies liegt in erster Linie an der Form des Stücks, als einer Probe der Lebensmöglichkeiten dieses Menschen, und auch an der Person des Registrators, der Kürmann während des ganzen Spiels von aussen beobachtet und kritisiert. So ist denn auch die erste Probe völlig frei von direkter Charakterisierung, erst wenn der Registrator sich einmischt, erfährt man, dass Kürmann zu dieser Zeit "ein Mann auf der Höhe seiner Laufbahn", dass er soeben Professor geworden ist. (D 707) Beinahe mit jeder Zwischenbemerkung des Registrators nimmt Kürmanns Wesen schärfere Züge an, gleichzeitig tragen diese Angaben zum Verständnis seines Verhaltens bei. (28)

Die folgende Aufstellung zeigt, in welcher Weise und in welchem Masse die Personen, ausgenommen Don Juan und Kürmann, im Stück direkt charakterisiert werden: ob eine Charakterisierung nicht oder nur mit wenigen Strichen erfolgt, ob ihr Akzent auf einer bestimmten Eigenschaft liegt, die des öfteren mit dem immer gleich lautenden Satz hervorgehoben wird, oder ob sie auf eine bestimmte Szene beschränkt ist. (29)

Keine Charakterisierung	Charakt. durch einzelne stereotype Sätze	Charakt. v.a. auf bestimmte Szenen beschränkt
Pelegrin 2)	Rittmeister 1)	Hotz 11)
Karl	Herbert 3)	Andri 13)
Pope	Oberlehrer 5)	
die Flieger 4)	Heutiger 6)	
Prinz	Kaiser 7)	
Horst 8)	Staatsanwalt 9)	
Stepan	Biedermann 10)	
Hahn	Andri 12)	
Andorraner 14)	Antoinette	
Elvira		
Maria		
Prinzessin		
Agnes		
Elsa		
Anna		
Babette		
Barblin		

Wie die Tabelle zeigt, erscheinen die meisten Hauptpersonen, ihrem Modellcharakter entsprechend, durch das sich in ähnlicher Form wiederholende Hauptmerkmal gekennzeichnet, während weniger wichtige Personen nur durch ihr eigenes Verhalten wirken, also nur indirekt charakterisiert werden. Ausser Antoinette werden auch die Frauenfiguren von aussen überhaupt nicht oder nur mit den notwendigsten Strichen skizziert, und auch sie wird im Vergleich zu Kürmann nur angedeutet. Mag sein, dass dies mit ihrer Funktion innerhalb des Stücks zu erklären ist; denn sie alle spielen im Grunde neben den männlichen Figuren nur mit, sind da, damit sich diese entfalten können, und haben somit nie, das heisst, mit Ausnahme von Agnes und weniger ausgeprägt auch von Antoinette, eine tragende Rolle. Um ihr Auftreten so wenig auffällig wie möglich zu gestalten, wendet Frisch bei ihnen auch die Mittel der indirekten Charakterisierung sehr sparsam an, er verleiht ihren Aeusserungen, Sprache und Gestik, nur ein Minimum an Ausdruckskraft. (30)

Kürmann und Don Juan passen nicht in dieses Schema. Der Grund dafür liegt hauptsächlich in ihrer andersgearteten Rolle. Sie sind nicht in erster Linie Modellfiguren, Sinnträger, die immer von der Hand des Autors geleitet erscheinen, sondern Personen, denen im Rahmen der Bühne ein bestimmter Spielraum zur Verfügung steht, in dem sie sich entfalten können, Don Juan in geringerem Masse als Kürmann: "Wenn Kürmann aus einer Szene tritt, so nicht als Schauspieler, sondern als Kürmann, und es kann sogar sein, dass er dann glaubhafter erscheint; keine Szene nämlich passt ihm so, dass sie nicht auch anders sein könnte. Nur er kann nicht anders sein." (D 857) (31)

5. DIE REDE - HAUPT- UND NEBENFORMEN DES DIALOGS

Der Dialog ist das sprachliche Medium der zwischenmenschlichen Welt, in der sich "alle dramatische Thematik" formuliert. (1) Diese Definition, die sich auf den Dialog des "Theaters der Neuzeit" (2) und also auch auf den des klassischen Dramas bezieht, darf zwar im Zusammenhang mit dem modernen Drama nur unter Vorbehalt gebraucht werden, ist doch seine Welt nicht mehr ausschliesslich in der "Sphäre des Zwischen" angesetzt und der Dialog damit auch nicht mehr reine zwischenmenschliche Ausspracheform; (3) die in der Dramaturgie jener Epochen übliche Einteilung des Dialogs wird jedoch auch von vielen modernen Dramatikern noch vorgenommen. So kann man noch zwischen Unterredung, die vor allem den Verlauf des Meinungsaustausches wiedergibt, und szenischem Dialog, in dem sich die dramatische Handlung entwickelt, unterscheiden. Die Nebenformen des dramatischen Dialogs sind: Der Bericht, der den Gang des dramatischen Geschehens an bestimmten Stellen unterbricht, um vor allem Handlung aufzudecken; der Monolog, der eine Sonderform der dramatischen Rede ist, nämlich ein in die Einzelperson verlegter Dialog; und die Causerie, die gesellschaftliche Unterhaltung. Im folgenden ist zu untersuchen, wie Frisch die genannten Formen des Dialogs braucht, ob sich in ihrem Auftreten eine gewisse Regelmässigkeit abzeichnet, was anzunehmen ist, oder ob sie völlig willkürlich eingesetzt sind. Wieweit der Dialog sprachliche Ausdrucksform der Thematik ist, kann an dieser Stelle noch nicht erörtert werden, muss doch der Beantwortung dieser Frage die Untersuchung vorausgehen, ob überhaupt und in welcher Form die zwischenmenschliche Welt bei Frisch existiert. (4)

a) Die Hauptformen des Dialogs

Die Form der Unterredung muss auch bei Frisch noch weiter unterteilt werden. (5) Man stellt nämlich fest, dass der Dialog nicht immer Erörterung, Diskussion ist, sondern dass er über weite Strecken hinweg Milieu und Personen klarlegt und somit die Funktion der Einführung ins Geschehen übernimmt. Selten beschränkt sich die Exposition bei Frisch auf die erste Szene, fast in jedem Stück finden sich noch im mittleren Teil Dialogstücke, die in irgendeiner Weise Einführung geben. So hat zum Beispiel das Gespräch zwischen dem Diener und dem Schreiber des Rittmeisters im dritten Akt von "Santa Cruz" noch vorwiegend einführenden Charakter. Der Rittmeister hat sich in der Zeit zwischen dem ersten und dem dritten Akt entschlossen, "das Wams seiner Jugend" (D 46) noch einmal anzuziehen, da der Entschluss nicht auf der Bühne gefasst worden ist, muss das erste Gespräch im neuen Akt die Ausgangslage für das folgende Geschehen schaffen. Das Gespräch in "Santa Cruz" ist das letzte dieser Art. In "Andorra" ist die Grenze weniger scharf gezogen; die Exposition lässt sich bis zum vierten Bild, dem Gespräch zwischen dem Doktor und Andri verfolgen. In den meisten Werken ziehen sich solche Gespräche aber bis zum Schluss hin. Der Grund dafür liegt in der Struktur von Frischs Dramen: Die Stücke sind vielfach aus Bildern zusammengefügt, und zwar stehen diese Bilder nebeneinander, gehen nicht eines aus dem andern hervor. Jedes ist genaugenommen in sich gültig. Als Beispiel sind vor allem "Nun singen sie wieder", "Graf Oederland" und "Als der Krieg zu Ende war" zu nennen. Mit Ausnahme des sechsten Bildes, das an das fünfte Bild mit seiner Handlung anschliesst, sind in "Nun singen sie wieder" für alle Bilder einführende, erläuternde Worte notwendig; auch für das letzte, das siebente. Denn der Zuschauer wird da nochmals unbekannten Personen gegenübergestellt, in eine neue Situation hineinversetzt: Es soll Friede werden, Jenny - "das ist Jenny, meine Frau. Das ist Jenny mit den Kindern." (D 145) - und die überlebenden Flieger stehen am Grab der Toten - "auch Geiseln sollen hier begraben sein..." (D 144).

Sehr deutlich zeigt es sich auch in "Graf Oederland", wo ein Bild auf das andere folgt; gleich bleiben sich Problematik und die sie repräsentierenden Hauptpersonen, während Ort, Zeit und Situation ständig wechseln. (6) Und jedesmal müssen die ersten Worte die Brücke zum Vorhergehenden schlagen, das Ganze in einen wenn auch nur losen Zusammenhang bringen. Auch die in Akte eingeteilten Dramen machen keine Ausnahme. "Als der Krieg zu Ende war" und "Don Juan" weisen zwar am Anfang einen kontinuierlichen Ablauf der Handlung auf, (7) in beiden muss jedoch für die letzte Szene, den letzten Akt nochmals eine Exposition gegeben werden. In "Als der Krieg zu Ende war" taucht ein neues wichtiges Element auf, es ist die Grundlage für den Schluss der Handlung: "Hauptmann Anders, der ist in Warschau gewesen" (D 289, Gespräch zwischen Halske und Jehuda); in "Don Juan" wechseln nach dem dritten Akt Zeit und Ort, nach dem vierten Akt wieder. Beide Male muss die Anfangssituation erklärt werden, bevor der Dialog in eine Diskussion übergehen kann.

Nicht nur in den letzten Szenen aber schliesst die Darlegung der Problematik an die Exposition an. Wie die letzten Dialoge selten reine Diskussionen sind, so sind auch die ersten selten nur Exposition. Von Anfang an vermischen sich die beiden Formen der Unterredung. So wird schon im Vorspiel zu "Santa Cruz" in der Andeutung des Gegensatzes zwischen dem Rittmeister, dem Mann der Ordnung, und Pelegrin, dem Vaganten, und der im nächsten Akt stattfindenden Begegnung die Grundlage für das Hauptproblem gelegt, das bei dieser Begegnung Gegenstand der Unterhaltung wird. Auch in "Andorra" geht die Exposition langsam in die Darlegung der Problematik über: Sind es im Gespräch zwischen Barblin und dem Pater erst vage Hinweise, (8) so beleuchten doch die folgenden Gespräche, zwischen Lehrer und Tischler, Lehrer und Wirt und auch zwischen Andri und Peider eindeutig das Problem, dadurch dass sie Auskunft geben über die Stellung des Andern, des Juden, in der bürgerlichen Gesellschaft. Der für "Andorra" so wichtige Begriff des Bildnisses, den der Pater später in seiner Aussage mit Namen nennt, nimmt hier schon Formen an. (9)

Was die beiden Beispiele zeigen, gilt mit kleinen Abweichungen auch für "Nun singen sie wieder", "Graf Oederland" und für "Don Juan" und "Als der Krieg zu Ende war", wenn auch die ersten Szenen dieser zwei Stücke vorwiegend einführen und somit auf das Problem erst vorbereiten. Die im folgenden angeführten Dialoge sind dagegen reine Erörterungen der Problematik:

"Santa Cruz": 4. Akt (Elvira/Pelegrin; Rittmeister/Elvira), 5. Akt (Rittmeister/Elvira; Pelegrin/Elvira).
"Graf Oederland": 7. Bild (Staatsanwalt/Gendarm), 9. Bild (Staatsanwalt mit verschiedenen Personen).
"Andorra": 2. Bild (Andri/Barblin), 3. Bild (Andri/versch. Personen), 5. Bild (Lehrer/versch. Personen), 6. Bild (Lehrer/Andri), 7. Bild (Andri/Pater), 9. Bild (Andri/Pater), 10. Bild (Lehrer/Andri), 11. Bild (Andri/Barblin).

Die Aufstellung zeigt, dass nur in "Andorra" reine Diskussionen in grösserem Ausmasse auftreten, und zwar sind daran immer wieder die gleichen Personen beteiligt: Andri und Barblin, Andri und der Lehrer, Andri und der Pater.

Nach der Form der Unterredung sind die Stücke auf die szenische Form des Dialogs hin zu untersuchen. Die von Frisch häufig angewendete Technik, Bilder aneinanderzureihen, die eher verschiedene Situationen aufzeigen als die Handlung konsequent weiterführen, bedingt, dass die Dramen nur sehr wenig Handlung im Dialog entwickeln. Der Dialog wird vielmehr, sowohl am Anfang wie am Schluss, in erster Linie von den Formen der Unterredung beherrscht, weil einerseits die Handlung, die bei Frisch oft zwischen den verschiedenen Bildern liegt, im Gespräch mitgeteilt werden muss - nur so ist es möglich, die einzelnen Abschnitte doch zu einem Ganzen zusammenzufügen - und weil anderseits, und dies ist vor allem wichtig, das Hauptgewicht des Stückes nicht auf der Handlung, sondern auf der Problematik liegt, die in möglichst klarer Form dem Zuschauer präsentiert werden soll. Sind die Personen die Träger der Problematik, so bildet die Handlung ihr loses Gerüst. (10) Zwar trägt jede Szene zum Handlungsablauf bei, doch ist das in ihr entwickelte dramatische Geschehen meist minimal. (11)

In der "Chinesischen Mauer", dem handlungsärmsten Stück, legt Frisch fast das ganze dramatische Geschehen in die Auftritte, die sehr rasch aufeinander folgen. Auch in Szenen wie dem Vorspiel, dem Gericht und der Befreiung am Schluss sind genaugenommen nur die Auftritte der Mutter, des Stummen und der einbrechenden Masse dramatisch, der Dialog ist entweder Bericht von Geschehenem oder, und dies zum überwiegenden Teil, Darlegung und Diskussion der Problematik. Nicht ganz so konsequent durchgeführt findet sich dieses Vorgehen auch in andern Dramen. In "Santa Cruz" zum Beispiel beschränkt sich das dramatische Geschehen auf die Dialoge des vierten Akts, wenn die Hauptpersonen sich entschliessen, wie sie ihr weiteres Leben gestalten wollen. Auch in "Nun singen sie wieder" tragen nur einige wenige Gespräche etwas deutlicher die Züge des szenischen Dialogs: das Gespräch zwischen den Hausbewohnern im vierten Bild, das Gespräch zwischen Herbert und dem Oberlehrer im sechsten Bild und das Schlussgespräch zwischen den Lebenden und den Toten. Ausser der Erschiessung des

Oberlehrers, die auf der Bühne stattfindet, wird die Handlung in ihren wichtigsten Stationen im Bericht mitgeteilt. Auch "Als der Krieg zu Ende war" besitzt eine nur geringe dramatische Handlung. Sie entwickelt sich im Dialog zwischen Horst und Agnes, wenn Agnes den Entschluss fasst, der Einladung Jehudas Folge zu leisten, und ihn ihrem Mann gegenüber durchsetzt. Dann im ersten Gespräch zwischen Stepan und Agnes, in das sich später - wenn Agnes merkt, dass der Russe kein Deutsch versteht - noch Jehuda mischt, und schliesslich wiederum am Schluss des Stückes, nach dem Auftritt Horsts.

Steht auch in diesen drei Stücken der szenische Dialog weit hinter Exposition und Diskussion zurück, so ist er im Gegensatz zur "Chinesischen Mauer" zumindest schon vorhanden. Noch häufiger kommt er in den folgenden Stücken vor. In "Graf Oederland" und "Andorra" nimmt Frisch einige wesentliche Szenen aus der ganzen Handlung heraus und stellt sie als Bilder nebeneinander. Da die einzelnen Bilder fast immer für sich selbst sprechen, die Verbindung zwischen ihnen immer schon durch die gleichbleibende Problematik und die fast ständig anwesenden Hauptpersonen hergestellt wird, fällt ein grosser Teil des einleitenden Berichtes weg. Eine Exposition ist auch hier, wie gezeigt wurde, vorhanden, aber vielmehr um das folgende Geschehen ins rechte Licht zu rücken, als um auf der Bühne nicht vorgeführte Handlung im Gespräch aufzurollen, wie dies in "Santa Cruz", "Als der Krieg zu Ende war" und zum Teil auch in "Nun singen sie wieder" geschieht. In "Graf Oederland" entspricht dieses Vorgehen der Form, die Frisch für das Stück gewählt hat, der Moritat. Jedes Bild ist in sich geschlossen und steht in keinem zwingenden Zusammenhang zum vorangegangenen oder zum folgenden Bild. Vor allem die Bilder der ersten Hälfte des Stückes könnten teilweise vertauscht werden. Die Folge davon ist, dass jedes Bild als stark verkleinertes Drama erscheint, mit Exposition, Peripetie und Katastrophe. Für den Dialog bedeutet das, dass die Handlung, die also innerhalb eines Bildes entwickelt wird, sich hauptsächlich in der Sprache niederschlägt: Der Dialog ist nicht nur Erörterung der Problematik, die mehr oder weniger statisch ist, sondern er ist Diskussion auf ein Ziel hin und somit dialektisch. Ist das dramatische Geschehen in der ersten Hälfte des Stückes meist auf den Schluss des Bildes konzentriert und erfasst es nur kleine Teile des Dialogs, so erstreckt es sich im Verlaufe des Geschehens mehr und mehr über das ganze Bild. So kann im ersten Bild von einem szenischen Dialog erst nach dem Auftritt Hildes gesprochen werden, er führt zum Verbrennen der Ordner, während zum Beispiel im neunten Bild auf eine sehr kurze Einführung im Gespräch zwischen Inge und dem Studenten mit dem Auftritt des Staatsanwaltes das dramatische Geschehen einsetzt. Das Gespräch endet mit dem Entschluss des Staatsanwalts, "die Macht zu ergreifen" (D 365).

"Andorra" hat mit "Graf Oederland" gemeinsam, dass die einzelnen Bilder ohne deutlichen Zusammenhang für sich stehen. Ohne ausführliche überbrückende Worte ist hier aber die Zugehörigkeit der Bilder zum Ganzen spürbar, denn das eine Thema, die Verwandlung Andris, geht durch alle Bilder hindurch, findet in ihnen seine Entwicklung. Deshalb sind die einzelnen Bilder auch weniger in sich selbst dramatisch als vielmehr in Hinblick auf die Katastrophe am Schluss. So stehen denn Szenen, deren Dialog reine Erörterung und Diskussion ist, neben Szenen,

die in ihrem Dialog die bescheidene Handlung von "Andorra" entwickeln, wobei in
diesen Szenen immer auch das Gespräch um die Problematik hineinspielt. (12)
Durch und durch dramatisch sind vor allem Szenen, die von einem Dialog durch-
zogen sind; auffallend ist, dass diese Szenen auch viel mehr in sich selbst bestehen als die übrigen. Als Beispiele sind zu nennen: das dritte Bild (im Laufe des
Gesprächs gewinnt der Tischler die Gewissheit, dass Andri für diesen Beruf nicht
geeignet ist) und das zwölfte Bild; auch wenn die eigentliche Katastrophe, die Hinrichtung Andris, nicht wie zum Beispiel der Tod des Oberlehrers auf der Bühne
gezeigt wird, ist die Szene ganz dramatisch aufgebaut. Das Gespräch, das aus
rasch ausgestossenen, abgehackten Sätzen besteht, ist so ausschliesslich auf das
Ende Andris ausgerichtet, dass ein Bericht davon, was nach seiner Abführung mit
Andri geschehen wird, überflüssig ist, wie auch der Schrei Andris genügt, um anzudeuten, dass die Drohung: "Also her damit! ... Oder sie hauen dir den Finger
ab." (D 690) wahrgemacht worden ist. So wird auch diese Tat, auf die das ganze
Stück angelegt ist, im Grunde auf der Bühne dargestellt. Ein Wort noch zum sechsten Bild. Auch diese Szene ist dramatisch angelegt, ihre Wirkung wird aber nicht
in erster Linie durch den Monolog Andris hervorgerufen, sie beruht vielmehr auf
der Spannung zwischen Rede und Wahrnehmung. Der Umstand, dass Andri zu Beginn den Soldaten, der in Barblins Kammer schleicht, nicht bemerkt, lässt die folgenden Aussagen unter veränderten Vorzeichen wirken: Alles Gesagte soll nämlich
unter diesem Eindruck und in Erwartung der Konfrontation zwischen Andri und
Peider, die in irgendeiner Form stattfinden muss, aufgenommen werden. Die elfte
Szene spielt sich ebenfalls in Erwartung eines bestimmten Ereignisses, der Ge-
fangennahme Andris, ab. Da jedoch die Basis, auf der das ganze sechste Bild aufgebaut ist, fehlt, kann nur der Dialog auf diesen Schluss hinleiten.

Wieder anders verhält es sich in "Don Juan". Der Dialog ist hier viel eher Bericht
von Geschehenem, (13) als dass in ihm das Geschehen selbst entwickelt würde.
Don Juan erzählt, wie er den Komtur bei der Vermessung der feindlichen Festung
überlistet hat; Donna Anna und später auch Don Juan schildern, was sie in der
Nacht vor ihrer Hochzeit erlebt haben; Don Juan bringt durch den Bericht, was in
der folgenden Nacht geschehen war, Roderigo den Tod; im Gespräch mit Don
Lopez veranschaulicht er das Leben, das er inzwischen geführt hat, und im Gespräch mit dem Bischof im letzten Akt sein jetziges Leben. Die Handlung, soweit
sie auf der Bühne dargestellt wird, wird kaum im Dialog entwickelt, sondern sie
ergibt sich aus dem Aufbau des Stücks. Viele kurze Szenen, so vor allem in den
ersten drei Akten, reihen sich aneinander. Sie sind verbunden und zu einem Ganzen
geschlossen durch die ebenso häufigen langen Zwischenberichte. Frisch arbeitet
zudem mit ähnlichen Mitteln, wie das im sechsten Bild von "Andorra" angewendete,
das heisst er setzt dem Dialog etwas voraus, das ihn in einem ganz bestimmten
Licht erscheinen lässt und das ihn vor allem von Anfang an festlegt, muss doch
das Ende mit der Eröffnung übereinstimmen. Der Dialog ist dadurch aber nur-
mehr scheinbar dramatisch. So weiss der Zuschauer, dass die Gestalt, in der Don
Juan seine Braut erkennen will, Miranda ist, denn sie hat sich kurz vorher mit
Celestinas Hilfe als Braut eingekleidet. Zu Beginn des vierten Aktes schildert Don
Juan seinen Plan der Höllenfahrt. Man darf annehmen, dass sie am Schluss der
Szene durchgeführt wird, und so ist den dazwischenliegenden Gesprächen von An-

fang an eine bestimmte Richtung gegeben. Anderseits wirkt dieser Akt aber gerade durch diesen Spannungsbogen, der den Anfang mit dem Schluss verbindet, als einziger in diesem Stück in sich geschlossen.

b) Die Nebenformen des Dialogs

Es sind dies vor allem Bericht und Monolog. Frisch verwendet beide Formen, die des Berichts allerdings weit häufiger als die des Monologs. Dem Bericht (14) kommt meist die Aufgabe zu, vergangenes mit gegenwärtigem Geschehen zu verknüpfen. In "Santa Cruz" wird, was im zweiten und im vierten Akt auf der Bühne vergegenwärtigt wird, von Pelegrin im Vorspiel und im ersten Akt zum Teil schon vorweggenommen (D 9/10/11/12; D 32/33). Vergangenheit wird in der Regel in die Gegenwart aufgenommen, um die Figur in ihrem Leben und Wesen zu veranschaulichen, sie liefert einen festen Untergrund für die Charakterisierung. Für Pelegrin trifft dies auch zu, doch ist der Bericht über die Vergangenheit in "Santa Cruz" wie erwähnt noch in andrer Absicht gesetzt. Er soll auf die beiden Akte, die das Geschehen vor siebzehn Jahren in Santa Cruz vorführen, vorbereiten, den Uebergang in diese Welt erleichtern. (15)

In einem andern Sinne Exposition sind die Schilderungen des Hauptmanns, des Popen in "Nun singen sie wieder", wie diese vor dem Krieg gelebt haben, dann die Berichte von Agnes und vor allem von Gitta über ihre Begegnung mit dem Feind, die Beichte Don Gonzalos vor der Hochzeit seiner Tochter und die Aufdeckung des Geheimnisses um Andris Geburt. Denn all diese Berichte schaffen die Atmosphäre, in der das Stück spielt, sie zeichnen die Figuren und auch das Milieu.

Einerseits beschwört der Bericht die Vergangenheit herauf, anderseits rapportiert er das zwischen den einzelnen Szenen stehende Geschehen. In "Nun singen sie wieder" finden sich vor allem im zweiten Bild Beispiele für überbrückende Berichte. Der Lehrer erzählt den Tod der Mutter, Liesel ihre Begegnung mit Karl - und sie bereitet dadurch auf das Gespräch zwischen dem Oberlehrer und Karl vor -, Karl selbst deutet an, was ihn zur Flucht getrieben und was er erlebt hat. Auch die Aussagen Agnes' sind zu nennen, wenn sie zu Beginn des zweiten Aktes von ihrer Ausfahrt in den Grunewald erzählt oder vorher noch den Tod ihres Sohnes bekanntgibt. Allerdings wählt Frisch für diese Berichte eine neue Form, er integriert sie nicht, wie es sonst üblich ist, in das Stück, sondern er stellt sie gewissermassen an seinen Rand. - Am häufigsten braucht Frisch diese Art Bericht in "Don Juan". (16)

Der Monolog ist in allen bisher erwähnten Dramen mindestens einmal vertreten, er wird aber im allgemeinen von Frisch nur sehr sparsam eingesetzt. Frisch deckt durch den Monolog für einen raschen Moment Denken und Fühlen einer Person auf, er lässt den Zuschauer einen Blick in ihr Innerstes werfen. Der Monolog ist also in der Hauptsache ein Mittel zur Figurenzeichnung, legt nur dar, setzt nicht auseinander und ist somit weit entfernt vom klassischen Monolog, der in seinem Aufbau nicht wie dieser episch, sondern rein dialektisch ist. Vielfach sind es

auch nicht echte Monologe, sie sind als Dialoge angelegt oder in den Dialog eingeschoben, der anwesende Partner ist, wenn auch nur für diesen einen Augenblick,
verstummt. (17)

Der Rittmeister hängt in Gegenwart des Schreibers seinen Gedanken über den ent-
lassenen Burschen nach, gleich darauf wendet er sich ihm wieder zu: "Wo sind wir
stehen geblieben?" (D 19) Der Schreiber eignet sich für diese Figur des nur im
Hintergrund vorhandenen Gesprächspartners; sooft der Rittmeister seinen Gedanken freien Lauf lässt, geschieht es im Beisein dieses Bedienten: er diktiert ihm
seine Tagebuchnotizen und den Brief an Elvira. Dieser Brief wie auch die Worte
Pelegrins vor dem Bild Violas sind im Grunde Monologe; beide, Pelegrin und der
Rittmeister, betrachten ihr Leben, bringen ans Licht, was sie beschäftigt, der
eine seinem Charakter gemäss nur sehr flüchtig, der andere weitausholend. In die
gleiche Gruppe gehören auch die "Gespräche" Agnes' mit Stepan (18) und das kurze "Gespräch", das Andri vor der Tür Barblins führt, bevor der Lehrer auftritt.
Immer ist ein Du anwesend, das aber nicht spricht, nicht sprechen kann.

Neben diese erste Gruppe stellt sich eine zweite. Ihr gehören zwei Monologe an,
die viel eher Stimmung, ein Stück Milieu einfangen als Einblick in eine Person geben wollen. Es sind die Worte, die Maria zu Beginn des zweiten Bildes von "Nun
singen sie wieder" spricht, im sechsten Bild wiederholt sie sie, und jene des Mörders im sechsten Bild von "Graf Oederland". Beide Monologe sind auf das ganze
Stück, auf seine Problematik bezogen, sie sind von den Personen fast ganz losgelöst. Der Mörder spricht zwar von sich selbst, er zeigt den Verlauf seines Lebens an, doch trägt dieses Leben kaum persönliche Züge, es erscheint vielmehr
als Modell. Der Monolog fasst die Problematik des ganzen Stückes zusammen.
Anders wirken die Worte Marias, die ebenfalls keinerlei Bezug auf die Person
nehmen. Sie drücken in einer hoffnungslosen Zeit die verzweifelte Sehnsucht nach
dem Frühling, das heisst nach einer Zeit ohne Krieg aus; in ihnen wird weniger
die Problematik als vielmehr die Atmosphäre des Stücks deutlich: Die Welt, die
sie aufleben lassen, steht in krassem Gegensatz zur wirklichen Welt. Maria zeichnet in ihren Worten eine gesunde, darum schöne und friedliche Natur und hält sie
ihrer verwüsteten Umwelt als Wunschbild entgegen. Wie tief diese beiden Welten
voneinander getrennt sind, wird durch die Nachricht des Oberlehrers, dass die
Mutter nicht mehr zu retten sei, bewusst gemacht: "Fünzig Stunden habe ich da
unten gestanden. Ich hatte schon lange die Hoffnung verloren, dass Mutter noch
lebt. Der Schutt ist so gepresst und gefroren, dass man bohren muss, so hart ist
er." (D 96) Kurz vorher sprach Maria: "Es kommen die Abende bei offenem Fenster: man hört ihre Helle voll zwitschernder Vögel, es ist, als spüre man die
Luft, die wehe Erregung der Knospen, die Weite der Felder..." (D 95)

Die beiden Einakter habe ich bisher nicht in die Untersuchung miteinbezogen, da
die Form des Dialogs der eigenen Form der Stücke angepasst ist. Ich will es jedoch nicht unterlassen, ihn, das heisst insbesondere den Dialog von "Biedermann
und die Brandstifter" gerade seiner besondern Stellung wegen abschliessend noch
zu erwähnen. Als erstes fällt auf, dass sich der Dialog, obwohl nicht immer die
gleichen Personen daran beteiligt sind, durch das ganze Stück hindurchzieht. Er-

möglicht wird dies durch den Aufbau des Stücks: Zeit und Ort bilden je eine Einheit, die gesamte Handlung entwickelt sich auf der Bühne; durch eine geschickte Aufteilung des Raumes - in Stube und Dachboden - werden die Grenzen zwischen den Szenen fliessend. Der grosse Vorteil dieser Technik liegt darin, dass der Dialog nicht in jeder Szene von neuem Exposition vermitteln muss und dadurch in seinem Fluss nicht gehemmt wird, es genügen einige wenige einführende Sätze, alles Folgende vollzieht sich aus sich selbst. Auch die Darstellung der Problematik belastet den Dialog nicht in gleichem Ausmasse. Denn die Diskussion ist soweit als möglich in den szenischen Dialog integriert. Handlung und Problematik bilden eine Einheit, was sich so nicht ausdrücken lässt, wird durch den Chor ausgesprochen, der sich zum Teil am Rande der Handlung bewegt, zum Teil aber durch Biedermann mit ihr verbunden ist. Der Chor muss übrigens nicht Handlung nacherzählen, sondern er verkörpert ein Stück Handlung: Die Feuerwehrleute sind die "Wächter der Vaterstadt" (D 473), die vor allem nachts zu Leben erwachen. In ihrem "Gesang" entwickeln sich die Ereignisse der verschiedenen Nächte, die zwischen den Szenen liegen. Nur in diesem Sinn also stellt er eine Ueberbrückung der Szenen dar. (19) Frisch äussert im Programmheft, (20) dass die Geschichte "radikal undramatisch" sei, "indem es sich um einen gradlinigen Verlauf ohne jedes Gegen-Ereignis handelt". Dies gilt aber nur für die Fabel, der Dialog ist in einem für Frisch ungewöhnlichen Masse dramatisch, denn er ist dialektisch. Er führt in Aussage und Widerspruch sukzessive zur Katastrophe hin. (21)

Für "Die grosse Wut des Philipp Hotz" gelten ähnliche Bedingungen. Einheit von Zeit und Ort besteht auch hier; die Handlung ist enger gefasst, was zur Folge hat, dass der Dialog noch straffer zum Ende durchgeführt wird als in "Biedermann und die Brandstifter". Wieder genügt eine einmalige Exposition. Hotz gibt sie zu Beginn des Stücks, sie ist, wahrscheinlich um die starre Form des Monologs zu lockern, als Gespräch mit dem Publikum angelegt. Hotz wendet sich im Verlauf des Spiels noch einige Male in dieser Weise an die Zuschauer. Obwohl der Dialog in seiner Struktur einheitlicher ist als der des "Lehrstücks ohne Lehre", führt er nicht in gleich zwingender Weise auf die Katastrophe hin. Dies ist auch darauf zurückzuführen, dass die Katastrophe hier wesentlich kleiner ist, der eigentliche Grund aber liegt darin, dass sie, die Abreise Hotz' in die Fremdenlegion, nicht am Schluss steht. Die Wirkung des bis dahin straff durchgezogenen Dialogs fällt dahin, wenn die Katastrophe durch einige angehängte Szenen, die in ihrem Bau nicht mit dem übrigen Stück übereinstimmen, seine bis dahin streng geschlossene Form sprengen, zum Guten gewendet wird. (22)

Zu Beginn dieses Kapitels habe ich als Nebenform des Dialogs auch die Causerie, die gesellschaftliche Unterhaltungsform, genannt. Die Antwort auf die Frage, ob Frisch sie überhaupt braucht, brauchen kann, geht, so hoffe ich, klar aus den vorangehenden Ausführungen hervor. Der von Frisch gesetzte Dialog steht als Exposition und Diskussion ganz im Dienst der Problem-Darstellung, die nur lose zusammengefügte, spielerisch angewendete Form der Causerie würde sich zu sehr abheben und somit die Einheit der Gesprächsführung im einzelnen Stück gefährden. So ist denn auch in den wenigen Gesprächen, die sich ihrer Anlage, das heisst der Situation, in der sie abgewickelt werden, nach für diese Form eigneten, die Problematik mehr oder weniger hintergründig immer spürbar; auch sie sind nie reine Unterhaltung, sondern enthalten in mehr oder weniger grossem Ausmasse Belehrung und Kritik. Ich denke an die Gespräche zwischen den Herren in Frack und Cut in der neunzehnten Szene der "Chinesischen Mauer" und zwischen den beiden Kulturträgern im zehnten Bild von "Graf Oederland", die als einzige an die Form der Causerie erinnern. (23)

III. FRISCHS DRAMEN: LOESUNG ODER LOESUNGSVERSUCH?

Mit den Ausführungen des folgenden Kapitels versuche ich die Frage zu beantworten, wie Frisch sich zum "Drama als der Dichtungsform des je gegenwärtigen zwischenmenschlichen Geschehens" (1) stellt, das heisst es gilt zu untersuchen, wie er, der moderne Dramatiker, die Form für seine Aussage verändert, und weiter, ob diese Veränderungen nicht die Einheit von Form und Inhalt und somit die Einheit des Stücks überhaupt gefährden oder gar zerstören. Die Dramen müssen in erster Linie also daraufhin geprüft werden, ob Frisch die für das Drama geforderte zwischenmenschliche Aktualität durch die Sphäre des Innermenschlichen oder Aussermenschlichen ersetzt und, wenn dies der Fall ist, ob er das durch diese Verschiebung entstehende Subjekt-Objekt-Verhältnis in der Thematik - das dem Prinzip der dramatischen Form ganz und gar widerspricht - "im Formprinzip der Werke verankern" (2) kann, was ihm erneut die Einheit von Form und Inhalt sichern würde. Die zu Beginn gestellte zentrale Frage kann im Anschluss an diese Betrachtungen anders formuliert werden: Besitzt Frisch die dramaturgischen Fähigkeiten, den Widerspruch, der dem modernen Drama innewohnt, aufzuheben, diesen Widerspruch, der darin begründet ist, "dass einem dynamischen Ineinanderübergehen von Subjekt und Objekt in der Form: ihr statisches Auseinandersein im Inhalt gegenübersteht"? (3)

Primär stellt sich dem Dichter wie gesagt die Aufgabe, Inhalt und Form auch im modernen Drama in Einklang zu bringen, ob seine Lösung original ist oder an bereits Bestehendes erinnert, ist sekundär. Dass es dem Dramatiker je länger je schwerer wird, neue Wege zu gehen, und dass er, auch unbewusst, auf schon angewendete Mittel zurückgreift, (4) die eine sichere Lösung des Problems versprechen, liegt auf der Hand. Man darf annehmen, dass das Experimentieren nach eignen Ideen für den Autor, der sich auf die Bühne wagt, reizvoll ist, mehr noch: dass diese Möglichkeit ihm erst den Weg zur Bühne öffnet.

Dass Frisch sich mit Person und Werk Brechts intensiv beschäftigt hat, davon zeugen viele kürzere und längere Aufsätze und vor allem die in ganz verschiedenem Zusammenhang in seine Aeusserungen eingestreuten Gedanken zu diesem Dichter. Frisch ist besonders in früher Zeit immer bereit, an und mit Brecht zu vergleichen, oft auch in kritischer Form, und deutet damit an, wie nahe er seinem Denken ist, wie sehr er sich, offenbar auch unbewusst, mit ihm auseinandersetzt. Erkennt man die Stärke der Bindung an diesen Menschen, so drängt sich die Vermutung auf, dass sie sich auch auf sein Schaffen überträgt, dass Brecht, der Dramatiker, der er ja in erster Linie ist, Einfluss auf das dramatische Schaffen Frischs genommen hat. Und die Vermutungen erweisen sich als begründet, sobald man die Dramen Frischs auf ihre Struktur hin betrachtet und nach einem Anhaltspunkt für ihre Bestimmung sucht. Da Frisch seine Fabeln häufig episch formt, drängt sich ein Vergleich mit Brecht geradezu auf. Generell sei aber bemerkt, dass Brecht auf Frisch nicht mehr eingewirkt hat als auf viele andere moderne Dramatiker. Auf den ersten Blick wird schon klar, dass es sich bei Frischs Dramen in keinem Fall um Brecht-Imitationen handelt, dass die Beeinflussung somit nur durch die theoretischen Ausführungen erfolgte. (5) "... Seine Dichtung bedeutet nicht Nachfolge Brechts, sondern eine kritische Auseinandersetzung mit dessen Werk." (6)

Ich verzichte darauf, Brechts Grundsätze des Epischen Theaters und die von ihm angegebenen Möglichkeiten zur Verfremdung im Detail anzuführen. (7) Ich halte lediglich fest, dass Brecht die Technik der Verfremdung anwendet, um dem Menschen das Wesen des scheinbar Selbstverständlichen, das zu verstehen er sich, eben weil es selbstverständlich ist, nicht mehr bemüht, bewusst zu machen und ihn zu zwingen, sich ihm mit kritischer Ueberlegung gegenüberzustellen. (8) Als Schauplatz für diesen Prozess wählt er das Theater, das "die zwischenmenschlichen Beziehungen im Zeitalter der Naturbeherrschung, genauer: die 'Entzweiung' der Menschen durch das 'gemeinsame gigantische Unternehmen' abbilden" (9) soll. Die Abbildung kann nur vollkommen sein, wenn das Schauspiel als Ganzes verfremdet wird, das heisst wenn es in allen seinen Schichten - Fabel, Form, Dialog, Bild, Musik, Vorführung durch den Schauspieler - von der Verfremdung durchdrungen wird.

Die Verfremdung der dramatischen Handlung durch die Form sei an den Anfang der Untersuchung gestellt. Der Ueberblick bestätigt, dass sich die stereometrische Struktur (10) auch bei Frisch findet, auch er bietet damit dem Zuschauer den Stoff zur kritischen Aufnahme und Auseinandersetzung an. Auffallend ist aber, dass Frisch die epischen Mittel viel sparsamer einsetzt als Brecht, der die "Theorie des Epischen Theaters ... als Autor und Regisseur mit einem schier grenzenlosen Reichtum an dramaturgischen und szenischen Einfällen in die Praxis" (11) umsetzt und das Vorgeführte damit wirklich als Ganzes soweit als möglich verfremdet. Frisch besitzt diesen "schier grenzenlosen Reichtum" nicht, und er weiss es. (12) Dies mag auch der Grund dafür sein, dass er immer mit den gleichen Effekten arbeitet, jenen, die ihm anscheinend geläufig sind: mit der direkten Anrede des Publikums durch einzelne Personen und mit der Figur des Spielleiters.

a) Der Spielleiter

Er steht "ausserhalb des thematischen Bereichs, am archimedischen Punkt des Epikers... Indem sich die dramatis personae zu ihm als Gegenstände der Aufführung verhalten, wird das im eigentlichen Drama stets verborgene Moment der Aufführung hier explizit." (13) Der Spielleiter ist also keine dramatische, sondern eine epische Gestalt: "An die Stelle der dramatischen Handlung tritt die szenische Erzählung" - Brecht fordert, dass die Bühne den Vorgang erzählt (14) -, "deren Anordnung der Spielleiter bestimmt. Die einzelnen Teile bringen nicht, wie im Drama, einander selber hervor, sondern werden nach einem Plan, der über das Einzelgeschehen verallgemeinernd hinausgreift, vom epischen Ich zusammengestellt und zu einer Ganzheit verbunden. So tritt auch das dramatische Moment der Spannung zurück, die einzelne Szene muss die folgende nicht im Keime enthalten. Die Exposition ... darf nun in ihrer epischen Zuständlichkeit verbleiben." (15) Dass es dem Dramatiker mit der Person des Spielleiters auch möglich ist, das Verhältnis von Form und Inhalt wiederum als Einheit erscheinen zu lassen, wird noch zu beweisen sein. (16)

Frisch setzt den Spielleiter, sieht man von der "Biografie" ab, zweimal ein: mit Pedro, mit dem Heutigen. Zieht man die Grenzen etwas weiter, so kann man auch den Chor in "Biedermann und die Brandstifter" dazu zählen.

Pedro ist nicht die typische Spielleiter-Figur, wie sie aus Wilders "Our Town" bekannt ist. Zwar verbindet er die Szenen, die Gegenwart und die Vergangenheit, miteinander, zwar kommentiert er sie auch für den Zuschauer - was beides Funktionen des Spielleiters sind -, doch steht er im Grund in und nicht über dem dramatischen Geschehen. Er übernimmt als handelnde Person in gewissen Momenten die Aufgaben des Spielleiters. Der Unterschied zu "Our Town" tritt klar hervor, wenn man sich vergegenwärtigt, dass Wilders Spielleiter die Rolle des Eisverkäufers, des Pfarrers übernimmt, dass der Zuschauer sich seiner wahren Funktion in jedem Augenblick bewusst bleibt, während Pedro im Spiel Matrose ist, als solcher eingeführt wurde und also Wilders Figur diametral entgegengesetzt ist: die dramatis persona steht der Figur, die sich für Momente aus der Handlung herauslöst, gegenüber.

Aehnlich verhält es sich auch mit der Figur des Heutigen. Das Vorspiel und die Szenen, in denen er die Masken einführt, charakterisieren ihn eindeutig als Spielleiter, doch schon im ersten längeren Gespräch, zwischen ihm und Mee Lan im siebten Bild, steht er zumindest formal auf der Stufe der dramatis personae und bleibt in der Folge auf gleicher Ebene mit ihnen. Es scheint, dass Frisch diese Angleichung, diesen Wechsel von einer Ebene auf die andere nicht als Notlösung, um die Form des Stückes zu wahren, gewählt hat, sondern dass er damit eine ganz bestimmte Absicht verbindet, dass er durch die Veränderung im Formalen die Entwicklung im Inhalt verdeutlichen will. (17)

In seiner Funktion, das Geschehen auf der Bühne zu kommentieren und es in einen Zusammenhang zu bringen, (18) erinnert der Chor der Feuerwehrleute an die Figur des Spielleiters. Ganz im Gegensatz zu ihr aber übernimmt er nicht die Leitung des Spiels, sondern bleibt immer passiv: "Der nämlich zusieht von aussen, der Chor, /Leichter begreift er, was droht. /Fragend nur... Warnend nur... Naht sich bekanntlich der Chor, /Ohnmächtig-wachsam..." (D 505) Mit der einzigen Begegnung Biedermanns mit dem Chor will Frisch wohl das sture Verhalten Biedermanns nochmals akzentuieren; das Gespräch, indem es die Problematik zusammenfasst und erläutert, stellt gleichsam letzte Station und fassbaren Ausgangspunkt für Biedermanns Weg ins Verderben dar. - Dass der Chor ausserhalb des Geschehens steht, kommt auch in der Form seiner Reden zum Ausdruck: er spricht in freien Rhythmen, mit Pathos, und wählt Worte, die sich von der Umgangssprache, wie sie zwischen Biedermann und seinen Partnern üblich ist, weit abheben. (19)

b) Die Publikumsanrede

Verfremdet die Figur des Spielleiters das Stück in seiner ganzen Anlage - in Frischs Dramen ist ihre Wirkung allerdings sehr schwach -, so bewirkt die Publikumsanrede nur an bestimmten Stellen der Handlung Verfremdung, das heisst das epische Mittel wird nur punktuell eingesetzt, das Stück bleibt in seiner Struktur dramatisch. Was der Zuschauer des Spiels, das der Spielleiter vorführt, als selbstverständlich empfindet, muss ihm an diesen Stellen bewusst gemacht werden: Dass er dem Vorgang auf der Bühne kritisch zu folgen hat. Die Gefahr, dass er sich vom dramatischen Geschehen mitreissen lässt, wird so immer wieder gebrochen. (20)

In "Andorra" braucht Frisch dies epische Mittel konsequenter als in andern Stücken: "Das Buch verlangt, dass jeder Andorraner einmal aus der Handlung heraustritt, um sich von heute aus zu rechtfertigen - oder formal gesprochen: um die Handlung, die eben auf der Bühne vor sich geht, in die Ferne zu rücken und dem Zuschauer zu helfen, dass er sie von ihrem Ende her, also als Ganzes, beurteilen kann..." (D 854) (21) Und der Ueberblick erlaubt dem Zuschauer kritisch zu sein, jede Szene ganz im Sinn des Dichters aufzunehmen, denn die Spannung auf den Ausgang, die ihn am Wesentlichen vorbeisehen lässt, ist mittels der Zeugenaussagen abgelöst worden durch die Spannung auf den Ablauf - sie besteht höchstens noch im formalen Bereich, in der Frage nach der Realisierung der Katastrophe auf der Bühne. So tritt also an die Stelle der "dramatischen Zielgerichtetheit" die "epische Freiheit zum Verweilen und Nachdenken". (22) Damit erfüllt Frisch ein Postulat Brechts für das Epische Theater.

Die Zeugenaussage unterscheidet sich von der üblichen Publikumsanrede rein äusserlich dadurch, dass "der Zeuge, der spricht, sich ... nicht an den Zuschauer wendet, sondern parallel zur Rampe spricht" (D 854). Frisch gibt auch die Begründung für dieses Verhalten: "Die Andorraner sitzen im Parkett, nicht Richter, sondern ebenfalls Zeugen.", doch es lässt sich sekundär auch auf den Inhalt der Aussage selbst zurückführen: Die Andorraner geben im Grund nicht Auskunft über ihre eigentliche Gesinnung, sie kommentieren und verfremden nicht ihr Verhalten im Spiel - wie dies die Personen der "Chinesischen Mauer" und Biedermann und Babette tun -, sondern sie kommentieren das Spiel selbst, das Geschehen als Ganzes und sind damit viel stärker mit ihm verbunden. Ihre Worte decken nicht die Grenze zwischen Wirklichkeit und Theater auf, indem sie zum Beispiel wie Mee Lan andeuten, dass sie fürs Theater verkleidet sind, sondern nur den Abstand zwischen Geschichte und Rechtfertigung. Sie bleiben dem Theater durchaus verhaftet, was auch daraus ersichtlich wird, dass sie nicht innerhalb der Szene "erstarren" wie Agnes Anders oder aus ihr heraustreten wie Philipp Hotz, dass ihr Erscheinen vielmehr am Schluss einer Szene erfolgt, seinerseits als geschlossene kurze Szene. Die Eigenständigkeit der Aussage wird auch durch die Beleuchtung unterstrichen: die Szene, die eben zu Ende ist, ist nur gedämpft beleuchtet, der Zeuge dagegen steht im Scheinwerferlicht.

Die Publikumsanreden des Philipp Hotz haben mit den Zeugenaussagen der Andorraner nur gemeinsam, dass sie meist an die Szenen angehängt werden. Dem Charakter des Einakters entsprechend sind die Grenzen zwischen Spiel und Publikumsansprache, die als "Conférence" bezeichnet wird, fliessend, das heisst Hotz, der Hauptdarsteller dieses Ich-Theaters, wie Frisch es nennt (D 843), wechselt ständig zwischen Bühnenraum und Rampe; die dramatische Handlung wird somit in kurzen

Abständen von epischen Einlagen, die manchmal nur die Länge eines Satzes haben, unterbrochen. Frisch unterstreicht die Struktur des Stücks, den Wechsel zwischen Conférence und Szene, der "selbstverständlich-augenfällig" (D 843) wirken muss, noch durch die Anlage des Bühnenbildes: Schauplatz des Spiels ist die Bühne auf der Bühne. Es gelingt ihm auch, zwischen den beiden Räumen an der entscheidenden Stelle, das heisst fast genau in der Mitte des Stücks, eine Verbindung zu schaffen. Im Gespräch zwischen Dorli und Wilfried, in das sich Hotz von Frau Oppikofer aus, das heisst von der Rampe aus, einmischt (D 560ff). - Die Funktion der Ansprache Hotz' liegt vor allem darin, das Publikum zu orientieren: über den Verlauf der Handlung, insbesondere auch über die Vorgeschichte, über das Verhalten der anderen, aus seiner Sicht, und über sein eignes Tun und Denken. Seiner Struktur, weniger seiner Handlung nach, ist das Stück reines Lehr-Theater, eine beispielhafte Handlung, auf erhöhtem Schauplatz vorgeführt, wird vor dem Publikum, im "Gespräch" mit ihm, kommentiert.

Kommt der Publikumsansprache hier noch eine doppelte Aufgabe zu, die Handlung zu erläutern und Hotz zu analysieren, so wird sie in andern Dramen in ihrer Wirkung eingeschränkt, was sich nicht nur in der Funktion, sondern ebensosehr im sparsameren Gebrauch dieses Mittels zeigt: In "Biedermann und die Brandstifter" und in der "Chinesischen Mauer" wird das Publikum nicht durch immer wiedereinsetzende Ansprachen an den parabelhaften Charakter der Handlung erinnert; die Personen: Biedermann, Babette, Mee Lan, Hwang Ti und der Prinz treten nur je einmal und nur für Momente aus der Handlung heraus. Während Babettes kurze Ansprache nur Gegenstück zu der Biedermanns zu sein scheint - sie spricht die Damen an, er die Herren -, sind Biedermanns Worte für den Schluss wichtig, wenn sie auch nichts mehr ändern können. Da er keinen Gesprächspartner im Stück hat, muss er sich an das Publikum wenden: "Sie können über mich denken, meine Herren, wie Sie wollen... Hand aufs Herz: Seit wann (genau) wissen Sie, meine Herren, dass es Brandstifter sind?" (D 523/4) Es ist nicht der Biedermann, der kurz vor der Katastrophe steht, sondern ein Biedermann, der sich über das Stück gestellt hat. Die Ansprache bringt im Grund nichts Neues, Frisch benutzt sie aber, weil sie die einzige Möglichkeit ist, dem Publikum bewusst zu machen, dass es auf der gleichen Stufe wie Biedermann steht, dass ihm vom Dichter ein Spiegel vorgehalten wird.

Die Ansprachen in der "Chinesischen Mauer" haben die Aufgabe, die Handlung, die auf der Bühne durch keine Grenzen eingeschränkt ist, auch noch gegen das Publikum hin zu öffnen; mit der Verfremdung sind wieder die bekannten Absichten verbunden.

Die Frage, wie er die Form für seine Stücke finde, beantwortet Frisch dahin, (23) dass die Fabel meist als Zugpferd wirke, ziehe sie doch das Stück in seiner endgültigen Gestalt nach sich. Das heisst, dass der Dramatiker die der Fabel adäquate Form suchen muss, sie nicht durch beliebige theatralische Mittel ausdrücken darf. Es liegt jedoch auf der Hand, dass dem Autor, der sich erstmals an ein Theaterstück wagt, bekannte und bewährte Formen sich als Vorbild aufdrängen, die er bewusst oder unbewusst zumindest als loses Gerüst übernimmt. Dass auch Frisch sich diesen Einflüssen gerade zu Beginn seines dramatischen Schaffens nicht ganz entziehen konnte - wollte? -, wird noch zu zeigen sein. (24)

Die von Peter Szondi angestellten theoretischen Betrachtungen über das moderne Drama dienen, wie ich bereits angedeutet habe, der folgenden Untersuchung als Grundlage. Das heisst, es muss geprüft werden, ob für Frischs Dramen noch das Prinzip der zwischenmenschlichen Aktualität, das Grundprinzip des Dramas überhaupt, gilt. Ziel der Untersuchung ist es, das Verhältnis von Inhalt und Form in den einzelnen Dramen zu bestimmen und aufzuzeichnen. Um die Stücke in ihrer Eigenart soweit als möglich erfassen zu können, werden sie, abweichend vom bisherigen Vorgehen, gesondert betrachtet.

1. SANTA CRUZ

Fünf Jahre vor Miller ("Death of a Salesman" 1949) und achtundvierzig Jahre nach Ibsen ("John Gabriel Borkman" 1896) versucht Frisch die Vergangenheit auf der Bühne zu aktualisieren. Und er macht es nicht mit der analytischen Technik Ibsens, das heisst thematisch ist bei ihm nicht die Vergangenheit, sondern, in zwei Akten wenigstens, ein vergangenes Geschehen. Frisch vergegenwärtigt die Vergangenheit nicht mittels des Gesprächs zwischen dem Rittmeister und Pelegrin, das beginnt: "Erinnern Sie sich noch an den Neger, der die Austern verkaufte?", sondern er setzt diese Einleitung des Gesprächs an den Aktschluss und leitet mit dem Lied der Matrosen über in den zweiten Akt, in dem der Fortgang der Erinnerung dramatisch dargestellt wird - durch die Worte Pedros erscheinen sie klar mit dem Anfang verbunden: "Der Rittmeister und der Vagant, sie sitzen alleine bei Tisch, sie essen und trinken, sie plaudern von vergangenen Zeiten, und auf einmal, da hören sie Musik... Musik... Was soll das bedeuten? sagt der Rittmeister... - Erinnerung, Freunde, Erinnerung, da hilft euch keine Ferne dagegen, die Rittmeisterin hört unser Lied, und wenn sie am anderen Ende der Welt liegt, dort, wo es jetzt Winter ist, wo es schneit." (D 37)

Mit dem dritten Akt wird das gegenwärtige Geschehen wieder aufgenommen, der Rittmeister möchte noch einmal leben und entflieht im "Wams seiner Jugend". Es bildet wieder den Ausgangspunkt für den folgenden Akt, wo der Rittmeister in Santa Cruz auftritt und mit Elvira und Pelegrin zusammentrifft. Da der Zuschauer mit der Technik der Rückblende bereits vertraut ist, kann hier die Verbindung zur Vergangenheit nur lose hergestellt werden: Pelegrin sagt am Schluss des dritten Aktes: "Stören Sie sie nicht, solange sie träumt; wecken Sie sie nicht." (D 51) und Pedro zu Beginn des vierten: "Das also ist die Spelunke von Santa Cruz, so wie sie damals aussehen mochte. Vor siebzehn Jahren!... Und manchmal, mitten in der blauen Stille voll Singsang, rasselt eine Kette - eine Kette... Das ist alles, Santa Cruz, so wie man es später erinnert. Auch der Nigger ist da!" (D 52) Er schlägt damit auch die Brücke zu den Worten Pelegrins am Schluss des ersten Akts. Die gegenwärtige Handlung zeigt im Grund nur das Warten Pelegrins auf seinen Tod und zeigt die zweite Begegnung der drei Menschen und ihre Folgen vor allem für das Rittmeisterpaar. Die vergegenwärtigte Vergangenheit erklärt die Gegenwart, indem sie das Verhältnis dieser drei Menschen zueinander deutlich macht. Um Gegenwart und Vergangenheit möglichst lückenlos zu verbinden, setzt Frisch epische Mittel ein.

Er hat für dieses Geschehen, das sich auf zwei Ebenen abspielt, die Form des fünfaktigen Dramas gewählt. Er übernimmt jedoch von den klassischen Vorbildern nur die grobe Gliederung der Handlung, denn die dem klassischen Drama eigene strenge Aufteilung des Geschehens in Einleitung, Steigerung, Höhepunkt, Fall oder Umkehr und Katastrophe (1) ist nur noch rudimentär vorhanden. Beiden Handlungen, der gegenwärtigen wie der vergegenwärtigten, müssen Höhepunkte gegeben sein: der eine liegt deutlich in der Flucht des Rittmeisters im dritten Akt, der andere ist nur angetönt im Entschluss Elviras im vierten Akt, dem Rittmeister zu folgen. Umkehr und Katastrophe ereignen sich genaugenommen im gleichen Akt, im fünften, der auch die beiden Handlungen zusammenführt. Erst der Tod Pelegrins bringt die Erkenntnis, dass sie einander Unrecht getan haben, alle zusammen, dass die Erinnerung an die Ereignisse vor siebzehn Jahren das Zusammenleben mit dem andern nicht gefährden muss: "Wir dürfen uns lieben, wir alle..." (D 83) Doch schon für die äussere Gliederung muss Frisch ein episches Mittel einsetzen. Da die Einführung in die Handlung und in die Personen, die normalerweise mit dem ersten Akt gegeben wird, das formale Nebeneinander der beiden Handlungsstränge stören würde, verlegt Frisch sie in das Vorspiel, in die Szene im Wirtshaus, womit es ihm ermöglicht wird, den Dialog des ersten Akts ganz für die Darlegung der Problematik offen zu halten. Ein zweites episches Mittel verwendet Frisch mit der Figur Pedros, der, wie ich gezeigt habe, gewisse Aufgaben des Spielleiters übernimmt. Es sei nur daran erinnert, dass Frisch den Zuschauer durch diese Figur und durch Musik und Worte mit leitmotivischem Charakter (2) ins jeweilige Geschehen einführt und ihm somit den Wechsel von Zeit und Ort verständlich macht.

Formal entspricht dem Vorspiel, dem Prolog, der an den Schluss des fünften Akts angefügte Epilog. "Während alles ringsum ... im Dunkel versinkt, ertönt Musik, und rings um ihn erscheinen die Gestalten" (D 84), die zehn Gestalten, die in Pelegrins Leben eine Rolle gespielt haben. Zugleich schafft das Ende des fünften Akts eine nochmalige - formale - Verbindung zum Geschehen der vergegenwärtigten Vergangenheit und setzt auch ihren Schlusspunkt: Der Rittmeister hält die zusammenbrechende Elvira, "so wie er sie schon einmal hat halten müssen, als Pelegrin sie verliess" (D 83) - jetzt, da Pelegrin sie endgültig verlassen hat.

"In den Dramen Tschechows leben die Menschen im Zeichen des Verzichts. Verzicht vor allem auf die Gegenwart und die Kommunikation kennzeichnet sie: Verzicht auf das Glück in der realen Begegnung." (3) Die Worte, die Szondi an den Anfang seiner Betrachtung über Tschechow, vor allem im Hinblick auf das Drama "Drei Schwestern", stellt, können für Frischs "Santa Cruz" übernommen werden. Auch Frischs Figuren - vor allem Elvira und der Rittmeister - leben in der Erinnerung an die Vergangenheit, an die Geschehnisse vor siebzehn Jahren, was ein normales Verhalten der Personen zueinander von vornherein ausschliesst und somit die zwischenmenschliche Auseinandersetzung unmöglich macht. Da der Dialog aber (neben der Handlung) die wichtigste Formkategorie des Dramas ist, (4) kann er nur schwer aufgegeben, in der bisherigen Form - als zwischenmenschliche Aussageform - aber auch nicht übernommen werden. Er behält die Züge des Monologs, das heisst die Personen sprechen auch im Gespräch im Grund für sich. Das Zwischenmenschliche wird durch Innermenschliches ersetzt. Frisch gelingt es teilweise, den durch die Absage an die zwischenmenschliche Aktualität bedingten Gegensatz von Subjekt und Objekt, zwischen Person und Erinnerung, aufzuheben, indem er die Erinnerung dramatisiert und, geführt von einer epischen Figur, Pedro, als eigene Handlung auf die Bühne bringt. Das heisst es gelingt ihm, der dem Drama durch die ihm eigne Thematik, die nicht in einem zwischenmenschlichen Verhältnis dargestellt werden kann, erwachsenden Gefahr, "dass einem dynamischen Ineinanderübergehen von Subjekt und Objekt in der Form: ihr statisches Auseinandersein im Inhalt gegenübersteht", (5) mit Hilfe eines epischen Mittels zu entgehen - aber, wie erwähnt, nur teilweise: nur dann, wenn er das Erinnerte nicht im Dialog, wie Ibsen, sondern dramatisch vergegenwärtigt - nicht in den Abschnitten, die die gegenwärtige Handlung entwickeln: dieser Handlung, die - soweit sie überhaupt noch vorhanden ist - sich auf dem Schloss abspielt, sind die Ereignisse vor siebzehn Jahren thematisch. Die Gedanken an die Vergangenheit finden zum Teil im Dialog, zum grösseren Teil aber in an den Monolog erinnernden Reden, vor allem des Rittmeisters, ihren Ausdruck. Um nicht ganz auf den Dialog verzichten zu müssen - was hier konsequent geschehen sollte -, lässt Frisch den Rittmeister seine monologischen Reflexionen immer in Gegenwart einer andern Person, meist des Schreibers, halten. Dies erinnert an Tschechow, der Andrej, den Bruder der drei Schwestern, sich gegenüber Ferapont dem schwerhörigen Diener des Landschaftsamtes, aussprechen lässt. Was aber bei Tschechow wie selbstverständlich gelöst ist, denn "die Teilhabe an der Einsamkeit des andern, die Aufnahme der individuellen Einsamkeit in die sich bildende kollektive, das scheint als Möglichkeit schon im Wesen des Russischen, des Menschen wie der Sprache, enthalten zu sein", (6) wirkt bei Frisch gezwungen, unnatürlich, die Reflexionen des Rittmeisters erscheinen nur dem Inhalt nach als Monologe, der Form nach sind es Tagebuchnotizen und ein Brief an Elvira. Frisch versucht also auch in diesen Akten, die auf dem Schloss spielen, die Auflösung des Dialogs im Thematischen durch die Form auszudrücken, weil er es aber nicht mit der Tschechow eignen Sprache, die "steter Uebergang aus der Konversation in die Lyrik der Einsamkeit" (7) ist, tun kann - obwohl auch seine Sprache in den betreffenden Abschnitten lyrisch klingt - und vor allem weil er zwischen diese Akte jene mit Schauplatz Santa Cruz einschiebt, in denen Inhalt und Form übereinstimmen und die somit in grosser Gegensätzlichkeit zu ihnen stehen, befriedigt die von ihm gewählte Lösung nicht. Der Gegensatz zwischen Subjekt und Objekt, zwischen der Person und ihrer Erinnerung, bleibt spürbar. (8)

Das Stück, das Frisch, wie ich schon erwähnt habe, vor allem des Inhalts wegen für Aufführungen gesperrt hat, ist somit als Experiment zu werten, es überzeugt in einzelnen seiner Teile, jedoch nicht als Ganzes. Vielleicht auch deshalb, weil Frisch hier in der im Prinzip übernommenen klassischen Form bereits die Grundzüge der von ihm später häufig gebrauchten Form der Bilderfolge angelegt hat. Genau besehen sind die Akte nicht wie Glieder einer Kette ineinandergefügt, der eine geht nicht aus dem andern hervor, (9) sondern sie stehen nebeneinander, sind im Grund nur durch eine epische Figur miteinander verbunden. (10)

2. DON JUAN ODER DIE LIEBE ZUR GEOMETRIE

Das Stück fügt sich nicht chronologisch, sondern formal an "Santa Cruz" an - wie auch "Als der Krieg zu Ende war". Frisch gliedert wieder die Handlung in fünf Akte: War die Wahl dieser Form bei "Santa Cruz" aber eher die Notlösung für den ersten Versuch, so ist es bei "Don Juan" mit Absicht geschehen, wie Frisch sagt. (1) Auch hier erinnert die von Frisch gewählte Form nur sehr vage an das klassische Vorbild. Konsequenter als in "Santa Cruz" arbeitet Frisch zwar mit den Regeln des klassischen Dramas, eigenartig ist dem Stück aber, dass er sie nur in den ersten drei Akten anwendet und so mit diesen ersten Akten im kleinen ein geschlossenes Drama schafft, dem er zwei weitere, auch nur schwach miteinander verbundene Akte als Nachspiel anhängt. Dieses Bild ergibt sich, wenn man das Stück von der Form her betrachtet; vom Inhalt her betrachtet, kommt den drei ersten Akten vielmehr die Funktion des Vorspiels zu, das auf den vierten Akt, die Höllenfahrt, als Mittelpunkt des Dramas, und auf den Schlussakt hin vorbereitet. Das Stück soll an dieser Stelle nach den formalen Gesichtspunkten untersucht werden: Offensichtlich ist, dass Frisch sich in der ersten Hälfte des Dramas bewusst ans klassische Vorbild anlehnt. Der erste Akt ist Einführung in die Handlung und vor allem in die Person Don Juans; der zweite Akt bringt den Höhepunkt, die Hochzeit, und die Wende, Don Juans Weigerung, Donna Anna zu heiraten; der dritte Akt enthält die Katastrophe, den Tod Roderigos und vor allem das Ende Don Gonzalos und Donna Annas. Die Momente der Steigerung zum Höhepunkt und des Abfalls zur Katastrophe, zweiter und vierter Akt im klassischen Drama, verlegt Frisch in die Zeit zwischen den Akten: Don Juan verbringt die erste Nacht auf dem Schloss mit seiner Geliebten und seiner Braut, die zweite Nacht, unter anderen, mit seiner Schwiegermutter und der Braut seines Freundes. Diese Abschnitte des Geschehens, die im klassischen Drama dramatisch dargestellt werden, erfahren ihre Wiedergabe hier im Bericht Don Juans. Frisch rafft also die Handlung, um die Zeit für die letzten beiden Akte freizumachen, die thematisch zwar aus der Einheit der ersten Hälfte herausgelöst sind - sie geben episodisch Auskunft über Don Juans weiteres Leben -, aber im Rahmen dessen, was Frisch mit dem Stück aussagen will, von grösster Bedeutung sind.

Neben dem Bericht Don Juans verwendet Frisch ein weiteres episches Mittel: wie im klassischen Drama führt er in "Don Juan" parallel der Haupthandlung eine Nebenhandlung. Er verwebt die beiden Handlungen jedoch nicht miteinander, sondern er nimmt die Nebenhandlung, das heisst die Handlung um Miranda und Celestina, aus der Handlung um Don Juan heraus und setzt sie als Zwischenspiel zwischen die Akte. Das Zwischenspiel als Verfremdungseffekt: Indem Frisch die beiden Handlungsstränge voneinander trennt, macht er dem Zuschauer den äusseren Gegensatz und - dies vor allem - den inneren Zusammenhang der beiden Welten bewusst. Was verflochten mit der Haupthandlung nur zu ihrer Bereicherung und Untermalung dienen würde, wird in dieser Form Gegenstand der Ueberlegung und der Kritik. (2)

Nicht nur in seiner Gliederung, auch in der Gestaltung des Dialogs weicht das Stück von der klassischen Regel ab. Wie in "Santa Cruz" ist in "Don Juan" der Dialog nicht mehr die von der Form des Dramas geforderte zwischenmenschliche Aussprache, sondern monologische Reflexion - in geringerem Masse allerdings, als es in "Santa Cruz" der Fall ist. Im ersten und im zweiten Akt - nachher ist Don Juan immer an den Gesprächen beteiligt - führen die einzelnen Personen zwar Gespräche, zu zweien, wie zum Beispiel Donna Inez und Donna Anna, oder in Gruppen, wie Gonzalo, Tenorio und Diego, der Form nach - betrachtet man aber den Inhalt, so erkennt man, dass im Grund jeder für sich selbst spricht, er verfolgt durch das ganze Gespräch hindurch das einmal begonnene Thema. Und da das Gesprochene mit wenigen Ausnahmen immer auf Don Juan bezogen ist, hat es den Anschein, als ob jede der Personen um Don Juan für sich und nur soweit es ihre Rolle, das heisst der Autor, erlaubt, an dem zu verfertigenden Bild Don Juans arbeite. (3) Das Bild ergibt sich dem Zuschauer schliesslich - in der Mitte des zweiten Akts - aus dem Zusammenschluss der verschiedenen parallel geführten Linien.

Ist schon in der Begegnung der Nebenpersonen die zwischenmenschliche Aktualität nur soweit vorhanden, als sie einen Zusammenhang des Gesprochenen garantiert, so wird sie mit dem Auftritt Don Juans, das bedeutet, mit der völligen Konzentration auf diese Figur, fast ganz aufgehoben. Denn Don Juan tritt nicht als Mitmensch auf, sondern als Protagonist in vollkommenem Masse. So entwickelt sich denn auch die Handlung der folgenden Akte nicht in der Auseinandersetzung der Hauptperson mit ihrer Umwelt oder besser: Mitwelt, sondern nur in der Auseinandersetzung mit ihr selbst. Da das Drama aber, in der von Frisch gewählten Form, die Aussprache im Dialog verlangt, setzt Frisch Don Juan ein Gegenüber, das mit entscheidenden stichwortartigen Bemerkungen den Fortgang seiner monologischen Reden sichert und sie zugleich auflockert. (4) Don Juan verhält sich also zu seiner Umwelt als Subjekt zum Objekt. Dieses Verhältnis aber verlangt - sollen Inhalt und Form eine Einheit bilden - im Formprinzip des Werks verankert zu werden; (5) in "Don Juan" jedoch geschieht es nicht. Frisch verwendet zwar als episches Mittel den Bericht und das Zwischenspiel, aber nicht um die mit dem Inhalt übereinstimmende Form zu erhalten, sondern, den Bericht vor allem, um die dramatische Form überhaupt beibehalten zu können. Denn im Bericht erfolgt die Verbindung von zeitlich und örtlich auch weit auseinanderliegendem dramatischem Geschehen.

Auch dieses Drama erweist sich somit als Lösungsversuch und nicht als Lösung des Problems, die im Vergleich zum letzten Jahrhundert veränderte Aussage - Frisch hat die Sage um Don Juan in entscheidender Weise verändert - in entsprechender Form auf die Bühne zu bringen. Die Schwäche des Dramas liegt weder im aufgezeigten Problem (6) oder in der dafür gewählten Fabel, noch darin, dass das Drama in seiner Ganzheit vollkommen undialektisch ist, wichtig ist vielmehr, dass Frisch die Realisierung einer originalen Idee auf der Bühne mittels übernommener Formen versucht; das heisst, dass er die eigentlich monologische Aussage zum Dialog zurechtformt, der - frei von aller zwischenmenschlichen Dialektik - weiterhin Träger des Dramas sein muss. (7)

3. ALS DER KRIEG ZU ENDE WAR

"Don Juan" ist der zweite und letzte Versuch Frischs, die Handlung eines Stückes nach der klassischen Regel, also in fünf Abschnitte aufzuteilen, es ist jedoch mit "Santa Cruz" nicht das einzige Drama, in dem er die Gliederung in Akte vorgenommen hat. Zwischen die beiden Stücke schiebt sich das in der letzten Fassung (1) zweiaktige "Schauspiel" "Als der Krieg zu Ende war". Den dritten Akt, der mit einem Fest in der wieder von den Anders bewohnten Wohnung "das Thema nicht weiterführt, sondern bloss datiert" (D 806), hat Frisch, erst 1962, gestrichen, womit er jeden Vergleich mit der klassischen Form, der bei der ursprünglichen Dreiteilung noch durchaus zulässig wäre, (2) ausschliesst. Jeder der beiden Akte ist in zwei Szenen unterteilt, deren Schauplatz je einmal Keller und ehemaliges Wohnzimmer des Hauses Anders ist. Das Geschehen, das sich in diesen Szenen abspielt, erweist sich wieder, wie in den beiden vorhergehenden Stücken, als wenig dramatisch.

Was gezeigt wird, ist nach Frischs Bezeichnung ein Schauspiel, wie "Santa Cruz" eine Romanze und "Don Juan" eine Komödie ist. Schon bei der Lektüre des Stücks fällt jedoch auf, dass der Begriff der Schau hier anders gefasst ist, als es normalerweise der Fall ist: Durch eine Handlung, die eher verbindet als sich entwickelt und somit sekundär ist, werden die Probleme, die mit dem Ende des Kriegs auftreten, aneinandergereiht und in bühnenmässiger Form vorgeführt. Das bedeutet, dass das Spiel selbst nur bedingt Schaucharakter hat. Durch das Spiel wird vielmehr das in den häufigen Berichten ausgedrückte Kriegserlebnis, das den Hintergrund für die auf der Bühne gegenwärtige Handlung bildet, aber die eigentliche Aussage des Stückes ist, indirekt veranschaulicht.

Nicht nur Erinnerung, auch Handlung, die mit ihrer Darstellung den Rahmen des Stücks sprengen würde, wird im Bericht wiedergegeben; durch Agnes, die sich in diesen Augenblicken aus dem Spiel herauslöst und unbeteiligt erzählt. In dieser Funktion übernimmt sie auch die Einführung in die Handlung; sie teilt mit, wie sie "eines Morgens, es war ein Mittwoch" (D 250) im Garten ihren zurückgekehrten Mann gefunden hat. Später berichtet sie hauptsächlich über zwischen den Zeilen liegendes Geschehen: "Gestern ist Agnes im Freien gewesen" (D 278), und einmal führt sie im Bericht ein auf der Bühne dargestelltes Handlungsmoment gleich an die Darstellung anschliessend zu Ende: "Martin Anders... in der Dämmerung verloren..." (D 258). Frisch nimmt also diesmal, im Gegensatz zu "Don Juan", die Wiedergabe von vergangener Handlung aus dem Dialog heraus und entlastet ihn. Die Voraussetzung für ein normales zwischenmenschliches Gespräch, die in "Don Juan" aus den erwähnten Gründen (3) nicht vorhanden ist, wäre damit gegeben - wenn Frisch den Dialog nicht auf andere Weise in seinem Fluss hemmte: einerseits durch die im Dialog wiedergegebenen Kriegserlebnisse, (4) anderseits dadurch, dass eine der Hauptpersonen nicht Deutsch sprechen darf. Und dieser Umstand fällt schwer ins Gewicht. Ist in den Kellerszenen die für den dramatischen Dialog zwischenmenschliche Basis, wenn auch nur bedingt, noch vorhanden, kann in den Wohnzimmer-Szenen davon nicht mehr die Rede sein. Damit, dass die Verständigung zweier Hauptpersonen auf der Bühne unmöglich wird, wird auch das

Drama unmöglich, denn, "von der Möglichkeit des Dialogs hängt die Möglichkeit des Dramas ab". (5) Obwohl sich hier das Experiment mit einer neuen Form geradezu aufdrängt, hält Frisch an der Form des Dialogs fest. Wie der Rittmeister und wie Don Juan spricht Agnes ihre Monologe in Gegenwart eines andern. Was das Stück jedoch von den andern beiden, vor allem von "Santa Cruz", abhebt und die Aufführung auf der Bühne rettet, liegt darin begründet, dass die Aufhebung der Verständigung thematisch motiviert - Stepan versteht Agnes nicht - und somit eine Rückkehr in die Dialogie noch möglich ist. Dies wird durch einen Vergleich mit den monologischen Reflexionen des Rittmeisters bestätigt, die in der Form von Tagebuchnotiz und Brief zum Ausdruck gebracht werden. Auch Agnes spricht sich in den an Stepan gerichteten Monologen von ihren Problemen frei, auch ihnen kommt zu einem grossen Teil die Aufgabe der Publikumsorientierung zu, doch da die Form des Monologs, wie erwähnt, in der Figur Stepans thematisch motiviert ist, fällt die Unmöglichkeit einer Aussprache im zwischenmenschlichen Bereich, einer dialektischen Auseinandersetzung also, weniger ins Gewicht. (6)

4. NUN SINGEN SIE WIEDER

Schon in seinem zweiten Stück gliedert Frisch die Handlung nicht mehr in Akte, sondern in Szenen, die er als Bilder bezeichnet. Er hat damit die Form gefunden, die sich für die Darstellung seines Stoffes besonders gut eignet, des Stoffes nämlich, der sich zusammensetzt aus einer lose gefügten, undramatischen Handlung und dem meist sehr direkt ausgedrückten Anliegen des Dichters. Der Vorteil dieser Gliederung liegt darin, dass der Autor seinen Stoff losgelöst von den Regeln des klassischen Dramas gestalten kann. Er muss die dramaturgische Forderung nach Einheit von Zeit und Ort nicht mehr berücksichtigen, denn die Handlung muss nicht mehr eine "festgeschlossene Einheit bilden". (1) So kann denn auch die im klassischen Drama zwingende Szenenfolge, "in der jede Szene die nächste hervorbringt", (2) durchbrochen werden, die Szenen können als in vermehrtem Masse selbständige Gebilde aneinandergereiht werden. Mit andern Worten: Das Drama verliert den Anspruch auf Absolutheit, es muss nicht mehr "von allem ihm Aeusserlichen abgelöst sein", es ist also auch nicht primär, das heisst es stellt nicht mehr nur sich selber dar, sondern kann Darstellung sein. Die Szenen können auf diese Weise sogar ohne irgendeinen kausalen Bezug aneinandergereiht werden, was sie allein verbindet und schliesslich zu einer Art Ganzem zusammenfügt, ist die Figur des Helden: So erscheinen die einzelnen Szenen "als isolierte Steine, aufgereiht am Faden des fortschreitenden Ich". Es ist dies die Form des Stationendramas, das vor allem durch das Werk Strindbergs bekannt geworden ist. Wieweit Frisch bei den im folgenden zu behandelnden Werken in der Auflösung des Ganzen in einzelne Teile gegangen ist, wird die anschliessende Untersuchung zeigen.

Der Stoff von "Nun singen sie wieder" ist geteilt in zwei Teile, von denen der erste vier, der zweite drei Szenen umfasst. Dem ersten Teil kommt vor allem die Funktion der Einführung zu. In drei Szenen werden die drei Schauplätze, das heisst die mit ihnen verbundenen Personen und Handlungsabschnitte vorgestellt, in der vierten Szene findet die erste Begegnung zwischen einzelnen dieser Personen statt: Karl flieht von der Front nach Hause und trifft seinen Vater. Im zweiten Teil finden sie alle, Tote jetzt, am Ort des Unrechts zusammen, alle, ausser dem, der Unrecht getan hat, Herbert. Die Gliederung der Handlung im ersten Teil macht die Stellung der Szenen zueinander deutlich: sie gehen nicht auseinander hervor, sondern stehen nebeneinander. Frisch legt die Bilder so an, dass sie in ihrer Handlung ein leichtes dramatisches Gefälle aufweisen, und kennzeichnet sie damit als doch eher selbständige Teile des Ganzen. Doch auch zwischen ihnen besteht eine Verbindung, sie liegt in der allen Szenen gemeinsamen Problemstellung. Die einzelnen Abschnitte erscheinen so gewissermassen als Variationen zum gleichen Thema: jeder stellt das Kriegserlebnis aus einer andern Sicht dar.

Im zweiten Teil führt Frisch diese Technik nicht mehr in gleich konsequenter Weise weiter. Wie ich erwähnt habe, laufen nun die Handlungsstränge zusammen, sie finden ihre Fortsetzung und zugleich ihren Abschluss. Mit der Handlung wird auch die Problemstellung in ihren verschiedenen Aspekten auf eine gemeinsame Basis gebracht: Die Parteien, einst einander feindlich, gleichen sich an, nun da sie an einem Ort vereinigt sind, sie fühlen sich verbunden in der Erkenntnis des Popen: "Ich glaube, wir alle sind da, bis wir das Leben kennenlernen, das wir zusammen hätten führen können. Solange sind wir da. Das ist die Reue, unsere Verdammnis, unsere Erlösung." (D 134, ähnlich 147) Die Erkenntnis aber, dass der Krieg nur durch ein wirkliches Zusammenleben vermieden werden kann, bleibt den Toten vorbehalten, und somit ist ihr Tod umsonst gewesen: "sie (die Ueberlebenden) machen aus unserem Tod, was ihnen gefällt, was ihnen nützt" (D 147). Die Personen sind in der letzten Szene wieder in zwei Parteien geteilt, doch es sind nicht dieselben, die sich zu Beginn gegenübergestanden sind. Während die Handlung mit dem Abgang von Jenny und Eduard ihr Ende findet, führt die Problematik über den Schluss hinaus.

Dadurch dass er die einzelnen Teile einer Fabel nur als Träger seiner Aussage verwendet, das heisst eine Handlung nur soweit entwickelt, als sie für die dramatische Darstellung der Aussage notwendig ist, im übrigen aber volles Gewicht auf die Aussage selbst legt, kann Frisch den Dialog als zwischenmenschliche Aussprache erhalten. Die zwischenmenschliche Aktualität beruht jedoch auf anderen Grundlagen als im klassischen Drama. Der Dialog besteht nicht aus "Satz und Gegensatz", setzt nicht "Wille gegen Wille, von unendlich verschiedenem Inhalt", sondern allein "Empfindung gegen Empfindung", und der Zweck der Dialogszene ist nicht, "aus dem Satz und Gegensatz ein Resultat herauszuheben, welches die Handlung weiter treibt", (4) sondern möglichst breite Darlegung der Problematik. Der Dialog ist also nicht das in Worte gefasste, immer neu zu vollziehende Sich-Entschliessen des dramatischen Menschen, sondern Ausdruck seiner Situation. Indem er veranschaulicht, wie sich der dramatische Mensch zu den Ereignissen der Aussenwelt, die ihn bestimmen und einengen, wie er sich also zum Krieg verhält, zeigt er auch die Problematik dieser Ereignisse in ihrem ungeheuren Ausmass und ihrer schrecklichen Bedeutung auf. Dass ein Dialog, der nicht aktive, das heisst handelnde, sondern passive, das heisst erleidende und darum nur beschränkt handlungsfähige Menschen, die zudem noch Modellcharakter (5) haben, verbindet, nicht dramatisch ist, versteht sich von selbst. Die Frage stellt sich nun, ob es Frisch gelingt, unter diesen Umständen, das heisst mit einem Dialog, der die Menschen zwar in einer zwischenmenschlichen Sphäre verbindet - sie führen im Austausch ihrer Gedanken über den Krieg die Problematik vor und runden im Gespräch die Bilder zu einem Ganzen ab -, aber kaum dramatisch ist, das Drama, das somit nicht mehr "eine in sich geschlossene, aber freie und in jedem Moment von neuem bestimmte Dialektik" (6) ist, auf der Bühne zu realisieren.

Frisch versucht es mit der besonderen Gliederung des Stückes und mit einer sehr lyrischen Sprache. Der Vorteil der gewählten Form liegt vor allem darin, dass die Problematik in ihrer ganzen Breite, das meint aus der Sicht der verschiedenen Parteien, vorgeführt werden kann und dies, ohne dass der Dialog oder das Spiel mit einem Uebermass an Handlung belastet würde. Der daraus entstehenden Gefahr, dass die einzelnen Szenen, da sie ja fast ausschliesslich die Problematik aufzeigen, in ihrem Inhalt zu schwer wiegen und sich somit einer Darstellung auf der Bühne entziehen, begegnet Frisch dadurch, dass er die Szenen rasch aufeinander folgen lässt. Allein schon dieser Wechsel bringt eine geringe dramatische Bewegung hervor - Frisch verstärkt sie noch, wenn er in den Dialog, meist in der zweiten Hälfte der Szene, eine schwache Spannung legt. (7) Der zweite Ansatzpunkt im Versuch, das Drama für die Bühne zu retten, liegt im Dialog selbst, in der Form wie in der Sprache. Was seit "Biedermann und die Brandstifter" für Frischs Stücke charakteristisch ist, zeichnet sich hier schon ab: in schnellem Wechsel folgen sich oft Aussage und Gegenaussage, meist umfassen sie nicht mehr als einen Satz - und in diesem Wechsel wird das Bestreben deutlich, dem Zuschauer durch eine möglichst unproblematische, das heisst klare Form den problematischen Inhalt verständlich und mehr noch ihn ihm nicht überdrüssig zu machen. Dem einfachen Bau des Dialogs entspricht eine unkomplizierte Sprache. Es ist naheliegend, dass der Autor dafür die Umgangssprache einsetzt. Da sie aber dem Stoff von "Nun singen sie wieder", dem Requiem, nur bedingt gerecht werden kann, verfeinert Frisch sie mit lyrischen Elementen. Diese prägen sie in ihrem besonderen Wesen, sie heben die Gleichförmigkeit des Gesprochenen hervor und geben ihm einen wehmütigen, oft klagenden, anklagenden Unterton. (8)

Die Frage, ob "Nun singen sie wieder" sich auf der Bühne darstellen lasse, ist abschliessend dahin zu beantworten, dass es Frisch zwar gelingt, den Inhalt in eine adäquate Form zu bringen, dass er sich damit aber an die Grenzen des noch Darstellbaren begibt. (9)

5. GRAF OEDERLAND

Frisch hat auch für die Moritat von "Graf Oederland" (1) die Form der Bilderfolge gewählt, und er wendet sie in konsequenterer Weise an, als es in "Nun singen sie wieder" der Fall ist. Da ich im Zusammenhang mit der Untersuchung der dramatischen Rede die Struktur des Stücks in ihren Grundzügen bereits dargelegt habe, beschränke ich mich auf einige zusammenfassende Betrachtungen. (2)

Der formale Unterschied der beiden Stücke liegt vor allem in ihrem Inhalt begründet. Während Frisch nämlich die Form der Bilderfolge in "Nun singen sie wieder" wählt, um von der Problematik des Krieges so viel wie möglich auf der Bühne einzufangen, braucht er sie in "Graf Oederland", um einen Abschnitt im Leben des Staatsanwalts aufzuzeigen, und zwar nicht in seinem ganzen Verlauf, sondern nur in seinen wichtigsten, das heisst für die Problematik des Stückes typischen Stationen. Auf die einzelnen Szenen oder Bilder bezogen, bedeutet dies, dass sie - ist die Technik streng durchgeführt - als selbständige, in sich geschlossene Teile des Ganzen wirken, verbunden nur durch die ihnen gemeinsame Hauptperson. Frischs Dramen unterscheiden sich hauptsächlich in diesem Punkt vom eigentlichen Stationendrama, (3) stellt Frisch doch die Bilder in einen wenn auch nur schwachen kausalen Bezug: und zwar indem er die Stationen in eine durch das ganze Stück geführte Handlung einfügt. Frisch blendet zwischen den Bildern, die den Weg des Staatsanwalts aufzeigen, immer wieder zurück in die Welt, aus der dieser geflohen ist; er bringt sie auf zwei Schauplätzen zur Darstellung: dem seines privaten Lebens und dem seines beruflichen Wirkens, und mit Personen, die für den jeweiligen Bereich typisch sind: dem Mörder einerseits und Elsa anderseits. Beide Bereiche werden durch die Figur Hahns miteinander verbunden. Im siebten Bild, fast in der Mitte des Stücks, treffen die Welten aufeinander, der Staatsanwalt erkennt, dass er seiner Frau und ihrem Geliebten gegenübersteht, und führt den endgültigen Bruch herbei. Für den Fortgang der Handlung heisst das, dass sich in den letzten Szenen alles auf den Staatsanwalt konzentriert; er wird Mittelpunkt einer nun zusammenhängenden Handlung. Er lässt Inge in der Kaverne zurück, tritt in der Residenz auf, um die Macht zu übernehmen, "erwacht" schliesslich in seiner Villa. Die Bilder verlieren somit weitgehend den Charakter der Station, der ihnen am Anfang - vor allem in der Hütte im Wald, bei den Köhlern und auch in der Halle des Hotels - noch eignete. Mit dem Bruch werden auch die in der ersten Hälfte abgegrenzten Bereiche unwesentlich und lösen sich auf: Hahn und Elsa treten nicht mehr auf, und schliesslich verstummt auch der Mörder, der inzwischen aus dem Gefängnis entlassen worden ist und sich damit ebenfalls von der Welt des Staatsanwalts gelöst hat. Die durch die Bilder der ersten Hälfte durchgezogene Handlungslinie wird also im siebten Bild von einer zweiten unterbrochen und wird erst im letzten Bild wieder aufgenommen: der Staatsanwalt steht wie zu Beginn in seinem Arbeitszimmer, und auch die andern Personen werden nochmals vorgeführt, Hilde in Wirklichkeit, Hahn und Elsa in seinen Worten. Die zweite Handlungslinie wird ebenfalls noch ein Stück weiter gezogen und dann abgebrochen: Der Präsident und Coco treten auf und wollen den Staatsanwalt in den sich hinter ihm öffnenden Prunksaal der Residenz führen. Indem er die erste Szene am Schluss in wenig veränderter Form wiederholt - die dazwischenliegende Handlung rückt sie in ein neues Licht (4) -, versucht Frisch das Stück als abgeschlossenes Ganzes, das heisst als Einheit von Form und Inhalt erscheinen zu lassen. Dass ihm dies, obwohl er auch die Bilderfolge konsequent durchführt, nur scheinbar gelingt, wird im folgenden zu zeigen sein.

Als erstes ist festzuhalten, dass Frisch in diesem Fall, das heisst wenn er das Stück als Moritat bezeichnet, die Form nicht wählen kann, sondern dass er sich an die Bilderfolge, die die Form der Moritat ist, halten muss. Das Stück trägt denn auch, vor allem in seiner ersten Hälfte, die Züge der Moritat: Die verschiedenen Handlungsstränge sind nicht, wie es normalerweise geschieht, ineinander verflochten, sie sind streng parallel geführt: die Bilder beleuchten abwechslungsweise das Geschehen auf den verschiedenen Schauplätzen. Wichtig ist auch, dass jede dieser Szenen eine eigene dramatische Einheit darstellt. Ihr Bau entspricht wie schon gesagt (5) im kleinen dem des fünfaktigen Dramas. Die einzelnen Abschnitte des Dramas, Einleitung, Steigerung zum Höhepunkt, Abfallen zur Katastrophe, finden sich, nur schwach ausgeformt, auch in ihr. Die Linien, die zum Höhepunkt und von ihm weg führen, sind weniger steil angelegt, das Geschehen drängt spürbar zum Ende, zur "Katastrophe" hin. Die Szenen der zweiten Hälfte des Stücks, vom siebten Bild an, besitzen zwar ebenfalls einen eigenen Spannungsbogen, weil sich das Geschehen der einzelnen Szenen nicht mehr nur auf die ihnen gesetzte Katastrophe richtet, sondern über sie hinaus auf das Ende des Stücks zielt, ist er aber in seiner Wirkung weit schwächer als am Anfang. Das Geschehen, sonst streng auf die eine Szene beschränkt, zieht sich nun über mehrere Szenen hin, die scharfe Trennung zwischen den Bildern ist aufgehoben.

Erst bei genauer Untersuchung der Struktur des Stücks wird somit deutlich, dass Frisch, auch wenn er die Bilderfolge beibehält und die Szenen sich deshalb äusserlich nicht voneinander unterscheiden, im Grund die Form wechselt, wodurch das Stück in zwei Hälften auseinanderfällt. Dies und nicht etwa die fehlende Einheit von Form und Inhalt, die ich bei den schon besprochenen Stücken festgestellt habe, ist denn der Grund dafür, dass das Stück nicht als Ganzes wirkt, sondern zusammengesetzt aus zwei vor allem in der Form verschiedenen Teilen, der Moritat und der in ihren einzelnen Abschnitten weniger geschlossenen Bilderfolge, erscheint. Ob Frisch sich des Bruchs bewusst gewesen ist, ob er ihn absichtlich durch das Stück gelegt hat, weil sich der Schluss der Fabel nicht mehr in der Form der Moritat darstellen liess, ist unwesentlich; wichtig ist, dass er das Stück dadurch erheblich gefährdet hat. (6)

Zu untersuchen bleibt noch, wieweit Frisch seine Moritat, die Mär vom Grafen Oederland, (7) für die Bühne umformt und mit welchen Mitteln er ihren Charakter andeutet. Bereits erwähnt habe ich, dass die Szenen der ersten Hälfte als in die Form des Dramas umgesetzte Bilder einer Moritat erscheinen. Daneben wird der Charakter der Moritat vor allem durch den Dialog zum Ausdruck gebracht. Die Form erlaubt dem Dichter, ihn aus dem zwischenmenschlichen Bereich herauszulösen. Das heisst, dass das Geschehen sich nicht nur in Rede und Gegenrede entwickeln muss, sondern in aneinandergereihten Aussagen, die lose zu einem Gespräch verbunden sind, erzählt werden kann. Charaktere und Problematik des Stücks werden dem Zuschauer somit nicht oder kaum in der Diskussion vorgeführt, sie werden ihm vielmehr demonstriert. Die Form der Aussage drängt sich dem Dichter übrigens mit der Auswahl der auf der Bühne darzustellenden Momente der Handlung geradezu auf: Frisch zeichnet in den Szenen meist das Ende eines Abschnitts im Leben des Staatsanwalts auf, und das bedeutet, dass er den Dialog hauptsächlich für den Bericht der nicht dargestellten Ereignisse braucht. Der Dialog der Gefängnisszenen besitzt zwar noch das Gepräge der zwischenmenschlichen Auseinandersetzung, doch wird auch hier viel weniger Handlung weitergeführt als Problematik vorgestellt und erörtert.

Neben Dialog und Anlage der Szene erinnert höchstens noch das Lied vom Grafen Oederland, das Inge im vierten Bild singt oder spricht, daran, dass das Stück als Moritat gedacht ist. (8) Ob sich mit diesen also sehr spärlich verwendeten Mitteln die Form der Moritat mehr als nur andeuten lässt, erscheint als sehr fragwürdig, besonders da Frisch mit ihnen Mittel gewählt hat, die wohl diese Gattung mitbestimmen, die aber nicht auf den ersten Blick typisch für sie sind und somit dem Zuschauer kaum bewusst werden. Frisch hat erkannt, dass sich der Untertitel vor allem in der letzten Fassung des Stücks nicht mehr rechtfertigen lässt; er hat die Aufführungsrechte für alle Fassungen gesperrt. Im Gespräch in Berzona darüber befragt, antwortete er, dass es ihm zum Zeitpunkt der Entstehung von "Graf Oederland" nicht möglich gewesen sei, mit andern Mitteln zu arbeiten, das Stück zum Beispiel in vermehrtem Masse mit Liedern und projizierten Bildern (9) auszustatten, da er Gefahr gelaufen wäre, als Brecht-Imitator abgetan zu werden. Falls er sich aber zu einer neuen Fassung entschliessen sollte, würde diese stärker nach den Formprinzipien der Moritat geschaffen sein.

Frisch möchte also die Moritat in eigener Form und doch typischer als die bisherigen Versuche herausbringen, was, da Brecht sie, wie er selbst sagt, in einzelnen seiner Stücke für die Bühne übernommen und geformt hat, mit erheblichen Schwierigkeiten verbunden sein wird. (10)

6. ANDORRA

Nach "Don Juan", dem weitgehend nach den Regeln des klassischen Theaters gebauten Drama, und nach den beiden Einaktern braucht Frisch in "Andorra" zur Gliederung des Stoffs vorläufig zum letztenmal die Technik der Bilderfolge. Schon beim Lesen gewinnt man den Eindruck, dass sich der Inhalt hier fugenloser in die Form einpasst als in den meisten früheren Stücken; ob er einer genauen Untersuchung standhält, wird im folgenden zu prüfen sein. Anzumerken ist noch, dass sich auch dieses Stück, da es in den vorhergehenden Kapiteln verschiedentlich als Beispiel angeführt worden ist, kurz behandeln lässt. (1)

Es gilt also vor allem zu beweisen, dass Inhalt und Form in diesem Stück eine Einheit bilden; das heisst auf die Form der Bilderfolge bezogen, dass das im einzelnen Bild Dargestellte mehr oder weniger abgeschlossen ist, und weiter, dass die einzelnen Bilder in ihrem Zusammenschluss wieder ein Ganzes ergeben. "Andorra" erfüllt diese Forderung in vollkommener Masse. Mit der Angabe, dass das Stück da beginnt, wo Andri das Misstrauen der Andorraner erkennt, dass im weitern die Geschehnisse aus dem Alltag Andris herausgelöst und auf der Bühne gezeigt werden, die die Idee, wirklich anders zu sein, in Andri selbst festsetzen, dass diese Geschehnisse schliesslich zum Tod Andris führen - damit ist die Handlung von "Andorra" in groben Zügen skizziert. Sie genügt, klar zu machen, dass "Andorra" eine Fabel besitzt, die, indem sie den unaufhaltsamen Weg des Helden zur Katastrophe absteckt, Grundlage für ein klassisches Drama sein könnte, dass sie somit "eine festgeschlossene Einheit" (2) bildet. Frisch gliedert sie jedoch in anderer Weise, als dies im klassischen Drama zu geschehen hätte, in zwölf Bilder, und nicht in fünf Akte. Das bedeutet, dass das Stück nicht als Pyramide gebaut, dass es also nicht "von der Einleitung... bis zu dem Höhepunkt steigt und von da bis zur Katastrophe fällt", (3) sondern dass es linear angeordnet ist, dass ein Abschnitt neben dem andern steht und kaum mit dem vorhergehenden verbunden ist. Es scheint mir wichtig, erneut auf diesen Unterschied hinzuweisen. Sobald sich nämlich der Dichter für eine Art der Gliederung entschlossen hat, kann er über die dramatische Gestaltung der Fabel nicht mehr frei entscheiden, die gewählte Form schreibt ihm innerhalb bestimmter Grenzen vor, welche Teile der Fabel für die Bühne zu bearbeiten sind, was auf andere Weise mitgeteilt werden muss. (4)

Da die Form der Bilderfolge bedingt, dass die Handlung sich fast gleichmässig, das heisst ohne grosse Spannung bis zum Schluss, der ihr Höhepunkt ist, hinzieht, führt Frisch seine Geschichte vom andorranischen Juden in einer Reihe gleichgebauter Bilder vor, die eines nach dem andern das Verhältnis Andris zu seiner Umwelt zum Thema haben und die in der Veränderung dieses Verhältnisses die Entwicklung zum Schluss hin aufzeigen. Frisch präsentiert also das Leben Andris von da, wo es für das Drama wichtig wird, bis zu seinem Tod nicht in "einheitlichem Zusammenhange", (5) wie das im klassischen Drama zu geschehen hätte, sondern anhand einzelner Momente, die für die Verwandlung des unbeschwerten Kindes in den zornigen jungen Mann verantwortlich sind. Für sich genommen, scheinen die Szenen mit ihrem Inhalt meist nicht über den Bereich des Alltäglichen hinauszugehen - Barblin und Andri unterhalten sich vor Barblins Kammer; der Doktor untersucht den kranken Andri, Andri muss beim Pfarrer vorsprechen -, da die Personen kaum agieren und sich nur zur Erörterung eines Problems zusammenfinden, weisen die Szenen auch kaum Handlung auf. Für den Zuschauer hat dies zur Folge, dass er nicht ins Spiel hineingerissen wird, sondern es in erster Linie betrachtet. Frisch hat erreicht, was Brecht für das moderne Theater fordert: er setzt den Zuschauer dem Vorgang gegenüber und lässt ihm Zeit zur Ueberlegung. Denn in der Ueberlegung erst erkennt er - vor allem wenn er die einzelnen Bilder nebeneinander stellt -, dass sich hinter dem äussern Alltag eine tiefe Problematik verbirgt, die dann auch von Bild zu Bild stärker hervortritt und in den letzten Bildern die Szene ganz beherrscht. Es sei daran erinnert, dass die Verbindung zwischen den Bildern hauptsächlich durch die ihnen gemeinsame Problematik geschaffen wird, inhaltlich und vor allem zeitlich schliessen sie nur selten aneinander an.

Frisch verwendet daneben noch ein Mittel, das ihm ermöglicht, einzelne Bilder miteinander zu verbinden: er wiederholt einige der ersten Bilder in der zweiten Hälfte des Stücks, indem er die gleichen Personen am gleichen Ort zum Gespräch zusammenführt. Die Szene ist jedoch nur scheinbar mit der ersten identisch, denn schon nach wenigen Worten wird die veränderte Situation der Sprechenden deutlich, und sie erscheint im Vergleich mit dem schon Bekannten, zu dem man durch die Anlage der Szene gezwungen wird, in um so grellerem Licht. Frisch braucht also die Wiederholung, um dem Zuschauer so eindrücklich wie möglich die Entwicklung der Figuren und die zu ihr parallel verlaufende Vertiefung des Konfliktes vor Augen zu führen. (6)

Darauf, dass Frisch die Bilder in der Problematik, die in der Katastrophe ihren Höhepunkt erreicht, verbindet, muss ich an dieser Stelle nochmals eingehen. Frisch erreicht dadurch zwar den Zusammenschluss der Bilder zu einem Ganzen, was mir für die Bearbeitung dieser Fabel als Bedingung erscheint, er läuft aber gleichzeitig Gefahr, dass die einzelnen Abschnitte, die als Stationen in der Entwicklung des Konflikts deutlich auf die Katastrophe ausgerichtet sind, zu sehr in den Gesamtablauf einbezogen werden und damit ihre Eigenständigkeit, die sie von der Gliederung der Fabel her besitzen, aufgeben müssen. Dies wiederum kann eine Aenderung in der Haltung des Zuschauers zur Folge haben, der das Spiel nur betrachtet und nicht daran teilnimmt, weil es fast ohne Bewegung ist. Frisch setzt das epische Mittel der Zeugenaussage dagegen ein: Nach dem Auftritt des ersten Zeugen schon, am Schluss des ersten Bildes also, ahnt der Zuschauer, wie das Stück enden wird; in jeder weiteren Zeugenaussage wird ihm die Katastrophe deutlicher umrissen. Frisch verhindert damit, dass der Zuschauer sich zu sehr in der Spannung auf das Ende verliert, das heisst er konzentriert ihn auf das in den einzelnen Abschnitten Vorgeführte. (7)

In der Zusammenfassung der bis dahin angestellten Ueberlegungen soll der Beweis, dass Inhalt und Form übereinstimmen, dargebracht werden. Frisch wählt für die Darstellung der Fabel auf der Bühne Momente aus, die den Charakter der Episode haben und darum in beschränktem Mass auch aus sich selbst wirken, die sich aber in ihrer Aneinanderreihung zum Ganzen, dessen Aussage stärker ist als die des einzelnen Abschnitts, zusammenschliessen. Er passt den Inhalt so in vollkommener Weise der Struktur des Bildes an und erreicht zugleich, dass sich dem Zuschauer in der Folge der Bilder die geschlossene Fabel abzeichnet. Die auf neuem Weg (8) gefundene Einheit von Inhalt und Form lässt auch eine Veränderung des Dialogs zu - erfordert sie sogar. Da das Stück nur sehr geringe Handlung aufweist, ist er über weite Strecken undialektisch. Er entwickelt nicht einen Entschluss, der Grundlage für das Folgende ist, sondern er macht in erster Linie mit der Problematik vertraut. Mit andern Worten: er demonstriert das Anliegen des Dichters. Das bedeutet, dass er nicht mehr nur zwischenmenschliche Aussprache ist. Zum erstenmal ist das aber nicht als Mangel zu werten; die Umformung wurde notwendig, denn der veränderte Inhalt verlangte nach dem ihm entsprechenden Ausdruck. (9)

7. DIE CHINESISCHE MAUER

Mehr noch als bei den andern Stücken braucht Frisch hier das Theater für die Demonstration seiner Ansichten. Er formuliert den Konflikt zwischen dem auf seinem Machtanspruch beharrenden Herrscher und dem sein ohnmächtiges Versagen erkennenden Intellektuellen für die Bühne. (1) Da er ihn dem Zuschauer so klar wie möglich vor Augen führen will, drückt er ihn ausschliesslich mittels des Gesprächs aus, das die Problematik in direkter Weise angeht, und er versucht die Wirkung dieser Gespräche noch zu erhöhen, ihre Funktion vor allem deutlich zu machen dadurch, dass er sie ganz auf die eine Hauptperson ausrichtet. So wird, wenn sich der Heutige mit den Masken, mit Mee Lan oder mit Hwang Ti unterhält, die Problematik je von einer bestimmten Seite aus beleuchtet, bis sie sich schliesslich in der Aneinanderreihung der Gespräche als Ganzes ergibt. Frisch braucht jedoch, da er dieses Ganze als Theaterstück konzipiert, eine die einzelnen Partien zumindest verbindende Handlung, der, gerade weil sie von Anfang an funktionell ist, engere Grenzen als im allgemeinen üblich gesetzt werden müssen. Frisch wählt als Ansatzpunkt das geschichtliche Ereignis der Entstehung der Chinesischen Mauer, deren Erbauer, Kaiser Shi huang-ti, (2) sich ihm für die Darstellung des Problems besonders zu eignen schien.

Der eigentliche Grund, weshalb Frisch in der Geschichte soweit zurückgreift und weshalb er gerade China zum Schauplatz nimmt, liegt wahrscheinlich darin, dass er damit rechnet, dass die wenigsten seiner Zuschauer bestimmte Vorstellungen an das Ereignis des Baus der Chinesischen Mauer knüpfen und er sich somit in der Gestaltung weitgehend frei bewegen kann, was ihm die Wahl von zeitlich näherliegendem Geschehen, zum Beispiel der Revolution oder des Zweiten Weltkriegs, oder bekanntem Schauplatz, zum Beispiel Rom oder Spanien, von vornherein verbieten würde. Durch die zeitliche Distanzierung gelingt es Frisch auch, in besonders eindringlicher Weise die allgemeine Gültigkeit des Problems zu demonstrieren. Die Masken, Napoleon, Columbus, Pontius Pilatus, Brutus, Philipp von Spanien vor allem, zeugen davon, dass es weder auf einen bestimmten Raum noch auf eine bestimmte Zeit beschränkt ist, dass es vielmehr im Wesen des Menschseins verankert ist. (3)

Ich habe festgestellt, dass das Stück aus verschiedenen Gesprächen zusammengesetzt ist, berichtigend ist beizufügen, dass es sich nicht um Gespräche in der Form der zwischenmenschlichen Auseinandersetzung handelt, sondern dass es wie schon oft die Gedanken eines einzelnen sind, die er in Gegenwart einer oder mehrerer Figuren ausspricht. Der Unterschied zu den andern Stücken liegt vor allem darin, dass die Reden eher als Vortrag denn als Monolog wirken. Die Bühne ist Podium und nicht Schauplatz eines innermenschlichen Konflikts. Frisch unterstreicht dies nicht nur durch die Reden des Heutigen, sondern auch durch die Stellung seiner Person im Stück. Er ist, hauptsächlich zu Beginn, Spielleiter und Hauptfigur in einem. (4) Der Zuschauer soll erkennen, dass, auch wenn er sich in den Gesprächen auf gleicher Ebene mit den übrigen Figuren befindet, was er ausspricht, die Demonstration seines eigenen Weltbildes, das heisst das des heutigen Menschen ist und dass das Geschehen auf dem Schauplatz des chinesischen Hofes nur als illustrierendes Beispiel gedacht ist. Seine fortschreitende Integration deutet die Entwicklung des Problems und zugleich den Schluss des Stücks an; er, der den Konflikt heraufbeschworen hat, erkennt beim Versuch einer Lösung, dass er zwar das Mittel zu seiner Aufhebung kennt - er zeigt den Herrschenden aller Zeiten die Gefährlichkeit der zentralisierten Macht und warnt sie davor wiederzukommen (5) -, dass er aber allein die Aufhebung nicht bewirken kann. Sein Zusammenbruch in der letzten Szene lässt darauf schliessen, dass er resigniert und sich Mee Lan, die er zu Beginn zu sich heraufziehen wollte, unterordnet.

Frisch gibt dem Stück die Form, die die geringen dramatischen Möglichkeiten seines Inhalts voll entfaltet, das heisst die Form des abendfüllenden Einakters. Dem

eigentlichen Spiel setzt er "das Vorspiel" voraus, das diesmal weniger die Personen einführt - der Heutige, der in dieser Szene nur als Spielleiter agiert, liest
die Liste der Mitspielenden herunter -, als vielmehr auf die Problematik des
Spiels vorbereitet. Das Spiel selbst teilt er in vierundzwanzig Szenen ein, die er
ohne zeitlichen Unterbruch oder räumlichen Wechsel - die notwendigen Veränderungen des Bühnenbildes werden während des Spiels vorgenommen - aufeinander
folgen lässt. (6) Anfang und Ende der Szenen werden durch die Auftritte und die
Abgänge gesetzt.

Die Form der ungebrochenen Szenenfolge bringt wie gesagt die dem Inhalt des
Stücks eigne schwache Dialektik zum Ausdruck und verleiht ihm dadurch ein leichtes
dramatisches Gefälle. Die dramaturgischen Ideen, die Frisch im Stück ausarbeitet -
es gehören dazu die Figur des Heutigen und die Masken, ihre zum Teil nach
Shakespearscher und Schillerscher Manier geformte Sprache, (7) das Heraustreten
der einzelnen Personen, der Prozess um Min Ko, die Stimme des Volkes, wie das
turbulente Leben am Kaiserhof überhaupt -, lockern die oft sehr langen und an-
spruchsvollen Ausführungen des Heutigen auf. Das Motiv der Suche nach der Stimme des Volkes, das das ganze Stück durchzieht, erweckt zudem eine doch spürbare
Spannung auf den Ausgang: Mit all diesen Mitteln versucht Frisch das Stück für die
Bühne möglich zu machen. Es muss ihm denn auch zugestanden werden, dass er
die dem Inhalt angepasste Form findet, indem er ihn nicht gliedert, sondern als
nicht endenwollendes Spektakel vorführt, und dass er im weitern mit der Form des
Vortrags, dem oberflächlich der Anstrich des Dialogs gegeben ist, auch die für den
Inhalt geeignete Ausdrucksmöglichkeit schafft. Trotzdem kommen schon beim Lesen des Dramas Zweifel auf darüber, ob Frisch mit diesem Stück, das sich zwar
als einheitliches Ganzes anbietet, in seiner Anlage, das heisst in der Art und dem
Ausmass, wie es das ihm inneliegende Gedankengut präsentiert, an den Zuschauer
nicht zu grosse Anforderungen stellt und seine Aufnahmefähigkeit und Geduld über-
beansprucht - denn beide sind, wie es die eigene Erfahrung lehrt, nur beschränkt
vorhanden. (8)

8. DIE EINAKTER

Die am Schluss der Untersuchungen zur "Chinesischen Mauer" geäusserten Zweifel
an der Theaterwirksamkeit des Stücks verstärken sich noch, wenn man es dem Einakter "Biedermann und die Brandstifter" gegenüberstellt. Der Vergleich ist be-
rechtigt: Auch mit "Biedermann" wendet sich Frisch demonstrierend und mahnend
an die Oeffentlichkeit, wie in der "Chinesischen Mauer" soll auch hier das Vorgeführte den Zuschauer veranlassen, über seine eigene Welt kritisch nachzudenken.
Nach den ersten Szenen schon wird jedoch der Unterschied deutlich: Frisch verzichtet darauf, dem Zuschauer das, worum es ihm geht, in langen Abhandlungen
einzuprägen; was sich also in der "Chinesischen Mauer" als besonders belastend
erwiesen hat und das Stück von vornherein an die Grenzen des noch Aufführbaren
drängte, fällt hier nicht ins Gewicht. Die Gedanken des Dichters finden in der Handlung ihren Niederschlag, das heisst sie werden vor allem im Gebaren der Personen
deutlich, was dem Wesen des Schauspiels um vieles besser entspricht. Dass Frisch

sich auch in "Biedermann und die Brandstifter" nicht ganz auf die Aussagekraft dieser indirekten Demonstration verlässt, dass er offensichtlich bezweifelt, ob sie auf die von ihm angestrebte Weise auf den Zuschauer wirkt, wird aus der Rolle des Chors ersichtlich. Er setzt damit ein Mittel ein, dessen Funktion es von jeher gewesen ist, das Geschehen zu erläutern und vor den Folgen zu warnen, und das sich deshalb ohne weiteres in den Vorgang einschalten lässt. (1) Im Gegensatz zum Heutigen, der denn auch an seiner Doppelrolle scheitert, bleibt der Chor ausserhalb des Spiels, er mischt sich höchstens als Mahner, nie aber selbst ins Geschehen ein. Frisch hebt das Stück also durch die Verwendung des Chors aus den Grenzen des engagierten Dramas, das es seiner Handlung nach ist, heraus und verleiht ihm, dem Lehrstück ohne Lehre, den ausgesprochen parabelhaften Charakter. (2)

Auf die Gliederung des Stücks und auch darauf, dass es mit seinem Geschehen von Anfang an auf das Ende, die Katastrophe, ausgerichtet ist und demzufolge einen bei Frisch ungewöhnlich grossen Spannungsbogen besitzt, habe ich bereits hingewiesen. (3) Aus den angestellten Untersuchungen wie auch aus dem kurzen Vergleich mit der "Chinesischen Mauer" ergibt sich der Schluss, dass das Stück, da es keine einzige Bruchstelle aufweist, mit "Andorra" zusammen zu den gelungensten Theaterstücken Frischs gehört; was der Erfolg der vielen Aufführungen auch bestätigt. Das Gelingen ist aber nicht allein auf die Form des Einakters zurückzuführen, die den dem Dichter wichtigen Inhalt in rascher Folge - und deshalb der Bühne angepasst - und trotzdem bedeutungsträchtig ausdrückt; mitbeteiligt daran, wenn nicht sogar dafür verantwortlich ist die Form der Aussprache, die in stärkerem Masse als in den übrigen Dramen zwischenmenschliche Aussprache ist. Ausschlaggebend dabei ist, dass Frisch sein Anliegen hauptsächlich in der Handlungsweise Biedermanns deutlich macht und dadurch den Dialog entlastet, das heisst ihn auf die Handlung konzentrieren kann. Diese wird denn, so spärlich sie auch vorhanden ist, (4) grösstenteils im Gespräch entwickelt, wodurch das Stück in bei Frisch wiederum unbekanntem Ausmass dialektisch wirkt. Dass Frisch den Dialog diesmal der Aufgabe, sein eigenes Gedankengut so direkt wie möglich wiederzugeben, enthebt, hat eine im Vergleich zu früheren Stücken veränderte Form des Ausdrucks zur Folge. (5) Die Personen äussern sich nicht mehr in oft seitenlangen und eher schwerfällig anmutenden Reden, sondern unterhalten sich in kurzen Sätzen, vielfach nur in Satzfragmenten und einzelnen Wörtern, die sie abwechslungsweise schlagartig aufeinander folgen lassen; selten sprechen sie mehr als vier Sätze. Der Dialog erhält dadurch einen hektischen Zug. Frisch unterstreicht damit, was die Form des Einakters schon andeutet: erstens dass die Ereignisse, die zur Katastrophe führen, sich überstürzen, wenn Biedermann sich erst einmal auf dem Weg dahin befindet, und zweitens dass die Katastrophe, Folge seines Handelns, unabwendbar ist. (6)

Der zweite Einakter, "Die grosse Wut des Philipp Hotz", besitzt wieder ausgesprochen demonstrativen Charakter, was am Anfang schon dadurch ausgedrückt wird, dass Philipp Hotz sich die längste Zeit allein auf der Bühne befindet. Gesprächspartner sind zwar anwesend, zum Beispiel Dorli, die in den Kasten gesperrt ist, und die Jumpfer, dann vor allem das Publikum, doch bleiben sie meist stumm. Hotz demonstriert seine grosse Wut, die im Verhalten Dorlis begründet ist und die darum in der Verzweiflung über die Ehe endet. Das Stück war bei weitem nicht so erfolgreich wie "Biedermann und die Brandstifter", was wohl in erster Linie auf seinen recht dürftigen Inhalt zurückzuführen ist, der der Länge des Schwankes, obwohl er kürzer ist als das Lehrstück, nicht standhält. Es ist anzunehmen, dass Frisch die Gefahr, die dem Stück gerade aus seinem gleichförmigen Verlauf erwuchs, erkannte und ihr mit einem überraschenden Ende begegnen wollte. Nur so ist der Ausbruch Hotz', den er lange angekündigt hatte, zu dem er sich aber nie entschliessen konnte, kurz vor dem Ende zu verstehen. Inhaltlich ist er durchaus zu verantworten, formal aber unzulässig. Der Schluss wird dadurch vom Vorhergehenden abgetrennt und erscheint als Nachspiel - das allerdings nicht als solches gekennzeichnet ist -, in dem völlig andere Regeln gelten. Der Schauplatz, bis dahin unverändert, wechselt in den letzten Minuten sechsmal, es scheint, als ob das turbulente Ende mit seiner Handlung, die für ein abendfüllendes Drama ausreichte, für den monotonen Hauptteil entschädigen sollte. (7)

"Die grosse Wut des Philipp Hotz" ist meines Erachtens das einzige Stück Frischs, das von Inhalt und Form her vollkommen bedeutungslos ist und deshalb zu Recht heute schon in Vergessenheit geraten ist. (8)

IV. FRISCHS DRAMATURGIE DER VARIATION

Frisch stellt in den Mittelpunkt der 1965 gehaltenen Schillerpreis-Rede das Verhältnis des modernen Dichters zum Theater, das sich, obwohl "unser Lebensgefühl ein ganz anderes" geworden ist, seit mehr als einem Jahrhundert kaum verändert hat. Er kritisiert dabei in erster Linie, dass dem Schauspiel, soll es Erfolg haben, eine Fabel zugrunde gelegt werden müsse, "die den Eindruck zu erwecken sich bemüht, dass sie nur so und nicht anders hätte verlaufen können", alles Zufällige erscheine, meist auch dem Schauspieler und dem Regisseur, als dramaturgischer Makel. Tatsächlich summiere sich das Leben aber aus "Handlungen, die oft zufällig sind, und es hätte immer auch anders sein können, es gibt keine Handlung und keine Unterlassung, die für die Zukunft nicht Varianten zuliesse". So ergibt sich denn auch auf der Bühne das Geschehen des letzten Akts "nicht zwingend aus einer Peripetie, sondern aus einer Summe von Zufällen, und eine Gesetzmässigkeit, die sich freilich erkennen lässt für die grosse Zahl, hat Wahrscheinlichkeitswert, aber nicht mehr".

Frisch sieht also die Aufgabe des modernen Dichters darin, nach einer Dramaturgie zu suchen, die die "Zufälligkeit akzentuiert", er gibt ihr die vorläufigen ("ich weiss nicht") Bezeichnungen "Dramaturgie des Unglaubens; eine Dramatik der Permutation". Es ist dies nicht das erste Mal, dass Frisch sein Unbehagen über das bestehende Theater ausdrückt, (1) aber es ist meines Wissens das erste Mal, dass er sich einigermassen konkret über seine Veränderung äussert und der noch herrschenden Dramaturgie der Peripetie, der Dramaturgie der Fügung einen fassbaren Begriff entgegenhält. (2) Dass Frisch sich schon geraume Zeit vorher mit Gedanken dieser Art getragen hat, beweist die Komposition des bereits 1964 erschienenen Romans "Mein Name sei Gantenbein", in der Frisch selbst "Ansatzmöglichkeiten zu einer Dramaturgie, die den Zufall, als Element der Beliebigkeit, in unser Kunst-Spiel einbezieht", (3) zu sehen meint. Auf der Bühne realisiert oder, wie Frisch sich ausdrückt, zu realisieren versucht, erscheint diese Dramaturgie zwei Jahre nach der Rede mit Frischs bisher letztem Theaterstück, der "Biografie". Die Wesenszüge der Dramaturgie, die dem Werk seine Sonderstellung unter den übrigen Dramen Frischs und im heutigen dramatischen Schaffen überhaupt verleiht, versuche ich im Anschluss an die folgenden Ausführungen herauszuarbeiten. Im weitern sei sie auch auf ihre Eignung für die Bühne geprüft.

Zuerst möchte ich jedoch einen Artikel erwähnen, auf den Max Frisch mich freundlicherweise hingewiesen hat, als ich mich nach den Grundlagen seiner neuen Dramaturgie erkundigte und ihn fragte, ob sie auf eigner Idee beruhe oder sich aus fremdem Anstoss entwickelt habe. Dass er mir dabei den Artikel von Martin Walser, "Theater als Seelenbadeanstalten", genannt hat, der allerdings erst am 29. September 1967 in der "Zeit" erschien (Uraufführung in Zürich am 1. Februar 1968!), dafür möchte ich ihm an dieser Stelle nochmals danken. Da der Artikel Frischs neuen dramaturgischen Kurs offenbar in entscheidender Weise mitbestimmt hat, (4) fasse ich ihn an dieser Stelle in seinen wichtigsten Gedankengängen zusammen.

Walser geht von der Erkenntnis aus, dass in unserem Kunstvokabular noch immer
die von der Klassik übernommene Einteilung in "Kunst und Leben, Kunst und Wirklichkeit, Kunst und Natur" üblich ist. Er spricht den Marxisten das Verdienst zu,
als erste diese Tradition untersucht zu haben, "ohne vom Tempelstück gelähmt zu
sein". Auch ihnen, auch Brecht, ist es nicht gelungen, "jene komische Einteilung"
zu überwinden: "Brecht hat zwar Stücke gemacht, die keine biederen Abbildungen
mehr sind zur Erzeugung einer Illusion; seine Stücke sind schon reine Bühnen-
produkte, die nur noch das Beispiel geben... aber immer noch soll das Stück ein
Zerr-Abbild sein, eine aufklärerische Aehnlichkeit ist beabsichtigt. So ist es, so
geht es zu, aber so soll es nicht zugehen, ändert das gefälligst." Brecht ist zugute
zu halten, dass er "die Regeln dem Zweck unterwarf und anpasste", (5) doch gerade er hat vor allem mit seinen theoretischen Aeusserungen, weniger mit den
Stücken, zum Theater, das "mit dem Material der Kunst" Wirklichkeit vortäuscht,
verleitet. Seine "Nachgeborenen" befreien ihre "irdische Erfahrung" von der Ver-
packung, mit deren Hilfe Brecht seine Moral spielbar machte, (6) und bringen den
"wirklichen Prozess fast getreu und möglichst moralisch entblösst auf die Bühne",
die damit zum Transportmittel zwischen Künstler und Zuschauer wird - und sie
trennen damit die Bühne ein weiteres Mal von der Wirklichkeit. Hier liegt für
Walser der Ansatzpunkt für ein neues Missverständnis des Theaters: "Auf dieser
Dokumentations- und Parabel-Bühne wird ja Kunst gemacht. Und Kunst ist wieder
eine andere Welt. Auch auf dieser Bühne findet nichts Wirkliches statt. Auch auf
ihr findet wirklich nichts statt." Er führt darauf aus, wie er sich das Theater,
das die Gefahr eines Missverständnisses nach Möglichkeit nicht aufkommen lässt,
vorstellt: "Ich sähe gern das Theater befreit von seinen Kunstzwängen und Ab-
bildungslasten. Nicht das ganze Theater von mir aus; aber einen Teil der Spiel-
energie könnte man doch wieder in Bewegung setzen Richtung Zukunft. Die Selb-
ständigkeit der Theateraufführung gegenüber allem realen Vorkommen sollte angestrebt werden. Das heisst: was auf der Bühne gespielt wird, ist selber Wirklichkeit; eine Wirklichkeit aber, die nur auf der Bühne vorkommt. Also kein Abbild
mehr aus anderem Material. Keine ideologische Trennung zwischen Kunst und
Leben. 'Et hic vita est...' Und nicht nur nachgemachtes Leben, sondern originales." Er nennt dieses Theater Bewusstseinstheater.

Die Anhaltspunkte dafür hat er in Stücken "aus allen Theaterliteraturen" gefunden:
Sie zeigen ihm zwar, "dass die Autoren sich ... einer schon durchgescheuerten
Konvention (den Theatergesetzen) fügten und Figuren in einer nachgemachten Welt
agieren liessen"; die Figuren selbst aber lassen ihn vermuten, dass es sich bei
ihnen um Bewusstseinsprotagonisten des Autors handelt. Als Beispiele führt er
Karl und Franz Moor sowie Puntila und Matti an. (7) Dann vor allem die grössten
Shakespeare-Stücke, Othello, Hamlet, Lear, den Sturm und Romeo und Julia,
die "am reinsten auf dem Schauplatz des Bewusstseins angesiedelt" sind. Am
Schluss seiner Ausführungen deutet Walser an, wie die "Fabeln oder Handlungen"
des Bewusstseinstheaters beschaffen sein müssten und welche Veränderungen bei
den Figuren anzubringen wären. Walser ist der Meinung, dass "unsere gesellschaftliche Lage, unsere politische Lethargie, unsere bodenlosen Vokabulare ..."
andere Handlungen forderten als die der raffinierten Nachäffung. Mit Vorschlägen,
nach welchen Gesichtspunkten Fabel oder Handlung auszuwählen seien, ist er eher

zurückhaltend: "Man kann anfangen wie Handke, mit 'Publikumsbeschimpfung' und 'Selbstbezichtigung'. Aber man muss wünschen, dass wir weiterhin Handlungen spielen können. Allerdings nicht Handlungen, die so ritual sind, dass sie nur noch als garantiert wirkungslose moralische Schaugymnastik konsumiert werden können. Wenn es darauf ankäme, das Bewusstsein eines Mitbürgers, also das eigene Bewusstsein auf die Bühne zu bringen, dieses unschuldig gemachte Zuschauerbewusstsein, dieses von Zeitung und Regierung wohlkonditionierte Bewusstsein, das gern täuscht und sich täuschen lässt, dann wäre 'Handlung' vom Uebel. Stagnation, diskontinuierliche Stationen, Sackgassen, lebensgefährliche Idylle, montierte Kontrastfetzen... das alles taugte eher als 'Handlung'."

Die Figuren des modernen Dramas sind nach Walser vor allem dadurch belastet, dass sie zu bekannt sind. "Das Theatergesetz zwingt die Autoren offenbar dazu, ihre Figuren mit dem grellen Bekanntheitsgrad der alten Grossfiguren konkurrieren zu lassen. Deshalb hat man als Theaterbesucher den Eindruck: Es gibt überhaupt nichts Bekannteres als den Menschen... Das schwer entscheidbare Dickicht des menschlichen Bewusstseins wird gelichtet und gestutzt; dass überall die Sonne des leichtesten Verständnisses durchscheinen kann." Walser stellt darum für die Bühnenfigur des Bewusstseinstheaters als erste Bedingung, dass sie "so schwer verständlich" sei "wie jeder wirkliche Mensch, wie jedes wirkliche Bewusstsein".

Den ohne grossen Zusammenhang aneinandergereihten letzten Sätzen Walsers ist zu entnehmen, dass der Autor sich nicht frei für das Bewusstseinstheater entscheiden kann, dass ihm von seiner Person her Grenzen gesetzt sind: "Ich glaube, das Bewusstsein verlangt nach Ausdruck erst, wenn es zuviel Erfahrung hat." (8) Walser weist deshalb auch darauf hin, dass ein Stück, das seine Intimität zum Bewusstsein seines Autors vorweise, mehr Anlass haben müsse als eine Meinung oder ein Willen. Auch für sie, für das Engagement des Dichters also, sieht er jedoch im Bewusstseinstheater bessere Ausdrucksmöglichkeiten als im Imitiertheater.

Ich habe zu Beginn des Kapitels erwähnt, dass Frischs zunehmendes Misstrauen gegenüber der traditionellen "klassischen" Dramaturgie, die er Dramaturgie der Fügung, der Peripetie nennt, und damit gegenüber dem Theater überhaupt darin gründet, dass sie jede Zufälligkeit ausschliesst, dass sie als glaubwürdig nur zulässt, "was im Sinn der Kausalität zwingend ist". (9) Die starre Geradlinigkeit des dramatischen Geschehens, dem durch den Rahmen der Bühne noch engere Grenzen gesetzt sind als dem wirklichen Leben, ist ihm vor allem im Vergleich der fertigen Aufführung mit den ihr vorangehenden Proben bewusst geworden: "Wie im Leben, Einläufigkeit anstelle der Auffächerung... ich meine: es unterläuft Imitation von Leben, das ja dadurch gekennzeichnet ist, dass in diesem Moment immer nur eine einzige von allen Möglichkeiten sich realisiert, nicht einmal unbedingt die wahrscheinlichste, diese aber unwiderruflich, eben geschichtlich..." - Langweilt ihn auch die vollkommene Imitation der Aufführung, so faszinieren ihn doch die Proben, "vor allem die frühen, wo die szenische Realisation eben erst entworfen wird", weil in ihnen Varianten erscheinen. Damit wird deutlich, dass der Gedanke an eine neue Dramaturgie Frischs Bedürfnis, "die Proben-

Faszination zu erhalten in der Aufführung, indem die Varianten im Stück selbst angelegt wären", (10) entsprungen ist. Er ist der Ansicht, und es lässt sich damit ein erster Bezug zu Walsers Ausführungen herstellen, dass gerade ein solches Stück sich um vieles besser in den Rahmen der Bühne einfügt als ein Stück, das nur wirkliches Leben imitiert. Und seine Erklärung überzeugt: "die einzige Realität auf der Bühne besteht darin, dass auf der Bühne gespielt wird. Spiel gestattet, was das Leben nicht gestattet. Drum brauchen wir es ja so dringlich. Was zum Beispiel das Leben nicht gestattet: dass wir die entsetzliche Kontinuität der Zeit aufheben; dass wir gleichzeitig an verschiedenen Orten sein können; dass sich eine Handlung unterbrechen lässt (Song, Chor, Kommentar usw.) und erst weiterläuft, wenn wir ihre Ursache und ihre möglichen Folgen begriffen haben; dass wir eliminieren, was nur Repetition ist usw." (11) Wichtig ist auch die Erkenntnis, dass das Theater seinem Wesen nach die Realität nur reflektiert, nicht imitiert: "Nichts widersinniger als Imitation von Realität, nichts überflüssiger; Realität gibt's genug." Man erkennt, dass Frisch damit mit den Ansichten Walsers übereinstimmt, auf den er sich dann auch wörtlich bezieht, wenn er das Imitiertheater - "(die Etikette stammt meines Wissens von Martin Walser)" - als "Selbstmissverständnis des Theaters" bezeichnet, und ein zweites Mal, wenn er mit dem Namen Walser den Begriff Bewusstseinstheater in Zusammenhang bringt: "das heisst, wenn ich richtig verstanden habe: Darstellung nicht der Welt, sondern unseres Bewusstseins von ihr". (12) Mit diesem Satz findet die Entwicklung der in der Schillerpreis-Rede angedeuteten blossen Idee einer "Dramaturgie des Unglaubens; einer Dramatik der Permutation" (13) bis zu ihrer erstmaligen Realisierung auf der Bühne ihr vorläufiges Ende. Ich habe versucht, sie anhand von Frischs eigenen Aeusserungen so genau wie nur möglich zu verfolgen. Es wird noch zu untersuchen sein, wie Frisch Walsers Begriff vom Bewusstseinstheater mit seinen Vorstellungen vom Variantentheater (14) zur Dramaturgie, wie sie in der "Biografie" erscheint, verbindet.

Den Untersuchungen über dieses letzte Stück Frischs stelle ich folgende Bemerkung voraus, da sie mir seine Situation besonders klar zu erfassen scheint. Sie ist einem Brief Frischs an Walter Höllerer entnommen: "Paul Valéry schrieb einmal, dass alle ersten Versuche, über das Gewohnte hinauszukommen, im Rückblick als äusserst zaghaft erscheinen, erstaunlich wenig radikal. Alle? Meiner gewiss." (15)

Frisch legt seinem Spiel eine Fabel zugrunde; und zwar den Abschnitt von Kürmanns Biografie, den man mit "Episode Antoinette" überschreiben könnte. Sie beginnt also, wenn Kürmann und Antoinette zum erstenmal zusammentreffen, und endet, wenn sie sich trennen. Der Umstand, dass die Trennung, nachdem Vergangenheit und Zukunft Kürmanns (16) sowie die Zeit seiner Ehe in abendfüllender Darstellung vorgeführt worden sind, schliesslich wenige Stunden nach der Bekanntschaft erfolgt, weist auf den speziellen Charakter der Handlung und auf ihre höchst komplizierte Struktur hin. Die Eigenart des Stücks ist darin begründet, dass seine Fabel sich nicht wie üblich in eng abgesteckten Bahnen, deren Anfang und Ende genau festgelegt sind, bewegt, sondern aufgefächert ist in die ihr innieliegenden Möglichkeiten: "Kürmann, der Protagonist... kann nochmals wählen, d.h. er kann Geschichte aufheben." (17) Frisch will also nicht die Biografie eines Mannes

aufzeigen, die eben so und so war und auch in Wirklichkeit so hätte sein können -
mit dem Unterschied, dass im Spiel Fehler offensichtlicher sind und Lehre sich
besser herauskristallisiert, als es im Leben der Fall ist -; er braucht sie im
Gegenteil, um bewusst zu machen, wie sehr sie sich als Gegenstand der Bühne von
der Wirklichkeit abhebt, und er führt dem Zuschauer zugleich die Mittel vor, mit
denen sie verändert wird. Das heisst, dass die Fabel selbst vollkommen neben-
sächlich ist, es könnte dem Stück ohne weiteres auch die Biografie eines andern
Menschen oder besser noch ein einziges Erlebnis zugrunde gelegt werden, sie
dient Frisch diesmal nur als Gerüst für seine neue Dramaturgie, er benötigt einen
Stoff, um zu demonstrieren, dass "was auf der Bühne gespielt wird, selber Wirklichkeit ist; eine Wirklichkeit aber, die nur auf der Bühne vorkommt". (18) Das
Besondere an der Wirklichkeit der "Biografie" ist, dass in ihr Zufall und damit
Variation nicht nur möglich sind, sondern dass sie sie überhaupt erst ausmachen;
dass in ihr gestattet ist, was das Leben nicht gestattet: Kürmann kann die "entsetzliche Kontinuität der Zeit aufheben", (19) er kann nochmals wählen.

Frisch gibt folgende Beschreibung des Bühnenbildes: "Wenn der Vorhang aufgeht:
Arbeitslicht, man sieht die ganze Bühne, in der Mitte stehen die Möbel, die bei
Spiellicht ein modernes Wohnzimmer darstellen." (D 699) Im Vordergrund links
steht ein Pult, "das nicht zum Zimmer gehört". Das Wohnzimmer ist der Ort, auf
dem Kürmann und Antoinette die verschiedenen Varianten durchproben, die die
verzweifelten Versuche Kürmanns sind, einem Leben mit Antoinette, der Ehe mit
ihr zu entgehen. Er hat sie kennengelernt, als man ihn "einen Mann auf der Höhe
seiner Laufbahn" - er war eben Professor geworden - mit einer "Surprise-party"
feierte (D 707). Da dieser Abend (26. Mai 1960) - "Als die Gäste endlich gegangen
waren, sass sie einfach da. Was macht man mit einer Unbekannten, die nicht
geht, die einfach sitzen bleibt und schweigt um zwei Uhr nachts?" - (D 699) den
Verlauf der folgenden sechs Jahre seines Lebens bestimmt, setzt Kürmann mit
seinen Versuchen, die sechs Jahre zu annullieren, an diesem Zeitpunkt an. Er
muss verhindern, dass Antoinette die Nacht über bei ihm bleibt, wie er dies er-
reichen will, ist ihm freigestellt - an eine Spielregel muss er sich halten: "Sie
haben die Genehmigung, nochmals zu wählen, aber mit der Intelligenz, die Sie nun
einmal haben. Die ist gegeben. Sie können sie anders schulen ... Aber Sie können
ihre Reichweite nicht ändern, oder sagen wir: die Potenz ihrer Intelligenz, ihre
Wertigkeit." (D 720) Zeitlich sind ihm jedoch keine Grenzen gesetzt: Wie ihm die
Veränderung nach zwei, drei Anläufen nicht gelingt, führt ihm der Registrator
Momente aus seiner Vergangenheit vor Augen, die seiner Meinung nach Möglichkeiten zur Veränderung bieten. Er macht ihn aber auch auf die Folgen aufmerksam,
die sein anderes Handeln in diesen wichtigsten Augenblicken seiner Biografie für
die Zukunft bedingte: zum Beispiel würden die Flüchtlinge nicht gerettet, Katrin,
seine erste Frau, aber könnte leben. Kürmann hat sich an seine Schuld gewöhnt,
wie er sich an alles, was geschehen ist, gewöhnt hat, und ändert nichts. Das einzige, zu dem er sich entschliessen kann, ist, der Kommunistischen Partei beizu-
treten; zum einen, weil er nach allen Bemühungen darin die einzige Möglichkeit
sieht, das Zusammentreffen mit Antoinette zu verhindern: "Ein Mitglied der
Kommunistischen Partei wird nicht Professor hierzulande" (D 750) - die Party
wird also nicht stattfinden -, zum andern, um doch auf irgendeine Weise seine

Ueberzeugung durch eine Tat zu demonstrieren: dass die Biografie nur eine mögliche ist, "eine von vielen, die ebenso möglich wären unter denselben gesellschaftlichen und geschichtlichen Bedingungen und mit derselben Anlage der Person ... ob eine bessere oder schlechtere Biografie, darum geht es nicht. Ich weigere mich nur, dass wir allem, was einmal geschehen ist - weil es geschehen ist, weil es Geschichte geworden ist und somit unwiderruflich - einen Sinn unterstellen, der ihm nicht zukommt." (D 740) Kürmann versagt aber, gerade weil er sich vom wirklichen Geschehen nicht lösen kann, weil er nicht unbefangen handeln kann: da dieses einzige Bemühen, die Zukunft anders zu gestalten, fehlschlägt, er ist trotzdem Professor geworden, muss Kürmann im zweiten Teil einen neuen Anlauf nehmen, der, weil inzwischen deutlich geworden ist, dass er dem Gelebten den Sinn unterstellt, den er nicht wahrhaben will, von vornherein zum Scheitern verurteilt ist.

Auch der Morgen nach der Feier böte noch die Möglichkeit zur Veränderung, Kürmann selbst spricht es zu Beginn des zweiten Teils aus: "Ich weiss genau, was Sie jetzt denken. Aber Sie irren sich. Sie denken, ich tue immer wieder dasselbe, und wenn ich noch hundertmal anfangen könnte - aber Sie irren sich. Wir werden nicht aufs Land hinausfahren. Wir werden einander nicht kennenlernen. Es wird unser erstes und unser letztes Frühstück sein." (D 752) Antoinette geht wirklich, ohne Frühstück, Kürmann ist beeindruckt von ihr wie in der ersten Fassung, er will sie halten, denn mit dieser Frau, die er, wie er plötzlich erkennt, unterschätzt hat, muss durch anderes, überlegtes Verhalten ein Zusammenleben möglich sein. Obwohl der Registrator ihn warnt: "Sie werden sie wieder unterschätzen" (D 757), möchte Kürmann nochmals zurück, die Szene wird nochmals gespielt. Es bleibt bei der ersten Fassung. Von den vielen Ereignissen, die auf das gemeinsame Frühstück folgten, will Kürmann nur eines ändern, die Szene mit der Ohrfeige (2. Juni 1963), alles andere wird übernommen, wie es gewesen ist: "Wiederholen Sie einmal eine Freude, wenn Sie schon wissen, was darauf folgt!." (D 761) Kürmann verhält sich also im Auftritt mit Antoinette, die die Nacht nicht zu Hause verbracht hat "wie ein erfahrener Mann: einwandfrei" (D 772). Aber "der Tatbestand bleibt derselbe", und auch Antoinette ändert sich nicht, sie macht die Reise nach Sardinien, sie verlässt den andern Mann nicht - die erste Fassung von Kürmanns Biografie wiederholt sich: "Dieselbe Wohnung. Dieselbe Geschichte mit Antoinette. Nur eine Ohrfeige. Das haben Sie geändert. Ferner sind Sie in die Partei eingetreten, ohne deswegen ein anderer zu werden. Was sonst? Und Sie halten einigermassen Diät. Das ist alles, was Sie geändert haben, und dazu diese ganze Veranstaltung!" (D 783) Kürmann ist da angelangt, wo er sich zu Beginn "dieser ganzen Veranstaltung" befunden hat; er kann von sich aus keine Lösung finden, weil er sich nicht zur Gegenwart, sondern zu einer Erinnerung verhält: "Das ist es. Sie meinen die Zukunft schon zu kennen durch Ihre Erfahrung. Drum wird es jedesmal dieselbe Geschichte." (D 708) Am Schluss erhält Antoinette die Möglichkeit, noch einmal anzufangen, und sie weiss, was sie anders machen muss in ihrem Leben: Die Szene nach der Feier wird nochmals gespielt. Wenn das "heitere Geklimper" der Spieluhr verklungen ist, geht sie weg. Kürmann ist frei - "noch sieben Jahre..." (D 800) - bis zu seinem Tod.

Da ein klarer Ueberblick über die Gliederung und den Verlauf der Handlung in diesem Stück mehr als in den andern - weil sie sich hier auf den ersten Blick als so kompliziert und verwirrend erweist - Voraussetzung für das Verständnis seiner Form ist, habe ich es als notwendig erachtet, ausführlicher als sonst auf sie einzugehen. Dass auch der Handlungsablauf der "Biografie" linear ist, eine gewisse Sukzessivität ohne Zweifel besteht, darauf sei hier erst hingewiesen; dem Beweis dieser Behauptung stelle ich erstens eine Analyse der örtlichen und zeitlichen Verhältnisse und zweitens eine Betrachtung über Figur und Funktion des Registrators voraus.

1. Frisch bemerkt im Anhang zur "Biografie": "Das Stück spielt auf der Bühne. Der Zuschauer sollte nicht darüber getäuscht werden, dass er eine Oertlichkeit sieht, die mit sich selbst identisch ist: die Bühne." (D 856) Dem Zuschauer soll die Bühne als eine Oertlichkeit, die mit sich selbst identisch ist, bewusst gemacht werden. Setzt man diese Aeusserung in Beziehung zu der als Einführung des Kapitels dargelegten neueren Auffassung Frischs vom Theater, (20) so kann sie nur in einem Sinn gedeutet werden: Frisch will mit dem Bühnenbild die Eigenart des in ihm Dargestellten unterstreichen. So wie die Vorgänge auf der Bühne nicht Abbild der Wirklichkeit sein dürfen, sondern sich in einer auf den Rahmen der Bühne zugeschnittenen eignen Wirklichkeit abspielen müssen ("Die einzige Realität auf der Bühne besteht darin, dass auf der Bühne gespielt wird."), (21) so darf auch ihr Schauplatz nicht die dem Zuschauer vertraute Wirklichkeit abbilden. Der Charakter der Bühne, auf der eben Spiel und nicht Leben stattfindet, muss erhalten bleiben. Ein Zimmer zum Beispiel soll nur angedeutet oder aber, wie es in der "Biografie" der Fall ist, auf einen Teil der Bühne beschränkt sein. Die Tendenz, den Bühnenraum als Spielraum wirken zu lassen, ist lange vor der "Biografie" schon vorhanden: Für die "Chinesische Mauer" und für "Andorra" hat Frisch je ein Grundbild gewählt, das während des Spiels geringfügig den Vorgängen angepasst wird, bei beiden Stücken betont Frisch, dass die Bühne als solche erkennbar bleiben müsse. (22) In "Die grosse Wut des Philipp Hotz" zeichnet sich dann bereits die Idee von der in der "Biografie" aufgebauten Bühne ab. In beiden Stücken nimmt der Schauplatz der Handlung nur den mittleren Teil der Bühne ein, ist aber das "Zimmer einer modernen Mietwohnung" als Bühne auf der Bühne überhöht, befindet sich das "moderne Wohnzimmer" auf gleicher Ebene mit ihr. Im "Vordergrund links" ist wie erwähnt ein Pult aufgebaut, "das nicht zum Zimmer gehört" (D 699), es ist der Arbeitsplatz des Registrators. Die drei Hauptdarsteller bewegen sich hauptsächlich im Raum des Wohnzimmers und im Raum zwischen diesem und dem Pult. Die Ereignisse der Biografie, die sich nicht auf den Schauplatz des Wohnzimmers beziehen, im Spiel aber Bedeutung haben, so vor allem die Kürmann erinnerten Szenen seiner Jugendzeit und die Spitalszene, werden im freien Bühnenraum vorgeführt - das heisst Frisch deutet dem Zuschauer an, wie sie sich abgespielt haben, abspielen könnten, indem er die für die einzelnen Szenen wichtigen Personen in typischer Kleidung und mit den nötigen Requisiten auftreten lässt; er unterstreicht damit zugleich die Stellung dieser Szenen im Stück. Sie stehen am Rande des eigentlichen Geschehens, umrahmen es nur, denn Kürmann ist an ihnen nicht oder nicht mehr aktiv beteiligt, sie werden ihm von aussen zugeführt:

der Registrator macht ihn mit ihnen auf Möglichkeiten zur Veränderung seiner Biografie aufmerksam. Durch die Konzentration des Vorganges auf den einen Schauplatz, auf das Wohnzimmer, kann Frisch anderseits rein visuell die Befangenheit Kürmanns in seiner eigenen Geschichte deutlich machen. Der Registrator drückt sie in Worten aus, wenn er Kürmann verschiedene Male auf die ihm gegebene Möglichkeit hinweist, die neue Fassung seiner Biografie an einem beliebigen Ort zu versuchen. Kürmann jedoch wählt für die Proben den Raum, dem er mit all seinen Erinnerungen verhaftet ist. Damit wird zum einen Kürmanns Einstellung zum Experiment festgelegt, zum andern aber geschieht es aus dramaturgischer Notwendigkeit: Frisch braucht einen ruhenden Pol, auf den er die Handlung in ihrer ungeheuren Vielfalt und nicht gewohnten Unregelmässigkeit ausrichten kann. Die Varianten erhalten dadurch, dass sie alle im gleichen Raum durchgespielt werden, eine gemeinsame Grundlage, die vom Zuschauer auf den ersten Blick erkannt wird. Da das Publikum nicht - noch nicht? - auf diese Art Theater spezialisiert ist, erscheint ein solches Hilfsmittel, das ihm erlaubt, die einzelnen Abschnitte doch zu einem Ganzen zusammenzufügen, als unbedingt notwendig. Wahrscheinlich ist es aber auch Hilfsmittel für den Autor, der diese Wege des Theaters als erster begeht.

Auf andere Weise noch sucht Frisch das Geschehen auf der Bühne dem Verständnis des Zuschauers nahezubringen. Mit dem Wechsel von Arbeitslicht zu Spiellicht deutet Frisch den Charakter der jeweils folgenden Szene an: Das Arbeitslicht bezeichnet im Grund den Ort der Theaterprobe, das Spiellicht den Ort des Theaterspiels, wobei aber diese beiden Begriffe nicht ohne Vorbehalt gesetzt werden dürfen: Das Arbeitslicht, das die ganze Bühne erhellt, wird dann eingeschaltet, wenn der Registrator und Kürmann die gespielte oder die zu spielende Variante besprechen oder sich über Kürmanns Biografie und damit verbundene Problematik unterhalten, während das Spiellicht, das nur den Raum des Wohnzimmers erfasst und diesen aus dem Dunkel der übrigen Bühne heraushebt, das Spiel selbst, das heisst die Probe der Variante, kennzeichnet. Arbeitslicht wird somit verwendet bei den Szenen, die das Spiel oder die Handlung erläutern und erörtern - in dieser Funktion haben sie Aehnlichkeit mit der von Frisch geschätzten Theaterprobe -, das Spiellicht bei jenen, die die Handlung der "Biografie", das Spiel, entwickeln, denen aber, weil sie als Versuche angelegt sind, ebenfalls der Charakter der Probe anhaftet. Das Neon-Licht am obern Ende des Pults wird angezündet, wenn der Registrator aus dem Dossier, der geschriebenen Biografie Kürmanns, vorliest oder eine Aenderung darin einträgt. - Zusammenfassend lassen sich auf die Frage, warum Frisch in seinem neuesten Stück mit Lichteffekten arbeitet, zwei Gründe anführen:

1. kennzeichnet die Beleuchtung schon rein äusserlich den Probecharakter des Stücks.

2. ermöglicht sie eine erste Gliederung, die bei der komplizierten Anlage des Stücks leicht erkennbar sein muss.

Die zeitliche Struktur des Stückes erinnert an eine frühe Tagebuchstelle, wo Frisch vom Leben spricht als einer "Allgegenwart alles Möglichen", (23) die durch die Zeit in ein Nacheinander zerlegt wird. Es ist nicht das erste Mal, dass Frisch versucht, seine Vorstellung von der Zeit, die offenbar bis heute in ihm lebendig geblieben ist, auf der Bühne auszudrücken; die Idee, so wie er sie im Tagebuch formuliert hat, lässt sich hier jedoch bedeutend besser fassen als zum Beispiel in "Santa Cruz" oder in der "Chinesischen Mauer", denn die "Biografie", die Frisch als Versuch, "die entsetzliche Kontinuität der Zeit aufzuheben", bezeichnet, (24) ist nicht wie diese nur Spiel mit den Zeiten, sondern in erster Linie Spiel mit den Möglichkeiten. Kürmann steht für die Dauer des Spiels ausserhalb der Zeit und somit ausserhalb seiner Biografie. Sein Tun und Handeln ist nicht endgültig, nicht geschichtlich, sondern Probe zur Aufhebung oder Neugestaltung der Geschichte. Das Rechnen mit der Zeit beginnt für ihn erst am Schluss des Spiels wieder, wenn Antoinette ihn verlassen hat und also die sechs letzten Jahre aus seinem Leben gelöscht sind. - Ausserhalb der Zeit sein, heisst nicht zerlegt in ein Nacheinander, sondern eben allgegenwärtig sein. Die von Kürmann geprobten Varianten stellen Vergangenes, Gegenwärtiges und Zukünftiges auf die gleiche Stufe, denn sie zeigen, wie sich Kürmanns Leben in Wirklichkeit abgespielt hat, wie sich Kürmann im Moment des Spiels zu ihm stellt und wie es sein könnte, das heisst sie enthalten neben der möglichen Zukunft auch die mögliche Form der Vergangenheit.

Mehr noch als in den übrigen Dramen arbeitet Frisch in der "Biografie" also mit Zeitmontage, hat er sie früher nur an vereinzelten Stellen angewendet, (25) so erscheint nun das ganze Stück als Zeitmontage. Ob Frisch gelingt, was er damit bezweckt, nämlich die zeitliche Gleichsetzung von sich in Wirklichkeit folgenden Vorgängen, ob die Bühne dies in vollkommenem Masse überhaupt zulässt, wird noch zu untersuchen sein. (26)

Die Wiederholung, die zweite Möglichkeit, das Problem der Zeit in der Struktur des Stücks auszudrücken, braucht Frisch auch in der "Biografie" wie in den andern Stücken, um die Ohnmacht des in engem Raum gefangenen Menschen zu demonstrieren, des Menschen, der durch das Misstrauen der andern und durch die eigene Unsicherheit gehindert wird, auszubrechen und neu anzufangen. Es liegt in der Problematik, wie auch in Frischs neuer Auffassung vom Theater begründet, dass die Wiederholung, wie schon die Montage, die Form dieses Stücks stärker bestimmt als sonst, vor allem natürlich die Wiederholung einzelner Szenen - genauer: die Wiederholung der ersten Szene. In den sechs Versuchen, sie in ihrem Verlauf zu ändern, wird am Anfang schon deutlich - und damit sind sie Grundlage für den zweiten Teil -, was in andern Stücken bis zum Schluss aufgespart wird: dass sich alles wenig oder gar nicht verändert im Leben wiederholt. - Mit der letzten Probe dieser Szene, die ans Ende gesetzt ist, gelingt die beabsichtigte Veränderung, da sie aber auf völlig überraschende Weise durch Antoinette und nicht durch Kürmann erreicht wird und sie damit auf die Problematik keinen Einfluss nimmt, hebt sich die "Biografie" mit ihrer am Schluss wiederholten Szene nur scheinbar von den übrigen Stücken ab. Was schon aus den ersten Wiederholungen hervorgegangen ist, wird hier bestätigt; und es wird durch die Erkenntnis, dass das Experiment zwar das ihm zugedachte Ende gefunden hat, dass es aber auf anderem Weg als angenommen geschehen ist, noch akzentuiert: Kürmann, der seine Vergangenheit nicht ausschalten konnte, wird auch sein neues Leben auf ihr aufbauen. Anderseits scheint aber dieser

Schluss zwingend für Frischs ersten Versuch des Variantentheaters. Er geht
davon aus, dass auf der Bühne dem menschlichen Leben andere Regeln gelten
als in Wirklichkeit, dass hier, wie gezeigt worden ist, möglich ist, was das
Leben in seinem strengen Ablauf verbietet, und er will dies dem Zuschauer bewusst machen. Wenn er aber zum Schluss kommt, dass sich wohl das Leben,
nicht aber der Mensch für solche Experimente eignet, und dies auch folgerichtig
darstellt, stellt er das Theater inhaltlich nur, nicht formal in Frage. Daraus
lässt sich der Schluss erklären, durch den Kürmanns "Schicksalslauf" radikal
annulliert wird, wie Frisch es selbst bezeichnet. (27) Er legt den Inhalt für die
erstmals verwendete Form zurecht, indem er dem Stück die Lösung, die von
der ersten Szene an angestrebt worden ist, von aussen zuführt, zuführen muss,
da sie aus der Handlung, dem "Schicksalslauf" Kürmanns, nicht hervorgeht.
Der Schluss mag den Zuschauer, mehr wahrscheinlich noch den Leser verblüf-
fen, er liegt jedoch in den Grenzen des Möglichen, vom dramaturgischen Standpunkt aus: Das Variantentheater erlaubt auch diese Variante. (28)

Auffallend ist, dass die für das Experiment ausgewählten Abschnitte aus Kürmanns Biografie genau datiert sind. Der Registrator gibt, wenn er zu Beginn
aus dem Dossier vorliest, zuerst das Datum der Feier an, die nachher in verschiedenen Varianten durchgeprobt wird. Auch die erinnerten Geschehnisse der
Vergangenheit sind zeitlich bestimmt. (29) Gegen Ende des Stücks folgen sich
die Angaben immer schneller, die Varianten werden nicht mehr durchgespielt,
sondern nur angedeutet. Die Proben werden abgebrochen durch die Fragen Kürmanns: "Was ist in einem halben Jahr?", "Was ist in einem Jahr?" (D 776)
Sie sind voll Unruhe und Spannung gestellt und drücken aus, dass Kürmann seine
Situation erkannt hat, dass er sich seines Unvermögens, die Biografie zu ändern,
bewusst geworden ist. Gerade in diesem letzten Abschnitt wird die Funktion
der Daten deutlich: Sie drücken aus, wie sehr der Mensch in seinem Denken
von der Zeit abhängig ist. Kürmann, an keine Zeit gebunden, ordnet jedes Ereignis in ihren Ablauf ein und muss daher an dem Experiment, das ihn von jeder
zeitlichen Bezogenheit befreit, scheitern. Die Angaben ordnen das Geschehen
aber nicht nur für Kürmann, sondern auch für den Zuschauer, ausserdem sollen
sie immer wieder daran erinnern, dass bei diesen Experimenten nicht Gefühle,
nur Fakten wichtig sind.

Recht häufig werden mit den Daten, die Ereignisse in Kürmanns Biografie markieren, politische Ereignisse verbunden. Der Registrator entnimmt dem Dossier,
was sich zu einem bestimmten Zeitpunkt in der Welt zugetragen hat. "1963.
'Präsident Kennedy besucht West-Berlin/ Erdbeben in Libyen./ Fidel Castro
als erster Ausländer zum Held der Sovjetunion ernannt -'." (D 762) Er liest
dies, bevor die Szene wiederholt wird, in deren erster Fassung Kürmann
Antoinette geohrfeigt hat. Die "Nachrichten-Einblendungen" haben zu verschiedenen Vermutungen Anlass gegeben. (30) Frisch hat inzwischen selbst zu ihnen
Stellung genommen und in einem Brief an Walter Höllerer die Funktion der Ein-
blendungen erklärt: "Wäre diese Weltchronik nur eingeblendet, um die private
Affäre des Herrn Kürmann zu datieren, so wäre dieser blosse Kalender in peinlicher Weise überdimensioniert... Was die Nachrichten, die Sie zitieren, im
Bewusstsein des Zuschauers bewirken, ist zweierlei; einmal apostrophieren

sie die Irrelevanz, zugleich ironisieren sie auch diese geläufige oder zumindest geforderte Meinung, dass es nur eine Art von Relevanz geben könne. Eine kurze Szene ist mir in diesem Zusammenhang wichtig: in den gleichen Tagen, als Kürmann zu begreifen hat, dass er an Krebs eingehen wird, findet der Israel-Krieg statt. Was ist hier relevant? Die Todesgewissheit eines Ich und die Gefahr eines Weltkrieges, das ist inkommensurabel - ja - aber eben dieses Bewusstsein, diese unleugbare Erfahrung, dass Relevanz sich nicht nur auf einer Ordinate abspielt, schiene mir darstellenswert." (31)

Ich habe schon darauf hingewiesen, dass noch zu untersuchen sei, ob es Frisch wirklich gelinge, die Varianten allgegenwärtig und nicht sich folgend erscheinen zu lassen. Betrachtet man die Handlung, so wie sie präsentiert wird, so muss man den Stimmen, die einwenden, "dass, wenn man das Stück überblickt und überdenkt, eben doch die alte, spannungsgeladene Dramaturgie mit Höhepunkten, retardierenden Momenten etc. vorgeführt wird, im Gesamtablauf und auch in einzelnen Elementen, - nur etwas raffinierter", (32) zumindest teilweise rechtgeben. Wenn Frischs neue Dramaturgie auch weit entfernt ist von der klassischen, die das Geschehen auf diese Weise einteilt, so lässt sich eine auch in ihr vorhandene Sukzessivität nicht übersehen. Wenn Frisch für die Realisierung seiner neuen Dramaturgie den Stoff wählt, der mehr als irgendein anderer linear ist, die Biografie eines einzelnen Menschen nämlich, der zudem in jedem seiner Abschnitte zeitlich genau bestimmt ist, so muss er von Anfang an - das heisst die Erkenntnis kommt hier nicht erst mit der Arbeit - mit einer gewissen Sukzessivität des Darzustellenden rechnen. Sie wird zwar unterbrochen, "gestückelt", wie Höllerer es nennt, da Frisch in die Proben die verschiedenen Fassungen und zwischen sie weiterzurückliegende und zukünftige Ereignisse einblendet, in ihrer wirklichen wie in ihrer möglichen Form, schon während des Spiels erkennt man aber, dass die Proben, die Varianten, die Glieder einer Handlungskette sind, dass sie somit an einem Punkt der Biografie ihren Anfang nehmen und auf ein Ergebnis hinauslaufen. Auch über dieses Problem, das sich bei einer Untersuchung der Dramaturgie der "Biografie" als eines der ersten stellt, hat sich Frisch selbst geäussert: "Das ist richtig: die Sukzessivität bleibt in jeder einzelnen Phase, auch wenn diese in Variation wiederholt wird; jede Variante, als Aktion vorgeführt, ist eben als Aktion wieder sukzessiv. Und richtig auch: es bleibt Sukzessivität schliesslich im Ganzen, obschon sie, wie Sie sagen, gestückelt wird, und somit landen wir doch wieder im Gewohnten. Es kommt sogar noch schlimmer: durch dieses stete Anspielen von Varianten, von Möglichkeiten anderen Verhaltens, die dann doch nicht verwirklicht werden, erscheint die Sukzessivität dessen, was schliesslich stattfindet, noch zwingender - ich war bei der Arbeit konsterniert: Das wird ja genau, was ich nicht wahrhaben will, ein Schicksalslauf!" (33)

Frisch deutet im weiteren an, dass, wie erst Proben und Aufführungen - wider Erwarten - zum Ausdruck gebracht haben, "der fiktive Charakter ('Ich stelle mir vor') in der Erzählung leichter zu sichern" sei als auf der Bühne. "Sobald gespielt wird, und sei die Varianten-Szene noch so kurz, gilt es als geschehen." (34) Ein Mittel, die gespielte Variante, soweit es das Theater erlaubt, nur als möglich und nicht als endgültig und damit auch eher losgelöst vom zeitlichen Ab-

lauf erscheinen zu lassen, sieht Frisch darin, dass "die Möglichkeiten nicht in
Aktion umgesetzt werden, sondern statuarisch bleiben. Weil die Aktion, wie gesagt, immer sukzessiv ist, die Assoziation nicht." (35) Ansätze von nur statuari-
schen Möglichkeiten finden sich auch in der "Biografie", sie sind in die Szenen,
die das Vergangene im Zusammenhang vorführen, also Möglichkeiten in Aktion
umgesetzt haben, eingeschlossen. Es sind die im Spiel nur angedeuteten, oft fast
nur erwähnten wichtigen Ereignisse aus Kürmanns Kindheit und Jugendzeit, die
mit einzelnen Personen erinnert werden: mit Rotz, dem Korporal, Helen, dem
Vater, der Mutter zum Beispiel. Da sie das Geschehene nur als Eindruck, Assoziation, und nicht in seinem ganzen Ablauf, nicht als Aktion, wie es die Proben
im allgemeinen tun, vermitteln, sind sie auch nicht in gleicher Weise in den
Zeitablauf eingespannt wie diese; sie sind - und damit würden sie den Forderungen der neuen Dramaturgie, die in der "Biografie" nur teilweise erfüllt
werden, entsprechen - nicht sukzessiv.

2. Da der Registrator in der Dramaturgie der "Biografie" eine äusserst wichtige
   Funktion besitzt, er hebt das Spiel auf die Ebene des Bewusstseinstheaters, wie
   die Kritik (36) andeutet eine vielleicht zu wichtige, möchte ich mich abschlies-
   send dieser Figur zuwenden und sie vor allem in dieser Funktion untersuchen.
   Die Ausführungen geben auch die Antwort auf die noch offene Frage, wie Frisch
   Walsers Theorie vom Bewusstseinstheater in die Praxis umsetzte. (37)

   Frisch hat die Funktion des Registrators an zwei Stellen recht genau umrissen.
   Im Anhang zum Drama schreibt er: "Der Registrator, der das Spiel leitet, vertritt keine metaphysische Instanz. Er spricht aus, was Kürmann selber weiss
   oder wissen könnte. Kein Conférencier; er wendet sich nie ans Publikum, sondern assistiert Kürmann, indem er ihn objektiviert. Wenn der Registrator (er
   wird nie mit diesem Titel oder mit einem andern angesprochen) eine Instanz
   vertritt, so ist es die Instanz des Theaters, das gestattet, was die Wirklichkeit
   nicht gestattet: zu wiederholen, zu probieren, zu ändern. Er hat somit eine gewisse Güte." (D 856) - und in einem Brief an Walter Höllerer: "Mit Erleichte-
   rung (nach vielen Diskussionen zuvor) habe ich festgestellt, dass die dramaturgische Funktion seine körperliche Existenz auf der Bühne leichter legitimiert
   als bei der Lektüre erwartet... Ich kenne diese Figur, wenn auch nicht ausge-
   stattet mit Körper und Stimme: als Bewusstsein, das mir sagt, dass ich jetzt
   wieder den selben Fehler begehe, dass ich mir im Augenblick etwas vormache,
   was ich selber nicht glaube, oder dass ich mich wörtlich wiederhole, dass ich
   Kraft dessen, was man Erfahrung nennt, gelegentlich Zukunft verwechsle mit
   Vergangenheit usw., als Selbst-Reflexion, als etwas im Hinterkopf, das mich
   von aussen hört, das mein Tun von aussen registriert. Daher der Name." (38)

   Frisch löst also das Bewusstsein von seiner Hauptfigur ab und setzt es in der
   Figur des Registrators als selbständige Grösse ins Spiel ein. Er realisiert
   damit Walsers Idee vom Bewusstseinstheater, die er im erwähnten Aufsatz lediglich als Anregung formuliert und nicht als reale Möglichkeit innerhalb des
   Schauspiels diskutiert. Alles was sich normalerweise im Innern des Menschen
   abspielt und von aussen kaum wahrgenommen wird, was auf der Bühne höchstens
   mit Hilfe des Monologs anzudeuten war, wird hier in der Auseinandersetzung

zwischen Kürmann und dem Registrator vor die Oeffentlichkeit gebracht. Kürmann handelt in erster Linie, zieht an vereinzelten Stellen nur die Bilanz seines Handelns, während der Registrator seine Aktion durch Kritik und Ratschlag zu lenken versucht. Daneben kommt ihm die Aufgabe zu, "sein Tun von aussen zu registrieren" und es zusammenzufassen als "die Summe dessen, was Geschichte geworden ist" (D 856), zu Kürmanns Biografie, die auf der Bühne im Dossier verkörpert erscheint: "dieses Dossier gibt es, ob geschrieben oder nicht, im Bewusstsein von Kürmann". Was sich im Verlauf der Proben ändert, wird hier vermerkt, meist fordert Kürmann den Registrator auf, es zu registrieren.

Wenn Frisch sagt, "dass die dramaturgische Funktion seine körperliche Existenz auf der Bühne leichter legitimiert als bei der Lektüre erwartet", versteht er unter dramaturgischer Funktion wahrscheinlich die ihm vor allem zukommende Aufgabe, Kürmann zu assistieren, und zwar als unbeteiligter Teil seiner selbst, als sein Bewusstsein. Frisch will ihn unter keinen Umständen falsch aufgefasst wissen, dies wird deutlich schon im Anhang zum Stück, mehr aber noch im Brief an Walter Höllerer: Er ist "kein Vertreter einer metaphysischen oder moralischen Instanz, auch nicht alter ego, keinesfalls ein Conférencier, der sich dem Publikum anbiedert, und auch nicht Kommentator, der uns belehrt". (39) Er ist auch nicht der Person des Regisseurs gleichzusetzen, in dieser Funktion nämlich müsste er hauptsächlich ausserhalb des Spiels agieren, er müsste die Handlung von aussen lenken. Seine Stellung ist jedoch eine andere: Er ist am Spiel beteiligt, wie Kürmann und Antoinette, denn die Szenen, in die er sich einschaltet, vor allem die längeren Gespräche mit Kürmann, befinden sich auf der gleichen Ebene wie die Proben, aus dem Zusammenschluss erst von Spiel und Diskussion ergibt sich die Ganzheit dieses Stücks. Nicht der Registrator, sondern Kürmann selbst, der Protagonist, bestimmt den Verlauf der Handlung, er wählt aus, was in neuer Fassung durchzuspielen sei, der Registrator macht ihn lediglich auf noch nicht erwogene Möglichkeiten aufmerksam.

Die von Frisch erwähnte dramaturgische Funktion des Registrators lässt sich noch in andrer Hinsicht auslegen. Wie schon erwähnt, ist er aus dem so gearteten Variantenspiel, wie Frisch es in der "Biografie" vorführt, nicht wegzudenken; wenn er es auch nicht oder nur sehr wenig in seinem Lauf beeinflusst, so ermöglicht er es doch in seiner Form. (40) Elimination des Registrators und damit Konzentration des Geschehens auf Antoinette und vor allem auf Kürmann würde die Theaterwirksamkeit des Stücks beträchtlich verringern, da im Grunde er es ist, der den geprobten Varianten ihr kleines Mass an dramatischer Spannung verleiht, indem er objektiviert, "was Kürmann tut oder unterlässt". (41) Wenn er auch Hilfskonstruktion und "Brücke vom Gewohnten her" (42) bleibt, wenn es auch ohne ihn gehen müsste, so ist er, das heisst das auf der Bühne dargestellte Bewusstsein, für Frischs Dramaturgie der Variation von grösster Bedeutung: Er vertritt "die Instanz des Theaters" und macht auf der Bühne somit möglich, was die Wirklichkeit nicht gestattet: Wiederholung, Probe, Variation.

Aus den vorliegenden Untersuchungen über die "Biografie" soll vor allem deutlich werden, dass das Stück trotz seiner Mängel, die nicht übersehen werden dürfen und die denn auch Anlass zu heftiger Kritik (43) gegeben haben, für die moderne Dramaturgie im allgemeinen von grösster Bedeutung ist. Frisch versucht hier mit vorwiegend neuen Mitteln, Mitteln, die dem Charakter des Dramas, besser: der Bühne besonders angepasst sind, Theater zu machen - und der Versuch gelingt, wenn auch die angestrebten dramaturgischen Intentionen nicht ganz verwirklicht werden konnten: Frisch ist, indem er seine Vorstellungen vom Variantentheater und jene Walsers vom Bewusstseinstheater ins Bild umzusetzen suchte, mit der "Biografie" in einen neuen Bereich des Theaters eingedrungen, der seiner Meinung nach die besten Voraussetzungen bietet zur Ueberwindung der Krise, in der das moderne Drama, das heisst das Drama seit der Jahrhundertwende, steckt. Ob sein Weg eher zu einer Lösung führt als all jene, die andere mit der gleichen Absicht eingeschlagen haben, werden weitere Versuche weisen müssen. Die "Biografie" ist ein Anfang, von dem aus eine Entwicklung zu diesem Ziel hin durchaus möglich ist.

V. THEATER ALS PRUEFSTAND

1. FRISCHS ENGAGEMENT

"Engagement ... Warum hat die deutsche Literatur dafür nur ein Fremdwort? -
Ich habe auch kein anderes, hingegen habe ich Zweifel an der Wirksamkeit eines
direkt-politischen Engagements der Literatur. Das bedeutet nicht, dass ich als
Staatsbürger (über die Staatszugehörigkeit hinaus) ohne politisches Engagement bin.
Dieses äussert sich in unsrer Publizistik, und was mehr wäre: in der direkt-politischen Aktivität. Und zweitens bedeutet es nicht, dass Literatur überhaupt ohne
Wirkung auf die Gesellschaft sei. Nur ist sie schwierig zu erfassen. Es gibt keine
Literatur, die nicht engagiert ist. Wenn wir heute von Engagement sprechen, meinen wir allerdings immer das direkt-politische Engagement: Literatur als Propa-
ganda für eine Ideologie. Es ist aber schon ein Engagement, wenn Literatur die
gebräuchliche Sprache auf ihren Wirklichkeitsgehalt hin testet; ein Engagement an
die Realität, somit Kritik an der Ideologie. Wir kommen ohne Ideologie nicht aus,
aber sie braucht immerzu eine Kontrolle. Diese leistet die Literatur - auch dann,
wenn sie nicht mit einem direkt-politischen Engagement auftritt, gerade dann." (1)

So lautet die meines Wissens letzte Antwort Frischs auf die Frage, wie er das
Engagement des Dichters und damit der Literatur überhaupt sehe. Sie fasst die
früheren Aeusserungen (2) in ihren wichtigsten Gedanken zusammen. Beim Vergleich mit ihnen fällt auf, dass Frisch hier noch vorsichtiger von dem direkt-politischen Engagement der Literatur spricht: Literatur soll nicht zur Verbreitung einer Ideologie gebraucht werden, sie ist im Gegenteil als Mittel zu ihrer Kontrolle
einzusetzen. "Literatur als Sprachrohr für Ideologie oder Literatur als Recherche
durch Sprache? Im letzteren Fall, gleichviel in welcher Gesellschaft, ist sie sub-
versiv. Ist das nicht ihr eigentliches Engagement? Wenn Literatur sich darauf ein-
lässt, dass sie ihre Existenz rechtfertigen muss, hat sie schon verspielt; ihr Beitrag an die Gesellschaft ist die Irritation, dass es sie trotzdem gibt." (3) Frisch
hat diese Worte, wie auch die zuerst zitierten, im Frühling 1969 geschrieben, also
nach der Aufführung der "Biografie". Das heisst: es liegt ihnen die Erfahrung zugrunde, die Frisch mit diesem Stück nicht nur hinsichtlich seiner Dramaturgie,
sondern auch hinsichtlich der Problemstellung, die sich von der der meisten
früheren Dramen unterscheidet, gesammelt hat. Und somit lassen sie sich für die
Untersuchung des dichterischen Engagements in der "Biografie" verwenden.

Der Unterschied - noch zu "Andorra" - besteht darin, dass das Bewusstseinsspiel
nicht wie das Modell Probleme von allgemeinem Interesse demonstriert, dass es
vielmehr die private Sphäre eines einzelnen Menschen beleuchtet und den Zuschauer
so mit den Problemen konfrontiert, die diesen Menschen als das Individuum
beschäftigen. Deutlicher als in einigen andern Stücken, in denen ebenfalls Ansätze
dazu vorhanden sind - zum Beispiel "Santa Cruz" und "Andorra" - stellt Frisch
in der "Biografie" dar, "was Menschen erfahren, Geschlecht, Technik, Politik als
Realität und als Utopie, aber im Gegensatz zur Wissenschaft bezogen auf das Ich,
das erfährt". (4) Das Bewusstseinstheater, vor allem in der Form, die Frisch

ihm hier gegeben hat, ermöglicht den Erfahrensbereich des Menschen auf der
Bühne sichtbar zu machen: Dadurch dass Frisch das Bewusstsein Kürmanns personifiziert und es in der Figur des Registrators Kürmann gegenüberstellt, wird
die Bühne, wie schon gezeigt, zum Schauplatz der innermenschlichen Auseinandersetzung. Das bedeutet aber, dass nicht Kürmanns Handeln, sondern seine Reflexionen darüber im Mittelpunkt des Stückes stehen. Die Handlung selbst bildet nur die
Voraussetzung für sie und ist somit sekundär. Oder sie sollte es vielmehr sein;
denn in der "Biografie" ist doch in erster Linie auf die Aktionen Kürmanns Gewicht
gelegt, sie werden zwar wie erwähnt in den Gesprächen mit dem Registrator kritisch unter die Lupe genommen, diese Erörterungen aber bleiben zu sehr an der
Oberfläche, meist weiss man zwar, weshalb Kürmann etwas tut, man weiss auch,
wie diese Handlung von aussen wirkt, was er aber selbst darüber denkt, dies
kommt kaum zum Ausdruck. So beziehen sich die Aeusserungen des Registrators
fast immer auf sie und nicht auf den Menschen Kürmann. Aus den kurzen Gesprächen zwischen Kürmann und dem Registrator wird wohl klar, wo er sich falsch
oder unüberlegt verhalten hat und wie es zu ändern wäre; wie Kürmann selbst
sein Tun einschätzt, bringen sie kaum zum Ausdruck. Indem Frisch aber den das
objektive Bewusstsein verkörpernden Registrator nicht auf das subjektive Ich Kürmanns reagieren lässt, sondern ihn auf das von aussen wahrnehmbare Verhalten
konzentriert, Kürmann also nicht als Partner des Registrators, sondern als sein
Objekt (5) im Stück auftreten lässt, ist es ihm nicht möglich, Kürmanns intimsten
Bereich, das heisst sein Denken und Fühlen, so wie es in jedem Augenblick sich
vollzieht, auf der Bühne aufzuzeigen. Gerade das Bewusstseinstheater aber erlaubt
die Darstellung der privaten Sphäre des Menschen, wenn es sie nicht sogar verlangt.
Nur anmerkend sei noch erwähnt, dass ein dem klassischen verwandter Dialog, der
im Anschluss an einzelne der Proben die Situation beider Gesprächspartner klar-
stellen würde, die Spannung im Spiel, da es in vermehrtem Masse dialektisch wäre,
erhöhen könnte.

Die hier ausgeführte Kritik, die sich weniger gegen das Engagement des Dichters
richtet als vielmehr dagegen, wie und in welchem Mass er es im Stück ausdrückt,
steht ziemlich vereinzelt. Die meisten Kritiker stellen die Frage - wie es übrigens
auch nach den Aufführungen von "Santa Cruz" und "Die grosse Wut des Philipp Hotz"
geschah -, ob es dem Dichter erlaubt sei, die Thematik nicht nur des Dramas, sondern irgendeiner Gattung der Literatur im Bereich des Privaten anzusetzen. In diesem Zusammenhang wurde der Begriff "Reprivatisierung der Literatur" geprägt,
der irrtümlicherweise Frisch zugesprochen wurde. Er hat dazu wie folgt Stellung
bezogen: "Dieser Ausdruck stammt nicht aus meiner Küche, sondern wurde mir in
einem Interview angetragen, und ich hatte ihn zu prüfen. Versteht man unter 'privat'
so etwas wie 'autobiographisch-intim-narzistisch', so gehört das 'Private' nicht in
die Literatur. Privat heisst nach Wörterbuch: persönlich, nicht öffentlich, häuslich. Das Wörterbuch hätte beizufügen: nur noch als Schimpfwort gebräuchlich. Woher diese Allergie? Die Verpönung alldessen, was nicht-kollektive Problematik und
nicht-öffentliche Existenz ist, verschafft einer Literatur noch lange nicht die politische Relevanz, die sie von sich verlangt. Verstehen wir die Vokabel im Sinn des
Wörterbuchs 'persönlich, nicht öffentlich, häuslich', so ist das 'Private' selbstverständlich ein Gegenstand der Literatur und nicht nur einer apolitischen, sondern

gerade einer Literatur, die sich auf eine gesellschaftliche Situation bezieht; diese bestimmt ja die Personen in ihrer 'privaten' Existenz. " (6)

Die Ehe, da sie die "'private' Existenz" vieler bestimmt, ist Gegenstand der Literatur. Frisch hat sie vor der "Biografie" in "Santa Cruz" und in "Die grosse Wut des Philipp Hotz" zum Thema genommen. In allen drei Stücken wird die Ueberwindung der Schwierigkeiten, die das eheliche Zusammenleben, das Leben mit dem Andern überhaupt mit sich bringt, diskutiert. Das Problem findet sich ebenfalls in einigen andern Stücken, in "Als der Krieg zu Ende war", "Graf Oederland" und auch in "Don Juan", es ist da zwar nicht Hauptproblem, seine Bedeutung wird aber, gerade wenn man die Stücke in Zusammenhang mit den drei andern betrachtet, sofort klar. Bezeichnend ist, dass die gefundene Lösung, auch wenn sie alles zum Guten wendet, wie in "Santa Cruz", "Don Juan" und in "Die grosse Wut des Philipp Hotz", nie ganz befriedigt, da sie immer einen Einwand in sich trägt, und somit von vornherein als nur vorläufig erscheint. (7)

In "Don Juan" ist das Zusammenleben von Mann und Frau grundsätzlich problematisch. Don Juan gibt seiner Verzweiflung am Schluss des Stücks mit folgenden Worten Ausdruck: "Im Ernst, mein Unwille gegen die Schöpfung, die uns gespalten hat in Mann und Weib, ist lebhafter als je... Welche Ungeheuerlichkeit, dass der Mensch allein nicht das Ganze ist! Und je grösser seine Sehnsucht ist, ein Ganzes zu sein, um so verfluchter steht er da, bis zum Verbluten ausgesetzt dem andern Geschlecht." (D 465) Es ist dies meines Wissens das einzige Mal, zumindest innerhalb seines dramatischen Schaffens, dass Frisch mit solcher Deutlichkeit auf das Problem aufmerksam macht. Dass es ihn beschäftigt, dass für ihn das Zusammenleben, sogar die Existenz der beiden Geschlechter nicht selbstverständlich ist, geht aus seinem dichterischen Werk jedoch im allgemeinen hervor. Bei der Lektüre des Tagebuchs schon fällt auf, mit welcher Scheu der Dichter sich über die Frau äussert, einer Scheu, die oft in Unbehagen und Unsicherheit übergeht. Das Verhältnis zum andern Geschlecht bleibt hier aber Randproblem, Frisch äussert sich nur an einzelnen Stellen darüber, aus begreiflichen Gründen, würde er doch dadurch dem Leser Einblick in seinen persönlichen Bereich gestatten. Um so klarer zeigen die Dramen und mehr noch die Romane, welchen Platz das Problem im Denken des Dichters einnimmt. Er stellt es nicht, wie dies im Tagebuch unweigerlich geschehen würde, an seinem Leben dar, sondern am Leben seiner Figuren und versetzt es somit aus dem intim-privaten in den öffentlich-privaten Bereich. "Versteht man unter 'privat' so etwas wie 'autobiographisch-intim-narzistisch', so gehört das 'Private' nicht in die Literatur." Was Frisch darstellt, ist nicht autobiographisch und seiner Formulierung nach in der Literatur somit nicht nur möglich, sondern notwendig, da es sich "auf eine gesellschaftliche Situation bezieht". Das leuchtet ein. Nicht zu übersehen ist aber, dass Frischs Werk, auch wenn man es von dieser Erklärung aus betrachtet, in seiner Thematik privater, das heisst persönlicher anmutet als das anderer moderner Schriftsteller. Es ist dies denn auch der gewichtigste Vorwurf, der in der Kritik gegen Frischs Werke, es sind nur wenige davon ausgenommen, (8) laut geworden ist, und es lässt sich ihm nur schwer begegnen. Der Grund dafür liegt hauptsächlich darin, dass Frisch seine Probleme, vor allem das des ehelichen Zusammenlebens, mit fast aufdringlicher Beharrlichkeit in den einzelnen Werken wiederholt. Dies und auch der oft leidenschaftlich engagierte Ton legen die Vermutung nahe, dass es dem Dichter um mehr geht als nur darum, eine gesellschaftliche Situation aufzuzeigen. Gegen den von verschiedener Seite geäusserten Verdacht, (9) dass Frisch sich damit von persönlich Erlebtem befreien will, findet sich jedenfalls kein Argument, das für seine Aufhebung angeführt werden könnte. Indem Frisch also in seinen Stücken - wie auch in seinen Romanen - die gleichen oder wenigstens bekannt anmutende Themen anschlägt, setzt er sich der Gefahr aus, dass sie mit Blick auf sein eignes Leben interpretiert werden, das heisst dass Erfundenes mit Biografischem vielfach wohl unbegründet in Zusammenhang gebracht wird - wodurch gerade das bewirkt wird, was Frisch seinen Aeusserungen nach ablehnt, was auch noch für das Bewusstseinstheater gelten soll: dass die Stücke nicht nur als Auseinandersetzung mit nicht bewältigten Problemen allgemeiner und persönlicher Natur, wie es ohne weiteres möglich wäre, erscheinen, sondern dass sie auch als Zeugnisse einer nicht bewältigten Vergangenheit angesehen werden können - nicht müssen, das ist zu betonen - und sich damit gefährlich nahe der intim-privaten Sphäre des Dichters bewegen.

Auch Frischs öffentliches Engagement ist nur mit seiner intensiven Beschäftigung mit den Problemen, die das Zusammenleben mit sich bringt, zu erklären; beschränkt sich das private Engagement auf das Zusammenleben von Mann und Frau, so richtet sich das öffentliche auf das Zusammenleben von Menschen im allgemeinen. Der grosse Unterschied zu den meisten modernen Dichtern und auch zu Brecht liegt bei ihm also darin, dass sein Engagement nicht der Politik, sondern dem Menschen, dem Individuum in der Gesellschaft gilt. Dass er die Wirksamkeit eines direkt-politischen Engagements der Literatur bezweifle, sagt Frisch, wie schon erwähnt, (10) bedeute nicht, dass er als Staatsbürger - über die Staatszugehörigkeit hinaus - ohne politisches Engagement sei: "Dieses äussert sich in unsrer Publizistik, und was mehr wäre: in der direkt-politischen Aktivität." (11)

Da die Analyse von Frischs Engagement in den Interpretationen allgemein eine sehr zentrale Stellung einnimmt und diese in vielen Fällen mit grosser Sorgfalt durchgeführt worden ist, beschränke ich mich auf die Wiedergabe nur weniger grundlegender Beobachtungen, die Frischs Engagement, soweit es in den Stücken deutlich wird, in grossen Zügen erfassen. (12) Grundsätzlich ist zu bemerken, dass Frisch sich auch mit seinem öffentlichen Engagement, wie ich es schon für sein privates festgestellt habe, immer auf ähnliche Situationen des menschlichen Lebens bezieht, das heisst auf Situationen, die sich im Zusammenleben ergeben.

Die beiden Kriegsdramen und die "Chinesische Mauer" sind dadurch miteinander verbunden, dass sich Frisch in ihnen mit der politischen Wirklichkeit auseinandersetzt: In "Nun singen sie wieder" und in "Als der Krieg zu Ende war" ist ihm der Zweite Weltkrieg Anlass zum Schreiben, in der "Chinesischen Mauer" ist es der Abwurf der ersten Atombomben.

Im Tagebuch von 1946 schreibt Frisch über die Explosion der Atombombe auf Bikini: "Diesmal ist es nur eine Hauptprobe. Auch die Palmen stehen noch. Aber das alles, kein Zweifel, wird sich verbessern lassen, und der Fortschritt, der

nach Bikini führte, wird auch den letzten Schritt noch machen: die Sintflut wird
herstellbar. Das ist das Grossartige. Wir können, was wir wollen, und es fragt
sich nur noch, was wir wollen; am Ende unseres Fortschrittes stehen wir da, wo
Adam und Eva gestanden haben; es bleibt uns nur noch die sittliche Frage. Vielleicht dürfte man nicht von Freude reden; es tönt nach Zuversicht oder Hohn, und
eigentlich ist es keines von beidem, was man beim Anblick der Bilder erlebt; es
ist das erfrischende Wachsein eines Wandrers, der sich plötzlich an einer klaren
und deutlichen Wegkreuzung sieht, das Bewusstsein, dass wir uns entscheiden
müssen, das Gefühl, dass wir noch einmal die Wahl haben und vielleicht zum letztenmal; ein Gefühl von Würde; es liegt an uns, ob es eine Menschheit gibt oder
nicht." (13)

In diesen Worten ist die ganze Problematik der "Chinesischen Mauer" formuliert,
Frisch teilt hier mit, was er wenig später (1946) von der Bühne herunter dem Zuschauer bewusst zu machen versucht: dass durch den Fortschritt von Wissenschaft
und Technik den Mächtigen Mittel in die Hände gekommen sind, mit denen sie die
Menschheit verderben können. Die beiden wichtigsten Gedanken dieser Notiz, "am
Ende unseres Fortschrittes stehen wir da, wo Adam und Eva gestanden haben; es
bleibt nur noch die sittliche Frage" und "es liegt an uns, ob es eine Menschheit
gibt oder nicht", werden im Stück besser ausgeführt, zum Beispiel wenn der Heutige
Napoleon und damit den Zuschauer über die Situation unserer Welt aufklärt: "Die
Sintflut ist herstellbar. Sie brauchen nur noch den Befehl zu geben, Exzellenz.
Das heisst: Wir stehen vor der Wahl, ob es eine Menschheit geben soll oder nicht.
Wer aber, Exzellenz, hat diese Wahl zu treffen? die Menschheit selbst oder - Sie?
... Ich bin besorgt, ja. Wir können uns das Abenteuer der Alleinherrschaft nicht
mehr leisten, Exzellenz, und zwar nirgends auf dieser Erde; das Risiko ist zu
gross. Wer heutzutage auf einem Thron sitzt, hat die Menschheit in der Hand,
ihre ganze Geschichte ... Eine einzige Laune von Ihm, der heutzutage auf einem
Thron sitzt, ein Nervenzusammenbruch, eine Neurose, eine Stichflamme seines
Grössenwahns, eine Ungeduld wegen schlechter Verdauung: Und alles ist hin.
Alles! Eine Wolke von gelber oder brauner Asche, die sich zum Himmel türmt,
anzuschauen wie ein Pilz, wie ein schmutziger Blumenkohl, und der Rest ist
Schweigen - radioaktives Schweigen." (D 160/1)

Wie ernst es Frisch mit seiner Mahnung ist, wie sehr die Haltung des Heutigen,
der besorgt ist, die seine ist, wird daraus ersichtlich, dass Frisch von drei Seiten her auf das Problem aufmerksam macht: indirekt durch die Ausführungen des
Heutigen, die ihres Umfanges wegen oft an Vorträge erinnern, und durch das Auftreten der grössten Despoten der Weltgeschichte, direkt durch die Figur des
chinesischen Kaisers, der mit seinen Taten und Ueberlegungen das demonstriert,
wovor der Heutige gleichzeitig warnt, und damit die Bedeutung dieser Worte unterstreicht.

Kommt in diesem Stück Frischs Engagement hauptsächlich in den langen Abhandlungen des Heutigen, das heisst in sehr direkter Weise zum Ausdruck - dem Zuschauer
bleiben keine Zweifel darüber, wie er das Vorgeführte zu deuten hat -, verbirgt
es sich in den beiden Kriegsdramen mehr in der Handlung, doch auch da sind es

nicht eigentlich die Taten der Personen, sondern vorwiegend ihre Worte, die das
Anliegen des Dichters ausdrücken. Jedes der Stücke behandelt ein für den Zweiten
Weltkrieg grundsätzliches Problem, das heisst sieht man von Einzelheiten, die die
Aussage an eine bestimmte Zeit binden, ab, ein mit dem Krieg ganz allgemein ver-
bundenes Problem. In "Nun singen sie wieder" ist es die Tatsache, dass ein Volk,
das sich seit Jahrhunderten durch eine hohe Kultur auszeichnet, zu Greueltaten,
wie sie die Deutschen im Zweiten Weltkrieg verübten, fähig ist. Frisch nennt es
eine ästhetische Kultur. "Ihr besonderes Kennzeichen ist die Unverbindlichkeit.
Es ist eine Geistesart, die das Erhabenste denken und das Niederste nicht verhindern kann, eine Kultur, die sich säuberlich über die Forderungen des Tages er-
hebt." (14) Im Brief an einen unbekannten deutschen Obergefreiten begründet Frisch,
weshalb er das Stück geschrieben habe: "das Stück ... ist nicht aus der vermesse-
nen Absicht entstanden, dem deutschen Volk zu raten, sondern einfach aus dem Bedürfnis, eine eigene Bedrängnis loszuwerden." (15) Die Bedrängnis - vielleicht ist
es die Angst davor, zu Aehnlichem fähig zu sein, wenn es die Umstände erforder-
ten: "Wenn Menschen, die gleiche Worte sprechen wie ich und eine gleiche Musik
lieben wie ich, nicht davor sicher sind, Unmenschen zu werden, woher beziehe ich
fortan meine Zuversicht, dass ich davor sicher sei?" (16) Dass Frisch den Krieg
nicht am eignen Leib erlitten, sondern ihn als Aussenstehender erfahren hat, ist
für sein Schaffen in zwiefacher Hinsicht wichtig. Er kann schreiben ohne "elementare Versuchung zur Rache":"Wir haben die selten gewordene Freiheit, gerecht zu
bleiben, oder wir hätten sie. Mehr noch: wir müssten sie haben." Und er hat den
Ueberblick, den der Dichter eines Kriegslandes, obwohl sein Bericht authentisch
und daher glaubwürdig ist, nicht hat: "Wir sind fast die einzigen, die dort stehen,
wo man die Tragödie, die ganze, schauen könnte und müsste; der Kämpfende kann
die Szene nur sehen, solange er selber darauf steht, der Zuschauer sieht sie
immerfort." (17) Für das Stück "Nun singen sie wieder" bedeutet dies, dass der
Dichter hier nicht über eines der beteiligten Völker zu Gericht sitzt, dass er sich
vielmehr bemüht, die Konflikte und Probleme beider Seiten aufzuzeigen. Er klagt
nicht den Deutschen an, sondern den Menschen ganz allgemein, dies wird im Gespräch zwischen dem Funker und Eduard deutlich. Die Worte des Funkers besitzen
den gleichen leidenschaftlichen Unterton, der auch dem Herberts herauszuhören
ist. Herbert sagt zu Karl: "Wir griffen zur Macht, zur letzten Gewalt, damit der
Geist uns begegne, der wirkliche; aber der Spötter hat recht, es gibt keinen wirklichen Geist, und wir haben die Welt in der Tasche, ob wir sie brauchen oder nicht,
ich sehe keine Grenze unsrer Macht - das ist die Verzweiflung." (D 91) Und der
Funker zu Eduard: "Es gibt keinen Frieden mit dem Satan, wenn man auf dem gleichen Gestirn wohnt. Es gibt nur eines: stärker sein als der Satan!" (D 107) Der
Schluss beseitigt die letzten Zweifel über Frischs Haltung. Eduard, der auf die
zitierten Worte des Funkers erwidert hat: "Ich glaube nicht an die Gewalt, nie,
auch wenn sie eines Tages in unseren Händen ist. Es gibt keine Gewalt, die imstan-
de ist, den Satan auszurotten -", dieser gleiche Mensch spricht nach dem Sieg am
Grabe der toten Kameraden: "Was immer wir in Zukunft machen werden, in eurem
Namen wird es geschehen! Das Schwert des Richters liegt in eurer Hand! Die Stunde eurer stummen Anklage ist da; sie wird nicht überhört." Der Funker gibt zur
Antwort - sie erinnert an Elviras Worte am Schluss von "Santa Cruz": "Wir klagen
nicht an, Eduard, das ist nicht wahr. Wir suchen das Leben, das wir zusammen

hätten führen können. Das ist alles. Haben wir es denn gefunden, solange wir lebten?" (D 147) Frisch richtet seinen Vorwurf nicht gegen den deutschen Krieger, sondern gegen jene Generation in Deutschland, die zum Krieg aufgehetzt hat, die der Jugend, indem sie ihr die Kultur, die deutsche, die abendländische sogar, bewusst machen wollte, ihr mit schönen Worten einen Geist vorschwärmte, der bei näherer Prüfung nicht existierte. Herbert erschiesst den Oberlehrer, weil er enttäuscht wurde und weil er die Grenzen der Macht kennenlernen will: "Ihre Hinrichtung ist eine vollkommene. Wir erschiessen nicht Sie allein, sondern Ihre Worte, Ihr Denken, alles, was Sie als Geist bezeichnen, Ihre Träume, Ihre Ziele, Ihre Anschauung der Welt, die, wie Sie sehen, eine Lüge war -" (D 141).

Das Problem, das in der Bedeutung, die ihm Frisch zumisst, schon in "Nun singen sie wieder" aufgefallen ist, wird in "Als der Krieg zu Ende war" zum Hauptproblem: Frisch bemüht sich zu zeigen, dass für den Umgang mit Menschen entscheidend ist, dass man sie als Menschen und nicht als Vertreter ihres Volkes einschätzt und behandelt. Nicht nur in Kriegszeiten, in ihnen aber im besonderen Mass, erfordern sie vom einzelnen doch den Mut und vor allem auch den eingestandenen Willen zur vorurteilslosen Begegnung. "In Zeiten, die auf Schablonen verhext sind, schien es mir nicht überflüssig, Zeugnis abzulegen für einzelne Menschen, die nicht die Regel machen, aber dennoch wirklich sind und lebendig, mindestens so lebendig wie die tödlichen Regeln, die wir kennen: Der Jude, der Deutsche, der Russe und so weiter." (18) Frisch teilt die Menschen also nach Mensch und Unmensch ein, "womit allerdings bei keiner Partei, die es auf der Erde gibt, Beifall zu holen ist", und er ist sich bewusst, dass eine solche Unterscheidung, eine "sittlich-sinnvollere" als die nach Völkern und Rassen, Folgen haben muss, dass das Publikum sie in dieser Zeit, nicht ohne darauf zu reagieren, hinnehmen kann.

Obwohl diese drei Dramen, wie ich zu Beginn festgestellt habe, auf politische Ereignisse hin geschrieben worden sind, ist das Anliegen, das Frisch in ihnen, auch in der "Chinesischen Mauer", vor die Oeffentlichkeit bringt, fast ganz unpolitisch. In "Als der Krieg zu Ende war" einzig bezieht er sich, dies ist noch nachzutragen, auf ein genau zu datierendes Geschehen: die Judenschlächterei von Warschau. Frisch schreibt dazu: "Die namentlichen Angaben über die Aktion gegen das Warschauer Ghetto, die im März und April 1943 stattfand, sind authentisch, entnommen aus dem dienstlichen Bericht des Brigadeführers Joseph Stroop, veröffentlicht in der Zeitschrift 'Die Wandlung', Heidelberg 1947." (19) Doch auch dieses Geschehen bleibt im Hintergrund, die Bedeutung, die ihm im Stück zukommen sollte - die für Frisch sehr präzise Quellenangabe lässt darauf schliessen -, wird erst durch die Anmerkung des Dichters bewusst gemacht. Frischs Menschen verkünden nicht eine politische Ideologie, sondern sie weisen ihrem Verhalten entsprechend auf direkte oder indirekte Weise (20) auf eine Form des Zusammenlebens hin, die, da die Menschen sich vorurteilslos, das heisst ohne sich ein Bildnis voneinander zu machen, begegnen, die Voraussetzung für eine engere, im eigentlichen Sinn zwischenmenschliche Verbindung in sich trägt. In den übrigen Stücken führt Frisch dieses Problem noch eindringlicher vor, indem er sie aus jedem geschichtlichen Zusammenhang herauslöst und somit die Aufmerksamkeit ganz auf die "Darstellung der Person, die in der Statistik enthalten ist, aber in der Statistik nicht zur Sprache kommt" (21) konzentriert. Es ist dies der Mensch, der sich der Gesellschaft entfremdet, sei es, weil er von ihr ausgestossen wird, wie Andri von den Andorranern, sei es, weil er sich selbst ausschliesst, wie Graf Oederland und Don Juan. (22)

Unmittelbar vor der Skizze von "Graf Oederland" im Tagebuch von 1946 und im Anschluss an die einer Zeitung entnommene Meldung, dass ein Mann seine ganze Familie "inbegriffen Grosseltern und Enkel" mit einer Axt erschlagen habe - Frisch betont dabei, dass der Täter keinen Grund "für seine ungeheuerliche Tat" angeben könne -, (23) zwischen diese beiden Eintragungen also setzt Frisch die Betrachtung über einen Lagerplatz am See, auf dem er oft am Morgen, wenn er zur Arbeit fahre, verweile. An die Beschreibung des Platzes fügt Frisch eine Bemerkung, die im Zusammenhang mit dem Stück wichtig ist: "Jetzt ist der Platz, wo man auch baden kann, zur täglichen Zuflucht geworden, und ob ich auf dem Heimweg bin, verbraucht von einem grämlichen Tag, oder ob es wieder an die Arbeit geht, die ebenso grämlich sein wird wie gestern und vorgestern, immer fühle ich mich voll Zuversicht und Erwartung, solange ich gegen das Wasser fahre. Einmal wird auch hier ein Gendarm kommen, der nach einem Ausweis fragt; Ordnung muss sein!" Und weiter unten: "Schon lange hat es acht Uhr geschlagen; man denkt an die Hunderttausend, die jetzt an ihren Pültchen sitzen, und das schlechte Gewissen, ich weiss, es wird mich erfassen, sobald ich das Rad wieder besteige... Oft während ich hier sitze, immer öfter wundert es mich, warum wir nicht einfach aufbrechen - Wohin? Es genügte, wenn man den Mut hätte, jene Art von Hoffnung abzuwerfen, die nur Aufschub bedeutet, Ausrede gegenüber jeder Gegenwart, die verfängliche Hoffnung auf den Feierabend und das Wochenende, die lebenslängliche Hoffnung auf das nächste Mal, auf das Jenseits - es genügte, den Hunderttausend versklavter Seelen, die jetzt an ihren Pültchen hocken, diese Art von Hoffnung auszublasen: gross wäre das Entsetzen, gross und wirklich die Verwandlung." (24)

Der Abschnitt ist wichtig für "Graf Oederland", weil in ihm alles, was Frisch mit der Fabel aussagen will, enthalten ist. Ausserdem beweist er, dass das Problem Graf Oederlands auch Frisch eigenstes Problem ist. (25) Die Identifikation geht so weit, dass Frisch dem Staatsanwalt seine Worte in den Mund legt: "Hoffnung auf den Feierabend, Hoffnung auf das Wochenende, all diese lebenslängliche Hoffnung auf Ersatz, inbegriffen die jämmerliche Hoffnung auf das Jenseits, vielleicht genügte es schon, wenn man den Millionen angestellter Seelen, die Tag für Tag an ihren Pulten hocken, diese Art von Hoffnung nehmen würde:- gross wäre das Entsetzen, gross die Verwandlung." (D 307) Frisch gibt dem Staatsanwalt ein Ziel, zu dem er aufbrechen kann, Santorin. Dass er es nicht erreicht, dass er sich am Schluss wieder in einer festen Ordnung gefangen findet, einer Ordnung, die der alten, wie sie der Innenminister kurz vor dem Erscheinen des Grafen aufs genaueste analysiert, (26) sehr ähnlich sein wird, dürfte zeigen, wie gering Frisch die Chancen des sich aus der Gesellschaft befreienden Menschen einschätzt. Der Staatsanwalt steht ihr, wie viele von Frischs Figuren, als Einzelgänger gegenüber und kann so gegen sie oder besser in ihr nichts ausrichten - er resigniert. Angemerkt sei noch, dass auch hier das erwähnte problematische Verhältnis zur Frau eine Rolle spielt. Da Frisch den Zuschauer gleich zu Beginn der Handlung über die Ehe des Staatsanwalts unterrichtet, kann man wenigstens annehmen, dass Frisch in ihr einen der Gründe - sicher aber nicht den Hauptgrund - für den Ausbruch des Staatsanwalts gesehen haben will. Er legt in einem Brief an Walter Höllerer fest, in welcher Absicht das Stück geschrieben sei: "'Graf Oederland': ein Staatsanwalt, der auszubrechen sucht aus der Gesellschaft, ein naives Unterfangen, das ins Kriminelle führt, und das heisst: eine Ich-Geschichte, aber das Malaise, das die Privat-Person treibt, als Spiegel der herrschenden Verhältnisse, somit als Kritik." (27) Die Haltung des Kritikers nimmt Frisch auch in den letzten Stücken ein, weniger in "Don Juan", vor allem aber in "Andorra" und "Biedermann und die Brandstifter".

Auch Don Juan ist seiner Umgebung, der Gesellschaft von Sevilla, entfremdet. Aus den Gesprächen, die der Einführung der Hauptperson dienen, geht schon hervor, dass Don Juan den Menschen auf dem Schloss fremd ist, weil er sich anders verhält und anders denkt. Mit seinem Auftreten wird deutlich, dass er sich von ihnen, am wenigsten von Roderigo, unterscheidet, weil er überhaupt denkt. Wie schon in anderm Zusammenhang dargelegt, ist es vor allem das Verhältnis zum andern Geschlecht, das ihn beschäftigt. (28) Er hat erkannt, dass er jedes Mädchen so gut wie Anna lieben könnte, und will sich deshalb zu seiner Geometrie, "wo ich weiss, was ich weiss" (D 402), zurückziehen. Durch seine Weigerung, Anna zu heiraten, weil er, wie er des öftern betont, nicht wisse, wen er liebe, entfremdet er sich dieser Welt vollends. Auch in die Welt der Geometrie, deren Vorzüge im Vergleich mit der Welt der Gefühle er Roderigo in ihrem letzten Gespräch preist, findet er, vorläufig, keinen Zugang; die Dame, Miranda, führt ihm sein Leben der nächsten zwölf Jahre vor Augen: "Ich sehe dein Leben: voll Weib, Juan, und ohne Geometrie." (D 443) Aus seinem Kampf gegen den Himmel, den er nach dem Tod Annas herausgefordert hat, ist ein Kampf gegen das andere Geschlecht geworden, von dem er völlig beherrscht wird. In diesen zwölf Jahren ist in ihm der Gedanke über die Unvollkommenheit des einzelnen Menschen gewachsen, den er zu Beginn des Gesprächs mit Don Lopez mitzuteilen sucht: "Ich kann keine Dame mehr sehen noch hören, Eminenz. Ich verstehe die Schöpfung nicht. War es nötig, dass es zwei Geschlechter gibt? Ich habe darüber nachgedacht: über Mann und Weib, über die unheilbare Wunde des Geschlechts, über Gattung und Person, das vor allem, über den verlorenen Posten der Person -" (D 446) Er wiederholt diese Worte dem richtigen Bischof gegenüber, zu einer Zeit also, in der er sich wieder mit Geometrie beschäftigt, wie es aus einer Anspielung des Bischofs hervorgeht, (29) und in der sich sein Leben auch bezüglich des weiblichen Geschlechts normalisiert hat. Frisch steht offensichtlich am Ende des Stücks vor dem nicht gelösten Problem, und es scheint, dass er ihm mit der gleichen Ratlosigkeit und Verzweiflung gegenübersteht, wie sie aus den Worten Don Juans heraustönt.

Damit dass Frisch das Problem in keiner Weise bewältigt hat und somit engagiert bleibt, könnte erklärt werden, weshalb seine Darstellung, die Art der Integrierung des Problems in die Handlung, nicht ganz befriedigt. Gemeint ist damit vor allem die Verwandlung des sich eifrig um die Geometrie bemühenden Jünglings in den Weiberhelden, das Vorbild der Jugend, (30) die sich am Ende des dritten Akts vollzieht. Sie wird zwar motiviert im Kampf, den Don Juan dem Himmel beim Anblick der toten Braut ansagte: "Wir wollen sehen, wer von uns beiden, der Himmel oder ich, den andern zum Gespött macht!" (D 438) Dieser Kampf wird dann auch im vierten Akt von Juan noch einmal als Grund für die vertanen zwölf Jahre angegeben: "Verstehen Sie mich richtig, Bischof von Cordoba, nicht bloss der Damen bin ich müde, ich meine es geistig, ich bin des Frevels müde. Zwölf Jahre eines unwiederholbaren Lebens, vertan in dieser kindischen Herausforderung der blauen Luft, die man Himmel nennt!" (D 448) Die Motivierung reicht aber nicht aus, um die Frage zu erklären, weshalb Don Juan, der am Anfang als leidenschaftlicher Anhänger der "männlichen Geometrie" auftrat, dem es grauste "vor dem Sumpf der Stimmungen", im zweiten Teil als "Nur-Mann", als "Parasit in der Schöpfung" (D 814/5) erscheint. Da die Veränderung das Stück in seiner Aussage beeinflusst und somit im Mittelpunkt des Geschehens steht, genügt es nicht, wenn der Dichter sich darauf verlässt, dass der Zuschauer erkennen müsse, dass im triebhaften Leben, das Don Juan während zwölf Jahre führt, die wissenschaftliche Beschäftigung mit der Geometrie keinen Platz habe. Und es scheint, als ob sich Frisch damit begnügte: Don Juan erwähnt in den letzten beiden Akten seine frühere Neigung, Hauptthema seiner Gespräche in den ersten drei Akten, mit keinem Wort. Beim einen Mal, das eine Stellungnahme Don Juans erwarten lässt, weicht er aus: wenn Miranda fragt, ob er sein Ziel, die Geometrie, noch habe, erkundigt er sich, wer sie sei. Auch im fünften Akt schweigt Don Juan. Man erfährt zwar, dass er sich wieder mit Geometrie beschäftigt, aber man muss annehmen, dass sie für ihn nicht mehr als das Problem, von dem er früher besessen war, existiert; jetzt verzweifelt er an dem Gedanken, "dass der Mensch allein nicht das Ganze ist" (D 465). Der Zug, der Frischs Don Juan von allen andern Don-Juan-Figuren unterscheiden sollte, haftet ihm in der zweiten Hälfte nicht mehr an, er wird zum blossen Verführer, wie er schon immer dargestellt worden ist. Steht im ersten Teil das Problem und das Bemühen, es zu erfassen, im Mittelpunkt, ist es im zweiten Teil die Handlung, das Spektakel. Was Frisch mit dem Stück aussagen wollte, dass eine Figur wie Don Juan früher oder später vor die Wahl gestellt wird: "Tod oder Kapitulation - Kapitulation jenes männlichen Geistes, der offenbar, bleibt er selbstherrlich, die Schöpfung in die Luft sprengt, sobald er die technische Möglichkeit dazu hat" (D 817), und was er in Abweichung von allen andern Bearbeitungen versuchen wollte zu zeigen, "Don Juan als einen Werdenden zu entwickeln" (D 814), geht aus dem Stück kaum hervor. (31)

"Du sollst dir kein Bildnis machen von Gott, deinem Herrn, und nicht von den Menschen, die seine Geschöpfe sind. Auch ich bin schuldig geworden damals. Ich wollte ihm mit Liebe begegnen, als ich gesprochen habe mit ihm. Auch ich habe mir ein Bildnis gemacht von ihm, auch ich habe ihn gefesselt, auch ich habe ihn an den Pfahl gebracht." (D 638) Die Worte, die der Pater hinter der Zeugenschranke ausspricht, fassen zusammen, was Frisch mit dem Modellstück "Andorra" aussagen will. Der Gedanke, dass das normale Zusammenleben mit dem Andern gefährdet wird, wenn man ihm nicht als Mensch, sondern als in eigner Vorstellung geprägtem Bild des wirklichen Menschen begegnet, beschäftigt Frisch seit seinem ersten Stück. Auch die erste Zitierung des Bibelworts fällt in diese Zeit. Im Tagebuch von 1946 überschreibt Frisch eine Betrachtung über den Umstand, "dass wir gerade von dem Menschen, den wir lieben, am mindesten aussagen können, wie er sei", mit dem Zitat, das er viel später den Pater sprechen lässt. (32) Auch in seinen Anmerkungen zu "Als der Krieg zu Ende war" trifft man auf den Begriff des Bildnisses: "Im Vordergrund ... steht eine Liebe, die, auch wenn man sie als Ehebruch bezeichnen mag, das Gegenteil jener Versündigung darstellt und insofern heilig ist, als sie das Bildnis überwindet." (33) Das Stück selbst bringt Frischs Kritik am von Vorurteilen befangenen Menschen sehr deutlich zum Ausdruck. Agnes weist Horst zurecht, der sich nach seiner Heimkehr abschätzig über die Russen äussert: "Russenschweine, weisst du, das erinnert mich so an Judenschweine und all das andere, was unsere eigenen Schweine gesagt haben - und getan." (D 254/5) Vor allem aber geht sein Anliegen aus den Worten Agnes' hervor, mit denen sie Horsts Frage, wie der Russe aussehe, auszuweichen sucht: "Ich sage dir ja, er ist Russe ... Und wie Russen aussehen, das weiss doch jedes Kind. Wozu gibt es Bilder ... Denk an die Illustrierte! Genau so sieht er aus..." (D 284) Die Worte des Tischlers, der als erster auf das Vorurteil der Andorraner Andri gegenüber aufmerksam macht (D 590), erinnern an die Antwort Agnes', die so darüber hinwegtäuschen will, dass sie das Vorurteil überwunden hat und mit dem Russen auf gleicher Ebene verkehren kann. Die Haltung der Andorraner bestimmt Andris Denken und dadurch sein Wesen in verhängnisvoller Weise: Andri nimmt die Züge des ihm vorgehaltenen Bildes an, er identifiziert sich am Schluss mit ihm: "Ich bin nicht der erste, der verloren ist... Ich weiss, wer meine Vorfahren sind. Tausende und Hunderttausende sind gestorben am Pfahl, ihr Schicksal ist mein Schicksal... Das verstehst du nicht, weil du kein Jud bist -" (D 665). Zeigt Frisch in "Als der Krieg zu Ende war" eine Möglichkeit, sich vom üblichen Klischeedenken zu befreien, das die grösste Gefahr für die zwischenmenschliche Beziehung bedeutet, so führt er in "Andorra" im Prozess der bewussten Umformung eines Menschen die Folgen dieser Denkweise vor - und es gelingt ihm, das Problem so zu fassen, dass es in seiner verhängnisvollen, ja tragischen Bedeutung, die es für den Einzelnen hat, bewusst wird.

"Andorra" ist nicht ein historisches Stück, sondern, wie Frisch in einer ihm vorangestellten Anmerkung festhält, ein Modell (D 584). Das bedeutet, dass die Handlung von "Andorra" sich nicht nur auf die Judenverfolgungen des Zweiten Weltkrieges beziehen lässt, (34) dass es vielmehr ganz allgemein - beispielhaft - die Entremdung eines Menschen von der Gesellschaft aufzeichnet, der von ihr so lange provoziert wird, bis er sein Anderssein annimmt und sich in der ihm früher vertrauten Umwelt als Fremdling einzurichten beginnt. Frischs Engagement ist hier insofern politisch, als er sich mit "Andorra" gegen das Vorurteil, das sich in der Gesellschaft als eine Grundhaltung dem Andern gegenüber festgesetzt hat, richtet, "die Dummheit des Antisemitismus ist nur ein Beispiel für jegliche Art borniert Präokkupation". (35) Wie in allen andern Stücken verbindet er seine Kritik aber nicht mit der Verkündigung einer politischen Idee, wieder geht es ihm allein darum, auf den in der Gesellschaft isolierten und leidenden Menschen aufmerksam zu machen. (36)

Biedermann ist die einzige Figur Frischs, die nicht in Auflehnung gegen die Gesellschaft oder in Verteidigung der eignen Person gegen ihre Angriffe, sondern im Gegenteil aus dem Bedürfnis heraus handelt, vor der Gesellschaft, das heisst hier

vor den Brandstiftern, den Kollegen des Stammtischs, dem Publikum und auch
dem Chor, sich in möglichst günstigem Licht zu produzieren. Schon zu Beginn der
Handlung tritt dieser Zug Biedermanns deutlich hervor: Schmitz beteuert ihm mit
schmeichlerischen Worten, dass er ihn nur von der besten Seite kenne, und rühmt,
da Biedermann damit noch nicht ganz gewonnen ist, wenig später seine Menschlich-
keit. Da Biedermann nicht als Unmensch gelten will, muss er ihm daraufhin in seinem Hause Obdach gewähren. Von da an spielt er die Rolle, die seiner Meinung
nach am ehesten der Situation angepasst ist: Er redet sich ein, dass man nicht je-
dermann für einen Brandstifter halten dürfe, und biedert sich Schmitz an, ge-
schmeichelt ob dem Gedanken, sein Wohltäter zu sein. So glaubt er am Anfang
auch, dass er, der Gönner, die Brandstifter seine Macht spüren lassen könne,
und diese gehen, so zum Beispiel, wenn er sich über Eisenrings Erscheinen entrüstet, willig auf das Spiel ein. Weil ihn die beiden in seinen selbstherrlichen Ge-
fühlen noch bestärken, schliesst er sich immer mehr in seine eigne Welt ein, und
er verliert sich damit immer mehr an die Brandstifter. (37) Trotzdem ist er der
Ueberzeugung, dass er ein freier Bürger sei - auf dieser Ueberzeugung liegt der
Schwerpunkt des Stücks: Frisch will demonstrieren, dass ein Mensch wie Biedermann, der "unwissend ist, weil er nicht wissen will", (38) der nicht den Menschen,
sondern sein Eigentum als das ihm Kostbarste behütet, nicht frei sein kann. Er
demonstriert es eindrücklich, indem er den Unterschied zwischen dem Handeln und
Denken Biedermanns sehr deutlich hervorhebt. Biedermann spricht von Menschlich-
keit, wenige Augenblicke vorher hat er sich aber als Unmensch benommen: "Be-
teiligung an seiner Erfindung. Soll er sich unter den Gasherd legen oder einen An-
walt nehmen - bitte! - wenn Herr Knechtling es sich leisten kann, einen Prozess
zu verlieren oder zu gewinnen." (D 483) Herr Knechtling kann es sich nicht leisten,
und er legt sich unter den Gasherd. Biedermann fühlt sich unschuldig und lässt
einen Kranz schicken: "Natürlich mit Schleife! Das spielt doch keine Rolle, was er
kostet, Hauptsache, dass es ein Kranz ist." (D 506) Einen weitern Beweis von Biedermanns Unfreiheit, der materiellen mehr als der ethischen, gibt Frisch in Biedermanns Verhalten den Brandstiftern gegenüber: Er, der sein Eigentum über alles
stellt - der Chor lamentiert darüber, wenn Biedermann die Benzinfässer entdeckt
hat (D 506) -, sieht zu, wie die Brandstifter langsam davon Besitz ergreifen. Einer
Aeusserung Biedermanns ist zu entnehmen, dass es nicht nur die Angst vor der
Katastrophe ist, die sein Verhältnis zu den Brandstiftern bestimmt, sondern vor
allem die Angst, für einen Spiesser gehalten zu werden: "Nämlich die beiden Herren
halten mich immer noch für einen ängstlichen Spiesser, der keinen Humor hat,
weisst du, den man ins Bockshorn jagen kann -" (D 525) Solche Worte machen klar,
dass Frisch mit dem Stück nicht nur auf eine Gefahr, die dieser Typ Mensch vor
allem seiner Unbesonnenheit wegen in der Gesellschaft darstellt, aufmerksam machen und vor ihm warnen will, sondern dass er ihn scharf und direkt kritisiert.
Eine andere Stelle bestärkt diese Annahme: Schmitz ist der Ansicht, dass die Katastrophe ohnehin komme, und lässt so nebenbei das Wort "Gottesgericht" fallen.
Auf die Frage Biedermanns "wieso Gottesgericht?!", antwortet er: "Weiss ich's..."
und liest aus der Zeitung vor: "'-scheint es den Sachverständigen, dass die Brandstiftung nach dem gleichen Muster geplant und durchgeführt worden ist wie schon
das letzte Mal.'" (D 482) Der Bürger - man muss annehmen, dass er für Frisch
nicht die Ausnahme bildet, sondern die Masse - weiss um die Mittel, mit denen zu

seinem Verderben gearbeitet wird, aber er will sich dieses Wissen nicht einge-
stehen; er will nicht denken, da er sich dadurch in seiner Existenz bedroht fühlte.
Dass Frisch auch hier keine Lösung des Problems sieht, nicht einmal die Möglichkeit zu einer Lösung, legt er schon im Stück selbst fest. In den letzten Worten
des Chors im Nachspiel zu "Biedermann und die Brandstifter" bekennt er sich
ausdrücklich zu dieser Haltung: "Schöner denn je, / Reicher denn je, / Turmhoch-
modern, / Alles aus Glas und verchromt, / Aber im Herzen die alte..." (D 842) (39)

2. PRAESENTATION DES ENGAGEMENTS

Es ist auffallend, dass Frischs Stücke, wenn sie nicht sogar als reine Parabeln gemeint sind, wie "Biedermann und die Brandstifter", "Die grosse Wut des Philipp
Hotz" und "Andorra", immer, stärker oder weniger stark, die Züge der Parabel
tragen. Immer ist in ihrer Aussage das "quod erat demonstrandum" spürbar, das
sich unweigerlich mit der Parabel verbindet. Frisch gibt in einem der Briefe an
Walter Höllerer den Grund an, weshalb er so oft seine Stoffe in Parabelform auf
die Bühne gebracht habe: "Um kein Imitier-Theater zu machen, versuchte ich mich
früher in der Allegorie, dann in der Moritat, dann in der Travestie, Don Juan als
Kostüm-Zitat, um Theater von vornherein als Theater erscheinen zu lassen; später ausschliesslich in der Parabel." - und zugleich worin sein zunehmendes Unbehagen an der Parabel begründet ist: "Parabel ist Sinn-Spiel, es wird ein Vorgang
gezeigt, der so, wie er da gezeigt wird, in der Realität kaum stattfinden könnte;
der Bezug zur Realität entsteht nicht durch die Imitation von Realität, sondern es
wird Kunst-Stoff vorgeführt, und erst dieser Sinn, destilliert aus Kunst-Stoff, verbindet sich in unserem Bewusstsein mit einer Realität, indem er sich auf Realität,
die als solche nicht abzubilden ist, scheint übertragen zu lassen. Ein probates Mittel, dadurch ist Imitier-Theater ausgeschlossen, aber: Die Parabel tendiert zum
Quod erat demonstrandum, sie impliziert Lehre, unweigerlich wird sie didaktisch."
(40) Einen andern Grund noch gibt er für sein Unbehagen an, der im Zusammenhang
mit der Dramaturgie des letzten Stücks seine Bedeutung hat: "Die Parabel geht
meistens auf. Hang zum Sinn. Sie täuscht Erklärbarkeit vor, zumindest Zwangsläufigkeit. Sie gibt sich gültig, indem sie zugleich vage bleibt. Die Parabel, indem
sie zur Lehre nötigt, verbaut mich..." (41)

Frisch fühlt sich also dadurch, dass die Parabel "zur Lehre nötigt", am freien
Schaffen gehindert, und doch bringen gerade auch die Stücke, die nicht Parabeln
sind, die Lehre des Dichters deutlicher heraus als die Stücke anderer Theaterauto-
ren. Frisch geht in seinem Bestreben, seine Aussage in möglichst eigner Form,
das heisst nicht entfremdet wirken zu lassen, in einem der Stücke, in der "Chinesischen Mauer", (42) so weit, dass er sie nur in dem Masse, als es das Theater erfordert, in Handlung einkleidet und sie im übrigen in längeren Gesprächen, vor allem aber in vortragähnlichen Reden vorführt. Er entgeht damit der Gefahr, missverstanden zu werden, schafft gleichzeitig aber eine neue, gravierendere: er be-
einträchtigt das Stück in seiner Wirkung, denn er nimmt ihm eine der wichtigsten
Funktionen, die ihm als Theaterstück zukommt. Er verhindert, indem er vom Zuschauer von Anfang an eine ganz bestimmte Haltung dem Dargestellten gegenüber

verlangt, ihn also nicht unbefangen an das Spiel herantreten lässt, dass er es in seiner Phantasie verarbeitet. Er muss zumindest während des Spiels kaum mehr denken, sondern nur schauen und registrieren; was aber nicht bedeutet, dass er dem Geschehen auf der Bühne leichter zu folgen vermöchte, muss er doch die Ueberlegungen des Dichters und nicht eine Handlung aufnehmen. Ganz gegensätzlich dazu wirkt "Biedermann und die Brandstifter", die Parabel in vollkommener Form, die, auch wenn sie, wie Frisch betont, ohne Lehre ist, also keinen Einfluss auf die Masse nehmen wird, doch Lehre impliziert. (43) Es ist Frisch hier gelungen, seine scharfe Kritik in einer meisterhaft gefügten Handlung und diese wieder in einer Sprache, die voll Komik ist, auszudrücken, (44) und gerade damit lässt sich der Erfolg, der das Stück über alle übrigen Stücke Frischs hinaushebt, erklären: Es unterhält den Zuschauer, und es belehrt ihn gleichzeitig. (45)

Sogar Frischs letztes Stück hat belehrenden Charakter, wenn auch die Lehre, da Frisch den Zuschauer vorwiegend auf die neue Dramaturgie konzentriert, weniger stark bewusst wird und wenn sie auch - und dies in erster Linie - von Frisch in dieser Form nicht beabsichtigt ist. Die Aufführungen haben ihm gezeigt, dass die meisten Zuschauer der biederen Einsicht applaudieren: "Wir können ja doch an unsrer Biographie eigentlich nichts ändern." (46)

"Andorra" eignet ebenfalls das Wesen der Parabel. Frisch betont, dass es als Modell zu verstehen sei, und verwehrt damit den Vergleich der Handlung mit geschichtlichen Ereignissen. (47) Es ist das einzige Stück, dem Frisch die Bezeichnung Modell gibt, der Begriff lässt sich aber auch mit den andern Dramen, mit Ausnahme vielleicht von "Don Juan" und der "Biografie", in Verbindung bringen. Es handelt sich bei ihnen nicht um Modelle, wie Frisch es in "Andorra" vorführt, (48) doch auch sie geben Beispiel und machen dadurch aufmerksam auf bestimmte gesellschaftliche Situationen. Modellcharakter, der von Frisch wahrscheinlich nicht beabsichtigt ist, sondern ihm als die Form entspricht, in der er seine Gedanken auf die Bühne bringen muss - Modellcharakter erhalten sie vor allem durch Frischs Bestreben, im Spiel so klar wie möglich herauszubringen, was ihn beschäftigt und was er mit ihm kritisieren will. Dass dies nicht ohne Einfluss auf die Personen bleibt, versteht sich von selbst. Wie ich schon in einem früheren Kapitel erwähnt habe, (49) erscheinen sie mit Ausnahme Kürmanns auf der Bühne nicht als innerhalb der Handlung selbständige Menschen, sondern als Sprachrohr ihres Autors, von dem sie dann auch - und dies ist für den Zuschauer spürbar - immer wieder neu ihr Leben erhalten. Das heisst: Frischs Menschen sind in erster Linie Sinnträger und nur soweit Spielfiguren, als sie das Theater in dieser Funktion verlangt. Frisch erreicht zwar auf diese Weise, dass der Zuschauer, da die Figuren nicht wirkliches Leben imitieren, sich nicht mit ihnen identifiziert und sie als nur auf der Bühne existierende Wesen empfindet. Anderseits aber verkörpert er in ihnen, was er mit seiner Aussage aufs heftigste bekämpft: den auf eine bestimmte Rolle fixierten Menschen.

Im Gegensatz, der in Frischs Stücken offensichtlich zwischen Wort und Spiel, genaugenommen also zwischen theoretischer Erwägung und praktischer Ausführung, besteht, erkennt die Kritik eines ihrer Hauptargumente gegen Frisch als Theaterautor. Prüft man die Qualität seiner Dramen hauptsächlich unter diesem Gesichtspunkt, so muss man ihr recht geben; die vorliegende Arbeit sollte jedoch Beweis dafür sein, dass für die genaue und auch gerechtere Beurteilung des dramatischen Werks die Untersuchung auf breiterem Feld geführt werden muss; dann erst kann deutlich werden, was Frischs Stücke auszeichnet, was ihre Wirkung einschränkt.

In diesem Zusammenhang sei zum letztenmal die "Biografie" erwähnt. Es ist das einzige Stück Frischs, das nicht belastet wird durch die Gegensätzlichkeit von Wort und Spiel. Sie erscheint also ein weiteres Mal als der Versuch einer neuen Dramaturgie, die nicht nur dem Theater ganz allgemein wieder Geltung verschaffen könnte, sondern auch für Frisch - und dies ist für ihn vor allem wichtig - eine Möglichkeit darstellt, seine persönlichen Schwierigkeiten mit dem Theater zu überwinden.

Im Rückblick auf die ausführlichen Untersuchungen lässt sich die im Zusammenhang mit Frischs Dramaturgie oft gestellte Frage beantworten, ob seine Stücke nicht in erster Linie Lesedramen seien, die auf der Bühne einen grossen Teil ihres Reizes einbüssen müssten. Wichtig erscheint mir dabei die Tatsache, dass Frisch selten von der Bühne aus für die Bühne arbeitet, sondern meist von seinem Schreibtisch aus. Wichtig ist aber auch, dass Frisch selbst die Folgen dieses Vorgehens kennt: "Wer sechs Stücke am Schreibtisch verfasst und zur Aufführung gegeben hat, kommt sich wie einer vor, der sich als Schmied ausgibt, ohne je einen Hammer in der Hand gehalten zu haben; man legt nur seine Anweisungen auf den Amboss und sieht zu, was der Hammer draus macht, man schreibt vor: Drei Schläge! aber nach einem Schlag ist es vielleicht schon Brei, oder es brauchte siebenunddreissig Schläge, um das Erstrebte herzustellen. Das kann man nicht anweisen, das entscheidet sich aus der Hand dessen, der es macht." (50) Das Wissen um seine Schwäche erlaubt ihm denn auch, die Konsequenzen zu ziehen: er lässt dem Regisseur den grösstmöglichen Spielraum für die Inszenierung. Als einziges fordert er für sein Theater, dass es in jedem Augenblick als Theater durchschaubar, also antiillusionistisch sei. Gerade in der freien Haltung seinen Stücken gegenüber liegt einer der Gründe, dass Frisch einer der meistgespielten zeitgenössischen Autoren ist.

Die Frage nach der Bühnenwirksamkeit der Dramen möchte ich somit dahin beantworten: Ob Frischs Stücke, die ausser "Andorra" und "Biedermann und die Brandstifter" von der Lektüre her sich auf der Bühne ohne Zweifel eher schwerfällig ausnehmen müssen, in der Aufführung voll entfaltet werden und damit als Theater wirkungsvoll sind, hängt zu einem grossen Teil vom Geschick des Regisseurs ab. Wie gerade die ersten Aufführungen der "Biografie" klar gezeigt haben, ist das auf der Bühne realisierte Stück nicht mehr nur Zeugnis für die Kunst des Dichters, sondern fast ebensosehr für das Können des Regisseurs, der es geformt und damit zum Erfolg oder zum Misserfolg gebracht hat. (51)

ANMERKUNGEN

Einleitung

1) S. 102/3
2) vgl. P. Szondi, Theorie des modernen Dramas, I. Das Drama
3) edition suhrkamp 27, 5. Auflage, Frankfurt a. M. 1968
4) vgl. Szondi S. 22ff (Ibsen, Tschechow); S. 74ff
5) So beherrscht sie die Szene oft auch, ohne anwesend zu sein, im Gespräch der andern Personen. vgl. Szondi S. 40ff (Strindberg)
6) vgl. Szondi S. 74: "In Werken Strindbergs wird das Zwischenmenschliche entweder aufgehoben oder durch die subjektive Linse eines zentralen Ich gesehen ... Das Geschehen beschränkt sich im Zwischenmenschlichen auf eine Folge von Zusammentreffen, die bloss Marksteine des eigentlichen Geschehens: der inneren Wandlung sind." (Form des "Traumspiels" und des Stationendramas)
7) Szondi S. 45
8) vgl. Szondi S. 75: "In den 'analytischen Dramen' Ibsens stehen sich Gegenwart und Vergangenheit, Enthüller und Enthülltes als Subjekt und Objekt gegenüber. In den 'Stationendramen' Strindbergs wird das vereinzelte Subjekt sich selber zum Objekt."
9) vgl. Szondi S. 76: "'Diese Objektivität, die aus dem Subjekte herkommt, so wie dies Subjektive, das in seiner Realisation und objektiven Gültigkeit zur Darstellung gelangt ... gibt als Handlung die Form und den Inhalt der dramatischen Poesie ab' - heisst es in Hegels 'Aesthetik'."
10) Szondi S. 76
11) Szondi S. 78: Seine Vertreter sind: Ibsen, Strindberg, Hauptmann
12) Ich nenne mit Blick auf Frisch: Brecht, Pirandello, "Sei personaggi in cerca d'autore", Wilder, "Our Town", Miller, "Death of a Salesman"
13) vgl. M. Esslin, Das Theater des Absurden: Max Frisch, Bonn 1967, 2. Aufl., S. 282: "Das ... Drama 'Biedermann und die Brandstifter' war Frischs erste Exkursion in das Gebiet des 'humor noir' und des Theaters des Absurden."
14) z. B. Pirandello
15) z. B. Miller
16) z. B. Wilder
17) Szondi S. 121
18) Szondi S. 121
19) Szondi S. 158
20) Es scheint jedoch, dass gerade die in den letzten Jahren aufgeführten Stücke sich immer mehr von diesen Vorbildern lösen: Handke gelingt es zum grossen Teil, Weiss und Frisch versuchen es zumindest.
21) vgl. 63f (S. 63f dieses Buches)
22) Frisch erklärte im Gespräch in Berzona, dass eine solche Untersuchung für ihn sehr wertvoll und interessant wäre.
23) Hellmuth Karasek, Max Frisch, S. 99
24) hg. Thomas Beckermann, edition suhrkamp 404, Frankfurt a. M. 1971

I. Frischs Selbstverständnis als Dramatiker

1) "Zeit" 22.12.67. ff: "Wie finden Sie sich damit ab?" - "Gäbe es, nachdem man seit zwanzig Jahren sich veröffentlicht, überhaupt keinen Kommentar dazu, wäre ich doch irritiert; da Kommentare vorliegen, finde ich mich ab-"

2) Max Frisch, Oeffentlichkeit als Partner, edition suhrkamp 209, Frankfurt a. M. 1967

3) vgl. 10

4) F. Dürrenmatt, Theater-Schriften und Reden, Zürich 1966

5) Fernsehen: SFB 3.5.70: "Ich brauche eine Werkstatt", Menschen, Dinge und Verhältnisse im Blickfeld von Max Frisch.

6) Oeffentlichkeit als Partner (Oef.), S. 57, vgl. auch S. 56: "Gehört man zu den Schriftstellern, die das leichte Glück haben, dass sie auch in Fällen von Gelingen keinerlei Berufung empfinden, sondern den Beruf des Schriftstellers ausüben, weil ihnen Schreiben noch eher gelingt als Leben und weil für diesen Versuch, das Leben schreibend zu bestehen, der Feierabend nicht ausreicht - ..."

7) Oef. S. 59, vgl. auch S. 83/4: "Warum schreibe ich? Ich möchte antworten: aus Trieb, aus Spieltrieb, aus Lust. Ferner aus Eitelkeit; man ist ja auch eitel. Aber das reicht nicht für eine Lebensarbeit; das verbraucht sich an Misserfolgen, und wenn es zum Erfolg kommt, verbraucht es sich an der Einsicht, wie unzulänglich vieles ist. Warum schreibe ich dennoch weiter? Was sich nicht verbraucht, ist das Bedürfnis (ebenso ursprünglich wie der Spieltrieb) nach Kommunikation; sonst könnte man ja seine Versuche in der Schublade lassen. Also, ich schreibe aus Bedürfnissen nicht der Gesellschaft, sondern meiner Person." und "Zeit" 22.12.67: "Wenn ich mich öffentlich aussetze, tue ich's, um etwas zu erfahren, und vielleicht erfahren andere sich dadurch auch."

8) Max Frisch, Dramaturgisches, Ein Briefwechsel, (Dram.), LCB-Editionen, Berlin 1969, S. 19

9) Oef. S. 59/60

10) Oef. S. 80

11) Oef. S. 83

12) Oef. S. 51

13) Oef. S. 47

14) Oef. S. 46; vgl. auch 101f

15) Oef. S. 88; vgl. auch "Zeit" 22.12.67: "Die Erkenntnis-Vorstösse, die unser Jahrhundert bewegen, verdanken wir nicht der Literatur. Wer von der Literatur erwartet, dass sie das Weltbild bestimme, wird also von einem gewissen Minderwertigkeitsgefühl nicht verschont bleiben. Zwar spiegelt die Literatur, die diesen Namen verdient, die Verwandlungen unseres Bewusstseins, aber sie spiegelt nur; die Anstösse zur Verwandlung unseres Weltbildes kommen anderswoher..."

16) Oef. S. 55: "Es ist eine Resignation, aber eine kombattante Resignation, was uns verbindet, ein individuelles Engagement an die Wahrhaftigkeit, der Versuch, Kunst zu machen, die nicht national und nicht international, sondern mehr ist, nämlich ein immer wieder zu leistender Bann gegen die Abstraktion, gegen die Ideologie und ihre tödlichen Fronten, die nicht bekämpft werden können mit dem Todesmut des einzelnen; sie können nur zersetzt werden durch die Arbeit jedes einzelnen an seinem Ort."

17) Oef. S. 85

18) vgl. Tagebuch (T) S. 287/8

19) T S. 255ff, 263; Oef. S. 85/6

20) Programmheft zur Zürcher Uraufführung von "Biedermann und die Brand-
    stifter" S. 3/4 (Ph.)

21) H. Bienek, Werkstattgespräche mit Schriftstellern, dtv 291, München 1969,
    S. 33 und: "Ich habe nie Regie geführt. Ich kann dem Schauspieler nichts vor-
    machen. Ich kann nur die Fehler sehen und schweigen, was anstrengend ist,
    oder bewundern und danken. Ab und zu, mag sein, kann ich etwas helfen. Aber
    eigentlich bin ich bei den Proben nur dabei, um das Handwerk des Theaters zu
    lernen, immer in der Hoffnung auf das nächste Stück." - vgl. auch 115

22) vgl. Oef. S. 95/6; vgl. auch 87f, 89ff

23) Dram. S. 16; vgl. auch Oef. S. 95-97 und "Zeit" 22.12.67

24) "Zeit" 22.12.67; vgl. auch "Dichten und Trachten" 24, 1964, S. 14/15:
    "Schriftsteller im Laboratorium. Vielen von ihnen, nicht den unbedeutendsten,
    geht es vorerst um methodische Experimente, wobei das Objekt vergleichsweise
    belanglos sein mag; es geht um die Möglichkeit der Objektivität schlechthin...
    Schriftsteller nicht als Spielmänner, wie gesagt, sondern als Forscher in einer
    manchmal fast erbitternden Suche nach der Wirklichkeit..." - Was hier auf die
    Arbeit an "Mein Name sei Gantenbein", am Roman also bezogen ist, gilt auch
    für das dramatische Schaffen.

25) Die im Zusammenhang mit dieser Dramaturgie stehenden Aeusserungen Frischs
    fasse ich im Kapitel: "Frischs Dramaturgie der Variation" zusammen.

26) T S. 62ff

27) T S. 66, vgl. auch Szondi S. 16ff

28) vgl. Einführung

29) R. Petsch, S. 20

30) vgl. T S. 262: "Fabeln, scheint es, gibt es zu Tausenden..." Es verhält sich
    mit ihnen aber weit komplizierter, als man auf den ersten Blick glaubt: "es
    fragt sich bloss, wie und an welchen Zipfeln sie ergriffen wird; welche ihrer
    zahlreichen Situationen sich kristallisiert... So vieles daran lässt sich nur
    erzählen; das Spielbare zu finden braucht es die Wünschelrute eines theatrali-
    schen Temperamentes."

31) Oef. S. 64ff

32) Ph. "Nun singen sie wieder", S. 6

33) Oef. S. 77, 79

34) T S. 261, vgl. auch Anmerkung 21

35) Oef. S. 61. Dass sich die hergebrachte Form der Bühne, die bis heute nicht
    gültig verändert werden konnte, nur für Stücke mit spielbarer Handlung eignet,
    ist daran ersichtlich, dass die heute so verbreiteten Versuche, reale Politik
    als Anklage, Information und Aufruf auf diese Bühne zu bringen, ausschliess-
    lich an ihrer Form, die distanziert und das Problem somit vom Zuschauer weg-
    hebt, scheitern. Der Zuschauer bleibt passiv, wird nicht zum Mitwirkenden.

36) vgl. "Zeit" 22.12.67: "Inwiefern wählen wir das Thema, inwiefern sind wir,
    wenn wir zu wählen meinen, gesteuert und vertuschen es vor uns selbst, indem
    wir im nachhinein plausibel machen, warum wir das und das 'gewählt' haben?
    ... Auch dem Stückschreiber könnte dieser Registrator sagen: Warum wählen

Sie jedesmal dasselbe Thema? Worauf ich wie Kürmann sagen möchte: Fangen wir noch einmal an! Nur geht das eben in der Wirklichkeit nicht..." und Bienek, 30: "Bei jeder neuen Arbeit hatte ich das naive Gefühl, dass ich jetzt, Gott sei Dank, ein radikal anderes Thema angehe - um früher oder später festzustellen, dass alles, was nicht radikal misslingt, das radikal gleiche Thema hat." - und 21

37) Dram. S. 34
38) Dram. S. 30/1
39) Dram. S. 31 und "Anders als an einzelnen Menschen, ob sie nun nackt auftreten oder in Kostüm, lässt sich die Entmenschlichung nicht zeigen auf der Bühne; die Bühne ist anti-statistisch."
40) Dram. S. 31
41) Theater-Schriften und Reden, S. 120
42) T S. 255, 256, 259
43) Da das Zusammenwirken von Wahrnehmung und Imagination in einem Stück im Grund nur von der Aufführung her beurteilt werden kann, eine Untersuchung vom Text her auf Vermutungen beruhen würde, werde ich im folgenden nicht weiter darauf eingehen.
44) Bienek S. 33; vgl auch 14f
45) vgl. "Frischs Dramaturgie der Variation"
46) Oef. S. 71
47) Bienek S. 35/6

II. Frischs Dramaturgie der Peripetie

1. Die Fabel - Entwurf und Ausführung:

1) Bienek S. 28/29 und "Akzente" 2, 1955, Max Frisch: Zur Chinesischen Mauer, S. 388: "Ein Stück besteht aus Vorfällen, aus einer Kette von Vorfällen; die Art und Weise, wie sie untereinander verkettet sind, ist bedeutungsvoller als der einzelne Vorfall... aber das Bedeutungsvollere, wenn es vorhanden sein sollte, kommt nicht, wenn die Vorfälle nicht kommen... Eine Binsenwahrheit! Und wie oft wird sie vergessen, so dass wir vor lauter Einfällen, die uns faszinieren, den Vorfall nicht sehen; wir verfolgen dann die Gänge, aber keinen Vorgang und wundern uns, dass wir das Stück nicht verstehen können."
2) Berzona 11.8.70
3) vgl. "Der Mensch - Gruppierung und Charakterisierung"
4) Bienek S. 31, vgl. auch S. 26 Frischs Antwort auf die Frage: "Woher kommt ihre Vorliebe für das Tagebuch?"
5) T S. 34f
6) Andri charakterisiert sich also durch sein Spiel zum grossen Teil selbst.
7) vgl. achtes Bild und viertes Bild (D 616)
8) T S. 239ff
9) T S. 209
10) T S. 216
11) Ph. S. 2/3
12) T S. 71ff; vgl. dazu auch 108/9

13) T S. 75
14) vgl. 76ff
15) T S. 22, vgl. auch T S. 24; und 35/6
16) die Gefahr besteht bei Frisch im allgemeinen nicht
17) Bienek S. 31
18) vgl. auch G. Kaiser, Ueber Max Frisch, S. 117: "Die Erzählung der Fabel
    zeigt, dass Frischs Stück gar keine Fabel hat, jedenfalls keine geschlossene
    Fabel im Sinne des herkömmlichen Dramas. Frischs Theaterstück ist eine
    Montage aus verschiedenartigen Handlungs- und Bedeutungselementen, die ein-
    ander überschneiden, kommentieren und persiflieren und sich zuletzt gegen-
    seitig aufzuheben scheinen." - und M. Jurgensen, Max Frisch: Die Dramen,
    Bern 1968, S. 57: "Die Handlung, soweit sie überhaupt existiert, wirkt halb
    statisch, halb ritualistisch."
19) Frisch zeigt darin doch ein zwiespältiges Verhalten der Schule als "dramati-
    scher Anstalt" gegenüber: Einerseits überlässt er ihr ein Stück, das er aus
    dem Verkehr der professionellen Theater gezogen hat, anderseits macht er
    ernsthafte Gesellschaftskritik mit einem "Wilhelm Tell für die Schule".
20) vgl. H. Karasek, S. 21: "Dass die Sehnsucht Hawaii heisst - diese Erfahrung
    teilt das Stück ja mit ungezählten Schlagern, und auch die Abenteuer, die da als
    Seeräuberdasein auftauchen, verwertet eine abgesicherte Bildwelt. Aber gerade
    aus dem vertrauten Bildermosaik ... entsteht das Thema, das nur Frisch allein
    gehört, ergeben sich die Erfahrungen, die Frisch der Konfrontierung von Mög-
    lichkeit und Wirklichkeit abgelauscht hat -, jene leise Katastrophe, die aus der
    Langeweile hervorbricht und die der Autor hier in einer wehmütigen Romanze
    zu versöhnen sucht.", Bänziger S. 54/5: "Die Spannung zwischen Wirklichkeit
    und Traum existiert, obgleich beide Bereiche zum Teil verbrauchte Motive und
    Mittel enthalten: den edeln Rittmeister, den Abenteurer, die untreue Frau, die
    Südsee, Klavierakkorde im gegebenen Augenblick, Rebellen. Es brauchte die
    Gunst der Stunde, wahrscheinlich die besondere Situation der Schweiz, dass
    aus dem Gebrauchsgut Hollywoods ein lebendiges Traumspiel entstehen könnte,
    dass die schönen Gespräche (es sind keine scharfen Dialoge) zur Wirkung ka-
    men." - Wie oft wird bei Schweizer Dichtern ihre Ausnahmesituation als Schwei-
    zer betont und zu ihrer Erklärung oder ihrer Entschuldigung angeführt: oft ist
    sie reine Floskel, die eine Verlegenheit überbrücken helfen soll. - und
    H. Braun in "Süddeutsche Zeitung", 8.10.51, Die Mär von Santa Cruz im Resi-
    denztheater: Man fragt sich verzweifelt "warum wohl dieses mit allen Pusteln
    der Unreife und Formlosigkeit ausgestattete Pennälersehnsuchtsdrama an der
    ersten Bühne des Landes herauskommen musste".
21) vgl. 78/9
22) Dram. S. 30: "Mittelpunkt-Personnage ... Das stimmt. Das gilt übrigens für fast
    alle meine Stücke, für 'Don Juan', für 'Graf Oederland', auch für 'Biedermann',
    sogar für 'Andorra', wo sich auch alles auf den jungen Burschen als vermeint-
    lichen Juden zentriert." vgl. auch 46
23) D. Sölle, Don Juan: Jagd nach dem Jetzt, Programmheft Zürcher Schauspiel-
    haus, 1963/64, S. 3 ff
24) vgl. 109f und F. Stössinger, "Tat", 8.5.53: "... Also nicht, dass Frisch
    einen 'neuen' Don Juan schrieb, ist ihm vorzuwerfen, sondern dass er sich

nicht so entschlossen von der alten Vorlage entfernte, wie Byron, oder wie
Shaw, der dies in seinen Vorreden (Artemis-Verlag) so gut begründet hat."

24) zur Figur Don Juans vgl. auch M. Dietrich, Das moderne Drama, Stuttgart
1963, "Don Juan", S. 504ff

25) Ph. S. 3ff; vgl. auch 17f

26) vgl. Bänziger, S. 59: "Zwar enthielte die Handlung ... viel Spannung. Aber
nicht die Ereignisse, z.B. die Greueltaten der Nationalsozialisten sind hier die
Hauptsache, sondern die Klage darüber: der Versuch eines Requiems."

27) Ph. S. 5, vgl. auch Karasek, S. 67: "'Biedermann und die Brandstifter' 'erzählt' seine Handlung mit mathematischem Kalkül, das Stück duldet keine Ab-
schweifung und Aufweichung..." Und Karl Korn, "FAZ", 1.10.68: "Diese Fabel
ist mit hinreissender Komödienbrillanz aufgebaut und formuliert. Sie ist mo-
lièrisch, weil ihr moralischer Gehalt für den Menschen schlechthin gilt ..."

28) vgl. auch 71f

29) vgl. 15

30) vgl. 52

31) vgl. Petsch, S. 63ff und S. 113ff

32) Verschärft werden die Züge seines Bildes noch durch die Gegenstücke, auf die
die Aufmerksamkeit des Zuschauers gelenkt wird: Elsa öffnet die Post ihres
Gatten, und Hahn bedient sich mit seinen Zigarren. (D 331) Sogar seine Photo-
graphie wird einen Moment lang Gegenstand des Gesprächs (D 333). Zu seinen
Sachen gehört auch das Schiff, "mit Segeln aus Pergament, ein Nippzeug, eine
Spielerei." (D 329)

33) "Das stimmt übrigens nicht, Doktor, was Sie vorher gesagt haben: dass er's
mit Zigarren gemacht habe, der Staatsanwalt." (D 311) - "Der Einzige, der
mich verstanden hat..." (D 317). Ist hier noch vom Staatsanwalt die Rede, so
wird in der achten Szene die Beziehung zu Graf Oederland hergestellt: "Trotz
seiner Einzelhaft weiss er genau, dass er nicht der einzige ist, der zur Axt
gegriffen hat." (D 359) - vgl. dagegen T S. 100: "Was ich noch beifügen darf:
der Mörder weiss bisher nichts von den Vorfällen an der Grenze, ebensowenig
von den Ereignissen der letzten Woche... Ausser dem Umstand, dass sämtliche
dieser Verbrechen mit einer Axt vollbracht worden sind, sehen wir keinerlei
Zusammenhänge...'"

34) Karasek S. 14

35) vgl. 112f

2. Der Raum - Bühne und "Spielplatz der Seele":

1) Ph. S. 1

2) vgl. auch A. Weise, Untersuchungen zur Thematik und Struktur der Dramen
von Max Frisch, Göppingen 1969, S. 110

3) T S. 260

4) Ph. S. 1

5) vgl. Szondi S. 143: "Wenn auch die naturalistische Intention, die Umwelt als be-
dingenden Faktor des einzelmenschlichen Daseins auf der Bühne zu enthüllen,
hier noch bewahrt ist, so wird doch zugleich versucht, den dialogischen Raum
von den Objektivitäten zu befreien, an denen das Zwiegespräch der Uebergangs-
dramatik immer wieder in epische Schilderung umzuschlagen drohte."

6) vgl. auch 93ff

7) (D 851) "Zwei Schuhe, parallel, sind Schuhe im Kleiderschrank oder im Schaufenster, nichts weiter. Jetzt aber, plötzlich, sind sie mehr: ich sehe Standbein und Spielbein, ich sehe den Menschen, der geholt und getötet worden ist. Rührt seine Schuhe nicht an!"

8) Die Bühne von "Biedermann und die Brandstifter" ist von Anfang an in diese zwei Bereiche geteilt.

9) (D 100) "Mein Urgrossvater hat Europa verlassen, weil er es müde war." (Leutnant); vgl. auch E. Brock-Sulzer, Schweizer Monatshefte 4, 1945, S. 67/8: "Drei Lager stehen sich gegenüber, das der erschossenen Geiseln... Dann das Lager dieser Henker... Das dritte Lager besteht in einer Schar angelsächsischer Flieger..."

10) vgl. Karasek, S. 40: "Hier ist es das Bild, das die Deutschen von den einmarschierenden Russen, aus der sogenannten Russenzeit, gewonnen haben: Vergewaltigungen, Akte des sinnlosen Mordens und Plünderns, des Zerstörens von Wohnungseinrichtungen, des ständigen Betrunkenseins."

11) z.B. (D 9) "nun finden sie, Gott verdamm mich, das Grab nicht mehr - so schneit es da draussen." - (D 21) "Es schneit eine Stille ringsum, die immer höher und höher wird." - (D 49) "Ich möchte noch einmal fühlen, welche Gnade es ist, dass ich lebe, in diesem Atemzuge lebe - bevor es uns einschneit für immer."

12) (D 56/7) und (D 64)

13) vgl. Jurgensen S. 109: "Darüber hinaus dienen die zahlreichen Geschichten des Stückes der Charakterisierung sämtlicher Hauptpersonen."

14) Eindeutig geht meines Erachtens aus dem Text hervor, dass Graf Oederland Santorin nicht erreicht; vgl. dazu Jurgensen S. 36: "In Santorin, am Ort seiner Sehnsucht, steht er vor der Wahl, sich der Gewalt seiner Widersacher zu ergeben oder selber die Macht an sich zu reissen." - während sich E. Brock-Sulzers Kommentar zumindest rechtfertigen lässt, da er sich auf die erste Fassung bezieht. ebs., "Tat", 13.2.51: "Man will auf die Kreidefelsen von Santorin und endet als Untergrundskämpfer in den Kloaken von Santorin." vgl. auch 76, Anm. 1

15) vgl. (D 587) erstmals, dann vor allem im Gespräch zwischen der Senora und dem Vater am Schluss des achten Bildes.

3. Die Zeit - Montage und Wiederholung:

1) T S. 22

2) T S. 410

3) vgl. T S. 23: "Unser Bewusstsein als das brechende Prisma, das unser Leben in ein Nacheinander zerlegt, und der Traum als die andere Linse, die es wieder in sein Urganzes sammelt; der Traum und die Dichtung, die ihm in diesem Sinne nachzukommen sucht. -"

4) (D 12) "Noch einmal eine Flasche trinken, dachte ich immer, noch einmal unter lebenden Menschen sein!...", "Noch ist die Flasche nicht leer -"; (D 15) "Wie immer es sein wird, lieber Doktor, es ist das Leben, noch einmal das Leben..."; (D 17) "Sie wird nicht weit gelangen, die Gitarre, nicht weiter als er -"

5) (D 19) "Uebermorgen ist Martini", sagt der Rittmeister. Auch diese Zeitangabe ist im Vorspiel bereits vorausgenommen, im Gespräch der Bauern in der Pinte erfährt man, dass nächste Woche Martini ist. (D 13) Mit ihr verbindet sich ein im Vorspiel und im ersten Akt verhältnismässig breit angelegtes, fast sozialkritisches Problem, das das Verhältnis der Bauern zu ihrem Herrn aufdeckt. Problem und mit ihm die Kritik bleiben aber im Keime stecken. Mit ihm wird auch seine zeitliche Bestimmung, der Tag von Martini, für das weitere Geschehen unwichtig.

6) vgl. Szondi S. 17: "Indem das Drama je primär ist, ist seine Zeit auch je die Gegenwart. Das bedeutet keineswegs Statik, sondern nur die besondere Art des dramatischen Zeitablaufs: die Gegenwart vergeht und wird Vergangenheit, ist aber auch als solche nicht mehr gegenwärtig. Die Gegenwart vergeht, indem sie Wandlung zeigt, indem ihrer Antithetik neue Gegenwart entspringt. Der Zeitablauf des Dramas ist eine absolute Gegenwartsfolge. Das Drama steht als Absolutes selbst dafür ein, es stiftet seine Zeit selbst. Deshalb muss jeder Moment den Keim der Zukunft in sich enthalten. Das wird möglich durch seine dialektische Struktur, die ihrerseits auf dem zwischenmenschlichen Bezug beruht."

7) Nach E. Staiger ist damit das Bühnenproblem des Traums nicht erfasst.

8) (D 10) "Mag sein, ich habe mich wie ein Schuft benommen, damals vor siebzehn Jahren." (vgl. auch 37)

9) vgl. Einführung und 68

10) vgl. Szondi S. 28: "Denn vergegenwärtigt werden im Sinne dramatischer Aktualisierung kann nur ein Zeitliches, nicht die Zeit selbst."

11) vgl. 26

12) Ob die Musik des Schlusses das javanische Lied der Matrosen ist - es würde hieher passen -, bleibt dem Empfinden des Regisseurs überlassen, aus Frischs Anweisung geht es nicht hervor.

13) A. Weise, Untersuchungen zur Thematik und Struktur der Dramen von Max Frisch, S. 121

14) Da das Geschehen auf der Bühne Gegenwart und nicht auf die Ebene der Gegenwart heraufgehobene Vergangenheit ist, kann man die Zeugenaussagen, wie Jurgensen, S. 83, vergleichen mit der kinematographischen Rückblende, die "die lineare Zeitfolge aufhebt und stattdessen eine horizontale Allgegenwart herbeiführt."

15) (D 156) "Ort der Handlung: diese Bühne."

16) vgl. auch 35

17) vgl. Szondi S. 17 (37, Anm. 6)

18) vgl. 50, Anm. 17

19) T S. 410

20) "... und insofern, als Figuren unseres Denkens, sind Sie durchaus noch lebendig ..." (D 159)

21) vgl. auch G. Kaiser, "Ueber Max Frisch" S. 126: "Mit Absicht sprach ich ... davon, dass die Zeitschicht der Moderne im Wissen des Heutigen repräsentiert ist. In seinem Fühlen und Handeln ist nämlich auch der Heutige in der China-Schicht. Mit seinem Denken steht er auf modernstem Stand und damit über der Handlung, die er nach Art einer Conférence interpretieren kann. Mit seinem Erleben steht er in der chinesischen Welt und damit in der Handlung."

22) Der Begriff "Farce" wird in 113, Anm. 42 erklärt.

23) Man erinnere sich: Dürrenmatt hat einige Jahre später dem Stück "Die Ehe des Herrn Mississippi" auf ähnliche Weise den Stempel der Allgültigkeit aufgedrückt. Saint Claude, S. 89: "- gehen wir also zurück, wenn ich bitten darf, fünf Jahre nur, bevor sich jenes Unglück ereignete, dessen Zeuge Sie gleich zu Beginn waren, zurück denn ins Jahr 56 oder 57, immer fünf Jahre vor der Gegenwart, solange das überhaupt möglich ist. "

24) Auch "Als der Krieg zu Ende war" mit den von Agnes Anders gegebenen Berichten könnte im Grunde unter dem Begriff der Zeitmontage behandelt werden. Es scheint mir aber angebracht, diese Möglichkeit, die Zeit im Drama zu bewältigen, im Zusammenhang mit der Bestimmung der epischen Elemente in Frischs Dramen zu untersuchen. Vgl. 66

25) vgl. 31

26) (D 96/7, 99, 100, 103, 108, 143, 146), (D 89, 93, 111, 119, 127, 134, 144/5, 148); "Don Juan": (D 421, 428, 437); "Andorra": (D 600, 605, 612, 631), (D 675, 677)

27) Erst in der "Biografie" kann Geschehenes aufgehoben werden.

28) "Die Chinesische Mauer", "Heil, heil...": (D 155, 172, 186), "Don Juan", "Junge, Junge" (D 395 dreimal, 416, 417); "Die Chin. Mauer", "Es lebt an diesem Tag ein letzter Widersacher in unserem Land, ein einziger Mann, der sich die Stimme des Volkes nennt: Min Ko." (D 155, in ähnlicher Form 145, 173, 188, 210, 219, 221), "Graf Oederland", immer wieder äussern sich die Figuren über das Problem der Wiederholung im menschlichen Leben, das eigentliche Problem des Stücks. (D 305, 313, 323, 341). Wie diese Gedanken müssen auch das Lied vom Grafen Oederland (318, 320, 322, 326, 338) und das Tanzliedchen in "Don Juan" (D 396, 402) als Leitmotive verstanden werden.

29) Musik ertönt: (D 157, 168, 177, 203, 210, 221, 241), "Graf Oederland": "Musik aus fernen Sälen" (D 368) ertönt schon auf dem Empfang der Regierung, sie deutet hier nur Milieu an. Die gleiche Funktion erfüllen die Klänge der Fanfaren in der "Chinesischen Mauer" (D 171, 185, 186, 235) und der Posaunen (D 414) in "Don Juan", der Schlag der Trommel, das Gebimmel der Glocken, das Geräusch der Fräse und das Krähen der Hähne in "Andorra", während der Schrei des Pfaus in "Don Juan" vor allem als symbolisches Motiv zu verstehen ist (D 393, 401, 402, 405).

30) "Wissen Sie, was die Leute sagen? Nun singen sie wieder! sagen Sie: Immer wenn sie schiessen hören oder sonst wenn ein Unrecht geschieht, nun singen sie wieder! (D 144, Thomas) - vgl. 42, Anm. 26

31) in Form von Marschmusik (D 249), Balalaika (D 251/53/65), Klaviermusik (D 279, 283, 288)

32) (D 303, 307, 382, 384)

33) zum Beispiel: "Heute wird das Urteil gefällt" - das Heute folgt auf die Nacht, in der der Staatsanwalt geflohen ist (D 311; Hahn), "Heute ist Freitag, wir sprechen uns wieder am nächsten Montag" (D 317; Hahn), Weitere Zeitangaben: (D 312, 330, 332, 333, 341, 377, 380). Nur einmal macht Graf Oederland selbst eine zeitliche Angabe, in der Szene, in der er langsam in die Wirklichkeit zurückgeführt wird: Vor dem Erscheinen des Grafen im Saal der Residenz gibt der Innenminister bekannt: "Es ist siebzehn Minuten vor Mitternacht".

(D 371), das den Rebellen gestellte Ultimatum läuft um Mitternacht ab. Acht Minuten später sagt der Graf: "Es ist jetzt zehn Minuten vor Mitternacht, genau: 11.51." (D 373), und deutet damit an, dass er die Frist eingehalten hat.

34) vgl. 41

35) Der zweite Akt von "Als der Krieg zu Ende war" spielt drei Wochen nach dem ersten. "Morgen sind es genau drei Wochen." (D 278, Horst). Vgl. dazu "Don Juan": Der vierte Akt, vor dem Frisch die Pause ansetzt, zeigt den dreiunddreissigjährigen Don Juan. Auch hier wird zwischen die Akte eine grössere Zeitspanne gelegt.

36) vgl. 23, 65 und die Zeitstruktur der "Biografie": 94/95

4. Der Mensch - Gruppierung und Charakterisierung:

1) Dram. S. 34, 30, 31; vgl. auch 17ff

2) Beispiele dafür finden sich auch in den andern Stücken. Für die Namen in "Andorra" legt Frisch im Anhang sogar die Betonung fest (D 844).

3) Dram. S. 34, Oef. S. 50

4) Dram. S. 30

5) Auffallend ist, dass Frisch durch das ganze Stück hindurch zur Bezeichnung des Gesprächsparts nur den Namen "Staatsanwalt" verwendet.

6) Ein Jemand tritt auch in "Nun singen sie wieder" auf.

7) A. Weise S. 63

8) Obwohl auch der Intellektuelle oft im bürgerlichen Milieu befangen ist, man denke an Figuren wie den Staatsanwalt und Kürmann, und aus diesem Grunde die Gegenüberstellung Intellektueller-Bürger als zu wenig eindeutig, in ihren Begriffen zu wenig scharf geschieden erscheint, übernehme ich diese Determination, da sie in der Frisch-Forschung allgemein gebraucht wird.

9) A. Weise S. 61

10) Frisch bezeichnete Biedermann im Gespräch in Berzona als "konditionierte" Figur, die gesteuert ist vom "Business" und in der verwaschene Ueberreste des Humanismus lebendig sind. Wäre Biedermann, was er vorgibt, so könnte ihm nichts geschehen.

11) vgl. Dram. S. 12 "Je lückenloser die theatralische Demonstration, dass Biedermann, so wie er durch sein Milieu bestimmt ist, eigentlich nicht anders handeln kann als idiotisch, umso überzeugender wäre das Stück."

12) vgl. Karasek, S. 74: "Die Figur des Dr.phil. ist eine neue Variation der Frischschen Grundfigur des ohnmächtigen Intellektuellen. Sie ist auch zur Parabelfigur des geistigen Wegbereiters der Macht gesteigert, der in Worten den Terror mit vorbereitete und jetzt, da er Wirklichkeit geworden, entsetzt und wirkungslos gegen ihn protestiert: so hatte er es nicht gewollt."

13) A. Weise, S. 129

14) vgl. A. Weise, S. 128: "Die Bühne ist sein (Frischs) Spielbrett und die Personen seiner Dramen gleichen Spielfiguren." Frischs Menschen werden auch als "Spruchbandmenschen" bezeichnet.

15) vgl. 53

16) vgl. G. Kaiser, "Ueber Max Frisch", S. 133: "Wie bei Grabbe die grossen Gestalten der Literatur, Wallenstein, Marquis Posa usw., in einer literarischen

Hölle schmachten, kommt Frischs Don Juan 'aus der Hölle der Literatur'"
(D 165).

17) vgl. Kulturfahrplan, Büchergilde Gutenberg, 1968, S. 196: "Shi huang-ti begründet die Tsin-Dynastie..., nimmt chin. Kaisertitel an (bis -209). Die Eini-
gung Chinas gelang ihm durch Ueberlegenheit seiner Reiterei und Eisenwaffen
über die bisher üblichen Streitwagen und Bronzewaffen seiner Gegner; beginnt
unter Verwendung älterer Befestigungen "Chinesische Mauer" gegen Feinde aus
dem Norden zu bauen."

18) vgl. Max Frisch: Zur "Chinesischen Mauer", Akzente, 1955, S. 390/1: "Die
Figuren, die unser Hirn bevölkern, haben ihre Existenz ausschliesslich in der
Sprache. Daher die Stil-Zitate: Brutus nach Shakespeare, Philipp von Spanien
nach Schiller. Pilatus kennen wir aber nicht aus der römischen Geschichte,
sondern aus der Bibel. Daher das Bibel-Zitat. Wenn jemand diesen Auftritt
als parodistisch empfindet, liegt es vielleicht daran, dass Pilatus ausgerechnet
im Gespräch mit Don Juan Tenorio auftritt?" und ff.
vgl. auch G. Kaiser "Ueber Max Frisch", S. 120ff und A. Weise, S. 131/2:
"Während Frisch die Entfremdung des Intellektuellen als ein Spiel mit Masken
kennzeichnet, verkörpert er das Dasein des Bürgers im Sinnbild der Marionet-
te." - Frisch erklärte sich im Gespräch in Berzona mit dieser Behauptung
nicht einverstanden.

19) vgl. 69

20) Die Bemerkung Elsas zu Mario: "Dass mein Gatte sehr ordentlich war, ist ja
wohl bekannt, Herr Mario...", (D 327) legt endgültig fest, was aus dem Bühnenbild der ersten Szene, die Ordnerreihe ist wichtiger Bestandteil, aus vereinzelten Bemerkungen über seinen Beruf und vor allem aus seiner Erscheinung
selbst schon hervorgegangen ist: Der Staatsanwalt ist ein Mann der Ordnung.

21) Frisch stellt sich damit in der Praxis im Grund gegen die theoretische Aeusserung, dass er darstellt, "was die Soziologie nicht erfasst, was die Biologie
nicht erfasst: das Einzelwesen, das Ich..." Dram. S. 34; vgl. auch 114

22) (D 18) "Nicht viele gibt es, die in diesem Hause singen, acht Jahre lang. Die
meisten verlernen es nach und nach..."

23) (D 590) "Wieso will er grad Tischler werden? Tischler werden, das ist nicht
einfach, wenn's einer nicht im Blut hat... Warum nicht Makler?...", (D 592)
"Woher wisst ihr alle, wie der Jud ist?" - "Hab ich nicht bei jeder Gelegenheit gesagt, Andri ist eine Ausnahme?" (Tischler, Lehrer, Wirt)

24) vgl. Wolfgang Schimming, "Süddeutsche Zeitung", 7.5.53: "Dem Don Juan sind
ausser der dirnenhaften Miranda und der ältlichen Elvira keine durchgehenden
grösseren Rollen beigesellt, sondern in den Verwandten, Freunden und Frauen
nur mehr oder minder deutlich durchgebildete Reflexfiguren für seine Handlungen."

25) (D 393, Tenorio) "Er hat kein Herz, ich sag's, genau wie seine Mutter. Kalt
wie Stein. Mit zwanzig Jahren..." (D 394, Gonzalo) "Ich schmeichle nicht...,
ich melde bloss, was die vaterländische Historie nie bestreiten wird: Er war
der Held von Cordoba."

26) vgl. Frischs Gedanken über Don Juan, "Nachträgliches", (D 811ff)

27) Die "Biografie" wird hinsichtlich ihrer Strukturelemente im Kapitel "Frischs
Dramaturgie der Variation" behandelt. Die Figur Kürmanns lässt sich jedoch

am besten im Zusammenhang mit den andern Figuren Frischs erklären. Vgl. auch 91ff

28) vgl. 92, Zitat (D 708)
29) Im folgenden führe ich die Seiten an, auf denen die einzelnen Personen charakterisiert werden:
 1) (D 10, 14, 18, 45, 50, 60, 81)
 2) vage direkte Charakterisierung (D 24, 28, 56, 74/5)
 3) (D 97, 102, 143)
 4) vgl. 33, Anm. 9 (D 100, 103, 107)
 5) (D 90, 97, 140/1)
 6) (D 181, 193, 223, 228, 245)
 7) (D 152, 154, 155, 167, 171, 175, 197, 236)
 8) (D 253, 281, 289)
 9) (D 307, 327; 304, 308, 311, 312, 317, 332)
 10) (D 476, 480, 444, 488, 489, 503, 519)
 11) (D 560-567; 601, 564, 567, 575, 575/6)
 12) (D 590, 592, 596, 607, 610, 616, 633, 655, 657, 673)
 13) Andri wird vor allem in den Gesprächen mit dem Pater im siebten und im neunten Bild charakterisiert.
 14) (D 588, 613, 617, 618, 653)
30) direkt charakterisiert werden: Elvira (D 54, 76, 82); Prinzessin (D 172, 207, 244, 245); Anna (D 397); Antoinette (D 699, 701, 712, 715, 718, 756)
31) Don Juan wird direkt charakt. nach dem 1. Akt: (D 409, 429, 436, 438, 445, 466), Kürmann (D 707, 708, 709, 716, 719, 721, 728, 729, 734, 738, 739, 746, 762, 771, 773, 775, 777, 778, 780, 782)

5. Die Rede - Haupt- und Nebenformen des Dialogs:

1) Szondi S. 14
2) Szondi S. 14: "Das Drama der Neuzeit entstand in der Renaissance."
3) Szondi S. 14/5. Vgl. auch nächstes Kapitel.
4) vgl. nächstes Kapitel
5) R. Petsch unterteilt den Dialog des klassischen Dramas in die Form der Unterredung und die szenische Form, die im folgenden auch als szenischer Dialog bezeichnet wird. Die Unterredung gliedert er weiter in Erörterung, die einfachste Form dramatischer Auseinandersetzung, und in erregte Aussprache, die auf das Streitgespräch, die wichtigste Form des szenischen Dialogs, vorbereitet. S. 327ff.
6) vgl. 74ff
7) Die ersten Akte und Szenen benötigen trotzdem eine allerdings nur schwach angedeutete Einführung; in "Als der Krieg zu Ende war" gibt Frisch die Exposition losgelöst vom dramatischen Geschehen, in den einzelnen Aussagen Agnes'.
8) (D 587-589)
9) vgl. 51, Anm. 23 und (D 598/9)
10) vgl. 46ff und 114
11) Inwiefern die Ganzheit des Dramas, das Drama überhaupt dadurch bedroht wird, soll im nächsten Kapitel untersucht werden.

12) vgl. Karasek S. 87: "Der Dialog versteht es meisterhaft die Figuren knapp und scharf zu dekuvrieren."

13) vgl. 55

14) Der Bericht hat zwar oft einführenden Charakter, ist jedoch nicht mit der Unterredung als Exposition gleichzusetzen. Während diese nämlich sich über das ganze Gespräch oder einen Teil von ihm erstreckt und also von mehreren Personen gegeben wird, ist der Bericht auf eine Person beschränkt, sie erzählt, was vorgefallen ist.

15) vgl. 36ff

16) vgl. 58

17) vgl. Szondi, S. 32ff. (Tschechow)

18) vgl. E. Brock-Sulzer, "Tat", 9.3.46: "In der Aufführung ... wird sie (die Stelle des Briefs) entwertet durch ihre dramatische Funktion. Denn selbst im unwirklichsten Drama diktiert man solche Briefe nicht." Und Karasek S. 42: "Die Technik, in der dieser lange Agnes-Monolog geschrieben ist, erinnert an die Auseinandersetzung des chinesischen Kaisers mit dem Stummen."

19) vgl. 23

20) Ph. S. 5

21) vgl. W. Weber, Zeit ohne Zeit, Zürich 1959, S. 100: "Wir sagen: Ereignis und Gegenereignis liegen in der Sprache: in der Maskierung und in der Demaskierung des Wortes. Es ist in der Kunstform des Stücks ein hoher dramatischer Kippeffekt, von Sein in Schein und rückwärts. Das Drama liegt in der Sprache - wie eben das Drama des Biedermanns die Sprache ist."

22) vgl. 84/85

23) Das erste Gespräch zwischen Antoinette und Kürmann, das immer wieder durchgeprobt wird, erscheint zwar von der Situation: dem Ort und der Zeit aus als gesellschaftliche Unterhaltung; es kann jedoch infolge seiner speziellen Stellung im Ganzen mit den Gesprächen andrer Stücke nicht verglichen werden.

III. Frischs Dramen: Lösung oder Lösungsversuch?

1) Szondi S. 74

2) Szondi S. 76

3) Szondi S. 76

4) Vorbilder wären: Brecht, Wilder, Pirandello, Miller. Vgl. auch 8

5) vgl. B. Brecht, "Anmerkungen zur Oper Aufstieg und Fall der Stadt Mahagonny"; und "Kleines Organon für das Theater", das Brecht Frisch zur kritischen Lektüre übergab. T S. 287/8

6) A. Weise S. 165

7) Ich verweise auf: R. Grimm, Episches Theater, Köln, Berlin 1966, A. Weise, S. 165ff, und P. Szondi, S. 115-121.

8) Brecht, Gesammelte Werke 15, werkausgabe edition suhrkamp, S. 301: "Einen Vorgang oder einen Charakter verfremden heisst zunächst einfach, dem Vorgang oder dem Charakter das Selbstverständliche, Bekannte, Einleuchtende zu nehmen und über ihn Staunen und Neugierde zu erzeugen."

9) Szondi S. 116

10) vgl. A. Weise S. 181

11) Szondi S. 118

12) vgl. 15/6 und 115

13) Szondi S. 140

14) Szondi S. 116

15) Szondi S. 141

16) vgl. 69 und 8

17) vgl. A. Weise S. 157: "Während ihm zunächst die Lenkung zu gelingen scheint: er spricht mit den Masken und warnt sie vor den Gefahren ihres Spiels, verliert er zusehends seine Unabhängigkeit und wird zum Spielobjekt der Figuren, zum Hofnarr des Kaisers. In dieser Rolle hat er jeglichen Einfluss auf das Geschehen verloren. Seine Anweisungen werden nicht mehr ernstgenommen, das Spiel geht über ihn hinweg."

18) vgl. K. Korn, "FAZ", 1.10.58: "In den getragenen Rhythmen des antiken Chors kommentieren sie den Gang der Ereignisse, das heisst Biedermanns Gang ins Netz der beiden Gauner, chorisch." - und Ph. S. 5, Max Frisch: "Der Chor ist nicht parodistisch gemeint, nur komisch. Der antike Chor ... hat mich immer an die brave Feuerwehr erinnert, die auch nichts machen kann, bevor's brennt, und dann ist es ja - in der Tragödie und heute - zu spät."

19) vgl. Karasek, S. 69: "Mit dem chorischen Auftreten von Feuerwehrleuten 'parodiert' Frisch die antike Schicksalstragödie, um sie dem Bürger als Selbstberuhigung und als Stilisierungsmöglichkeit seines banalen Tuns zu zerstören."

20) vgl. Einführung, 8

21) Für Frisch ist es wichtig, dass die Zeitspanne zwischen Rechtfertigung und Geschichte klar zum Ausdruck kommt: sie "lässt sich verdeutlichen durch das Kostüm: der Soldat ist nicht mehr Soldat, sondern erscheint als Zivilist im Regenmantel, den er sich rasch überzieht." Im übrigen weist die Aussage selbst darauf hin. Z.B.: "Ich bin nicht schuld, dass es dann so gekommen ist. Das ist alles, was ich nach Jahr und Tag dazu sagen kann." (D 660)

22) Szondi S. 118

23) im Gespräch in Berzona

24) vgl. G. Kaiser, Ueber Max Frisch, S. 132ff: "Das Drama muss, wie jede Kunst, neue Ausdrucksmittel entwickeln, um eine sich ständig wandelnde Welt fassen zu können. In dieser Perspektive haftet Frischs Werk keine Willkürlichkeit an. Es steht in einem geistes- und literaturgeschichtlichen Zusammenhang. Verwandtes lässt sich vielerorts finden." Es folgt ein kurzer Vergleich, u.a. mit Brecht.

1. Santa Cruz:

1) G. Freytag S. 100

2) 36ff

3) Szondi S. 32

4) Szondi S. 35

5) Szondi S. 76

6) Szondi S. 37

7) Szondi S. 36

8) Miller ist es in "Death of a Salesman" gelungen, diesen Gegensatz aufzuheben.

9) vgl. Freytag S. 179: "... wie an einer Kette schliessen sich die nahe verwandten Anschauungen und Vorstellungen zusammen, in logischem Zwange, eine die andere fordernd. "

10) vgl. dazu H. Braun, "Süddeutsche Zeitung", 8.10.51, Aufführung in München, "Die Mär von Santa Cruz"; E. Brock-Sulzer, "Tat", 9.3.46, Uraufführung im Zürcher Schauspielhaus, "Max Frisch: 'Santa Cruz'"; Karasek, S. 22, fügt an die Aufzählung der Mängel des Stücks an: "... trotzdem lässt sich schwerlich übersehen, dass Frisch schon in seinem ersten Stück ein Modell für die Wirklichkeit gefunden hat, das hinter den Verbrämungen der 'Romanze' ein Spiel unverwechselbarer Erfahrungen umkreist und umschreibt. "; und Max Frisch, Ph. S. 1/2, "Santa Cruz", Ein Vorwort.

2. Don Juan:

1) im Gespräch in Berzona

2) vgl. 30

3) vgl. 52, Anm. 24

4) Im zweiten und dritten Akt ist es Roderigo, im vierten Lopez, im fünften Diego.

5) Szondi S. 76

6) vgl. 103, 109ff

7) vgl. dazu F. Stössinger, Max Frisch: Don Juan..., 8.5.53, Uraufführung im Zürcher Schauspielhaus: er bezeichnet die Schlussszene des dritten Akts als Höhepunkt, "Nach der Pause sind Don Juan und Frisch mit ihrem Latein zu Ende... Die herrlichen Gestalten... sind in der Exposition dieser drei Akte vorzeitig verbraucht, für die beiden letzten ist nichts mehr übrig als eine geschmacklose Parodie auf den Steinernen Gast..."; W. Schimming, "Süddt. Zeitg.", Uraufführung in Berlin, 7.5.53; H. Braun, "Süddt. Zeitg.", In den Kammerspielen, 23.5.53; E. Brock-Sulzer, Welttheater, Braunschweig 1962, Max Frisch: "Mit 'Don Juan' ist Frisch sein elegantestes, weltmännischstes Stück gelungen..."; P. Ruf, Schweizer Rundschau 53, Heft 3, S. 186/7: übertrieben negative Kritik am Stück.

3. Als der Krieg zu Ende war:

1) vgl. dazu J. Buschkiel, "Welt", 11.5.65, Neufassung des Stücks in Freiburg aufgeführt: "sie (die Neufassung) konnte freilich nicht verbergen, dass die Amputation zu weit ging. Der Schluss lässt jetzt zu viel offen-"; W.A. Peters, "FAZ", 8.5.65, Wiederbegegnung mit "Als der Krieg...": "Der ungelöste, gleichsam offen bleibende Schluss, der dem Beschauer spekulativ aufbürdet, was der Autor versäumt, was er hätte erfinden müssen, ist unbefriedigend. "; W. Weber dagegen in "NZZ" zur Uraufführung im Zürcher Schauspielhaus, 9.1.49: "Wir spüren, wie gross und richtig es geplant war, nehmen die Stellen ergriffen auf, wo das Planen Gestalt genommen hat; aber daneben ist in diesem Milieu, das nun Amerikaner mitbestimmen, soviel an unsicher berufenen

Motiven, dass wir den Gipfel des Schauspiels (und er ist bedeutend!) ans Ende des zweiten Akts vorverlegen."

2) vgl. Freytag S. 169: "Nur nebenbei sei bemerkt, dass die fünf Teile der Handlung bei kleineren Stoffen und kurzer Behandlung allerdings ein Zusammenziehen in eine geringere Zahl von Akten vertragen..., die Handlung lässt sich dann in drei Akten zusammenfassen."

3) vgl. 71ff

4) Jurgensen S. 108ff: "Es scheint in diesem Zusammenhang bezeichnend, dass der Epiker Frisch immer wieder die Darstellung eines Charakters durch dessen bewusste Identifizierung mit einer 'Geschichte' vollzogen hat... Jedenfalls beweist das Stück in aller Deutlichkeit, dass sich eine Kette von sechzehn Geschichten nicht unbedingt zu einem Drama zusammenschliesst."

5) Szondi S. 19

6) vgl. Ph. S. 8, T. Spoerri: "Meisterhaft handhabt Max Frisch die Register des Ausdrucks und bringt uns dadurch die verschiedenen Degradierungen des Wortes zum Bewusstsein... Kein Wunder, dass die beiden Liebenden sich um so besser verstehen, als sie sich nicht verständigen können." Kritiken zum Stück: W. Weber 73, Anm. 1; W.A. Peters, "Zeit", 6.4.50, Deutsche Erstaufführung in Baden-Baden, J. Buschkiel 73, Anm. 1; ders. in "Stuttg. Zeitg.", 18.5.65; W.A. Peters, "FAZ", Aufführung im Stadttheater Freiburg.

4. Nun singen sie wieder:

1) Freitag S. 24

2) Szondi S. 18, die folgenden Zitate S. 15, 47

3) vgl. E. Brock-Sulzer, Schweizer Monatshefte 4, 1945: "Dieses Werk ist dramatisch à rebours, vom Ende aus gesehen. Es ist manchmal gebaut wie eine Spiegelfuge, in der auch die Spannung nicht aus dem Zusammenprall verschiedener Motive geschieht, sondern aus der immanenten Spannung des einen und selben Motivs."
Allen Szenen ist die Problemstellung gemeinsam: Aus diesem Grund kann Frisch hier auf den einen Helden als Bindeglied, wie ihn die Stationendramen Strindbergs kennen und wie er auch durch Graf Oederland verkörpert wird, verzichten.

4) Freytag, S. 189

5) vgl. 46ff und 114

6) Szondi S. 15

7) vgl. 75, Anm. 3

8) Von der Sprache her ist somit eine Erklärung gefunden, weshalb Frisch das Stück im Untertitel "Versuch eines Requiems", einer Totenklage, nennt; eine weitere ergibt sich aus dem Inhalt selbst. Vgl. Ph. S. 1, Max Frisch, Vorwort: "Es sind Szenen, die eine ferne Trauer sich immer wieder denken muss..."

9) Karasek S. 24: "Die Position, die das Stück bezieht, ist also (grob gesprochen) die einer moralischen Teichoskopie."; E. Brock-Sulzer, Schweizer Monatshefte 4, 1945: "Sicher sind dem Drama Frischs eine gewisse Ungeschicklichkeit, eine gewisse Unvertrautheit mit dem Bühnenmetier anzumerken ... aber

das wird vielfach aufgehoben durch die Reinheit, die Unverbrauchtheit der
Substanz."

5. Graf Oederland:

1) Vergleich der Fassungen: Karasek S. 52/3: "Ueberhaupt unterscheiden sich die
drei Fassungen ... am deutlichsten in der letzten Szene..." Auch wenn Frisch
im Vorwort zur ersten Fassung für die Inszenierung fordert, dass die Figuren
sich bewegen, "wie wir uns in unserer Welt bewegen" und nicht in einem "soge-
nannt phantastischen Raum", lässt sich hier die Theorie, dass die Handlung nur
ein Tagtraum des Staatsanwalts sei, besser vertreten. Noch weniger klar als in
der dritten Fassung ist hier jedenfalls, wie die Figur des Grafen Oederland zu
deuten ist. Einerseits wollen Elsa und Hahn, die am Schluss nochmals auftreten,
sich und dem Staatsanwalt einreden, dass er nichts mit den Vorgängen draussen
zu tun habe ("Graf Oederland", Frankfurt a.M. 1951, S. 130), auch werden sie
durch die Schüsse, die der Staatsanwalt darauf auf sie abgibt, nicht verwundet,
anderseits wird auch hier die Verbindung zur Welt des Grafen hergestellt, wodurch diese Realität wird. Der Kommissar, in der dritten Fassung ist es der
Präsident, sucht den Staatsanwalt; er will ihm die Botschaft überbringen,
"dass die Residenz besetzt sei." - Vom dramaturgischen Standpunkt aus bedeutend ist der Umstand, dass Frisch in der dritten Fassung die Lichtreklamen
und Lichtschriften, die in der ersten Fassung zwischen den Bildern auf einen
Vorhang projiziert werden, nicht mehr verwendet; vgl. 79 . - Kritik zur
1. Fassung: E. Brock-Sulzer, "Tat", 13.2.51, Uraufführung im Zürcher
Schauspielhaus: "Mit einem blossen Protest gegen 'das Bürgerliche', gegen
die Ordnung, mit blosser Fernsehnsucht ist es nicht getan..." 2. Fassung:
A. Happ, "Welt", 6.2.56, Uraufführung in Frankfurt: "Bei der Frankfurter
Fassung, die das bei weitem 'bessere Theaterstück' ist, waren sichtlich starke
Dramaturgenkräfte am Werk, um den Stoff neu zu ordnen und in ein logischeres
Gefüge zu pressen... Gegenüber dem Ur-Oederland, der nur Oedland um sich
schuf, lässt der neue mehr an antinihilistischer Einsicht und praktikabler Nutz-
anwendung zurück... Viel Schönes aus dem ersten Werk - das Wiedererkennen
des gleichen Gesichts in den wechselnden Gesichtern - musste teilweise ge-
opfert werden: Der Gewinn ist eine geistreich kommentierte Komödie politischen Machtwechsels, die nicht unbedingt Max Frisch geschrieben haben müsste." 3. Fassung: K. Korn, "FAZ", 27.9.61, Uraufführung im Berliner Schiller-
Theater: "In der Endfassung III hat der Autor alles getan, den Oederland zu ent-
nazifizieren. Die Sache ist dadurch zwar klarer, aber nicht einleuchtender geworden." F. Luft, "Welt", 26.9.61: "Aber, lieber Frisch, nehmen Sie den
Oederland doch noch einmal in die Mache! Jetzt noch ein paar Handgriffe, und
die völlig treffende Gegenwartsparabel ist da."; H. Karasek, "Stuttg. Zeitg.",
27.9.61, Max Frischs "Oederland" im Schillertheater.
2) vgl. 24/25
3) vgl. 74 und Szondi S. 46ff
4) vgl. 42/43
5) vgl. 57

6) vgl. F. Luft, "Welt", 26.9.61, Aufführung in Berlin: "Warum geht auch der neue Schluss nicht so einleuchtend und wirksam auf, wie das Stück begann und beteiligte? Weil Frisch den Doppelboden der Wahrheit im zweiten Teil verliert. Weil die ganze gegnerische Welt der Regierenden, der Machthaber, der Gewaltträger nicht komplex, nicht ambivalent gelungen ist, wie alle Sphären vorher. Da wird es, wo zuvor Vieldeutigkeit und Vielfalt herrschten, eindeutig, einfältig, zuvor Schauspiel - jetzt Schaubude... Der Dramatiker stellt dem tragischen Helden Popanze entgegen, Kabarettfiguren der Macht. Damit schädigt er seinen Helden, damit vermindert er den letzten Spass an der tragischen Groteske."; H. Karasek, "Stuttg. Zeitg.", 27.9.61, Berliner Aufführung: "Alle diese Einwände gehen aber von der stillschweigenden Voraussetzung aus, dass das Stück selbst dort, wo es sich in Frage stellt, dies auf einem Niveau tut, das für die zeitgenössische deutsche Dramatik fast ein unerreichbares Wunschbild ist..."; F. Dürrenmatt, Theater-Schriften und Reden, S. 260: "Die Moritat ist ein interessanter, raffiniert ausgestatteter Theaterspektakel geworden mit grossen dichterischen Stellen... Doch eines konnte nicht glaubhaft gemacht werden: der Graf Oederland und sein Beil. Das Stück ist eine Menagerie, in der ein ausgestopfter Tiger vorgeführt wird."

7) vgl. F. Dürrenmatt, Theater-Schriften und Reden, S. 260/257: "Die mythische Gestalt des Oederland, nicht viel mehr als ein Wort, ist Frischs grosse Tat" - "Wer ist Graf Oederland? Eine Möglichkeit, die Gestalt annahm, durch Frisch Gestalt annahm. Eine Mythe, die entdeckt wurde. Das ist viel. Ein Name, aber was für ein Name! Ein Name, der allein schon das Gespenst enthält, der allein schon Dichtung, vielleicht die Dichtung vom Grafen Oederland ist."

8) vgl. 1. Fassung 76, Anm. 1

9) wie er es in der 1. Fassung getan hat. Vgl. z.B. die Projektion zwischen dem ersten und dem zweiten Bild: "Zwischenvorhang: Lichtreklame: Gegen Unlust, Schlaflosigkeit und Depression hilft Oridon. Erhältlich in jeder Apotheke. / Masken der Primitiven. Galerie des Beaux Arts. / Fix der handliche Feuerlöscher für jedes Heim. / Gong / Lichtschrift: Der Mörder. / Gong.

10) vgl. dazu: F. Luft, "Welt", 26.9.61, Uraufführung der 3. Fassung in Berlin; K. Korn, "FAZ", 27.9.61, gleiche Aufführung; A. Happ, "Welt", 6.2.56, 2. Fassung in Frankfurt; E. Brock-Sulzer, "Tat", 13.2.51, 1. Fassung in Zürich; und ebs., Welttheater, 1962, Max Frisch: Sie bezeichnet "Graf Oederland" als das vielleicht brüchigste Stück Frischs. "Seine Hauptschwierigkeit besteht darin, auf der Bühne den turbulenten Ablauf als eine innerseelische Aktion, eben einen Traum, spürbar zu machen." H. Karasek, "Stuttg. Zeitg.", 27.9.61, 3. Fassung in Berlin; Karasek, Max Frisch, S. 57: "Im 'Oederland' hat er auch eine szenische Meisterschaft, Knappheit und parabolische Sinnfälligkeit erreicht, die von nun an für seine Dramen kennzeichnend bleibt. 'Graf Oederland' ist Frischs erster wirklich entscheidender Schritt zum Dramatiker des modernen Welttheaters."; H. Plard, Universitas 9, 1964, S. 913: "Das Stück beruht, so phantastisch es auch erscheinen mag, auf einer wahren Begebenheit: auf der Existenz einer Bande von schweizerischen Halbstarken, die 1951 einen Bankier getötet und ein geheimes Waffenlager angelegt hatten..." - "Ein letztes Mal zeigt sich Frischs Bühnendichtung didaktisch und ohne Moral..."; F. Dürrenmatt, Theaterschriften und Reden,

S. 257ff; Ueber Max Frisch, S. 110ff:"Eine Vision und ihr dramatisches Schicksal".

6. Andorra:

1) vgl. 57/58
2) Freytag S. 24
3) Freytag S. 100
4) vgl. Max Frisch, Ph. S. 3: "Die erste Fassung befriedigte mich nicht, aber das Stück war schon angezeigt; es folgte eine zweite Fassung, eine dritte, dann Rückzug des Stückes, um frei zu werden für andere Arbeiten... Zeitraubend ist weniger das Warten auf Einfälle als der Verzicht auf Einfälle, die durch andere überholt sind... eigentlich schon in einem andern Unternehmen, nicht aus Mangel an Plänen also, schrieb (ich) es nochmals sozusagen hinter meinem Rücken, so, wie es jetzt vorliegt und wie ich es verantworten will, nachdem sich bei den Proben nochmals das eine und andere verwandelt hat aus den Widerständen und Möglichkeiten der Bühne selbst.
5) Freytag, S. 26
6) z.B.: Anfang des ersten Bildes - Schluss des letzten Bildes: (D 691) "Wenn die Szene wieder hell wird, kniet Barblin und weisselt das Pflaster des Platzes; Barblin ist geschoren. Auftritt der Pater." Barblin spricht mit dem Pater wie in der ersten Szene, aber sie ist gezeichnet von den Ereignissen: Sie ist geschoren, und sie weisselt den Platz, nicht das Haus ihrer Väter. - 2. Bild / 6. Bild / 11. Bild - 6. Bild / 10. Bild (Schauplatz verändert). - 7. Bild / 9. Bild (Schauplatz verändert).
7) vgl. 66; J. Jacobi, "Zeit", 30.3.62, Aufführung in Berlin: "Durch diese Einfügungen wurde (in Zürich) dem Auseinanderfallen in 'Bilder' entgegengewirkt"; H.H. Holz, Ueber Max Frisch, S. 246: "Aber die wahre Läuterung kommt erst aus der Einsicht, und die strengen Mittel der Verfremdung, die Frisch anwendet, sollen Einsicht erzeugen.
8) "neu" im Vergleich zum klassischen Drama.
9) Zur "Judenschau-Szene" vgl. Jacobi, "Zeit": "Einwände richteten sich sogar gegen eine Zentralszene des Stücks, Die Judenschau. Lassen wir dramaturgische Ueberlegungen beiseite: In der Theaterpraxis erweist sich die Judenschauszene überraschend häufig als heikel."; A.S.V., "FAZ", 22.1.62, Aufführung in Düsseldorf: "Er sollte schliessen mit der 'Judenschau'. Sie ist grandiose Vision in sich, und ihr Refrain 'Das mit dem Finger war zuviel!' ist ungeheuer ins Schwarze getroffen... Die letzte Szene ist dann nur Zusatz."; H.H. Holz, Ueber Max Frisch, S. 243: "Die Szene passt nicht in das Stück. Nach allem, was an handfester Wirklichkeit vorangeht, wirkt der plötzliche, unmotivierte Symbolismus verwirrend, ja peinlich, weil man zunächst geneigt ist, ihn wörtlich zu verstehen... Die Schluss-Szene wäre eindrucksvoller, aufschlussreicher ohne den vorangegangenen Albtraum. In der 'Judenschau' wurde Frisch dem Konstruktionsprinzip seines Stücks untreu. Hatte er zuvor versucht, das Allgemeine im Einzelschicksal sichtbar zu machen und dieses Einzelschicksal in seinen mannigfachen Vermittlungen zu begreifen, so konfrontiert er uns plötzlich unmittelbar mit dem Allgemeinen selbst ... die Allegorie stimmt nicht, wenn

sie in eine wirklichkeitsgetreue Umgebung gestellt wird, in der sie keine Funktion hat." - Kritik zum Stück: Aufführung in Zürich: F. Luft, "Welt", 6.11.61; W. Weber, "NZZ", 3.11.61; S. Melchinger, "Stuttg. Zeitg.", 4.11.61; E. Brock-Sulzer, "FAZ", 6.11.61; "Wenn aber etwas uns in der Ueberzeugung bestärkt, hier sei Frisch ein echter Wurf gelungen, so ist es der Umstand, dass das Stück auf sehr viele Weisen spielbar ist... die Substanz bliebe, es bliebe die innere, gegründete Form."; "Zeit", 30.3.62, Aufführungen in München, Frankfurt, Düsseldorf, Hamburg und Berlin. (aufschlussreiche Uebersicht über die deutschen Erstaufführungen); "FAZ", 22.1.62, Aufführungen in Düsseldorf, München, Frankfurt; R. Michaelis, "Stuttg. Zeitg.", 8.5.62, Aufführung in Stuttgart; J. Kaiser, "Süddt. Zeitg.", 22.1.62, Aufführung in München; Ch. Ferber, "Welt", 21.3.62, Aufführung in Hamburg; E. Plunien, "Welt", 12.2.62, Aufführung in Frankfurt; Aufführung in Berlin: Ch. Ferber, "Welt", 26.3.62; K. Niehoff, "Süddt. Zeitg.", 26.3.62; "FAZ", 26.3.62; K.A. Horst, Merkur 4, 1962, (eine der wenigen negativen Kritiken); Karasek, Max Frisch, S. 88: "Zum andern 'erliegt' Barblin dem Soldaten auch aus dramaturgischer Verlegenheit, weil der Autor weiss, was sie nicht wissen kann: dass nämlich ihre Liebe zu Andri, käme es dazu, Blutschande wäre."; H.H. Holz, Ueber Max Frisch, S. 243: "Es gibt keine Schürzung des Knotens, keine Krisis, keine Peripetie. Das Gewitter zieht sich langsam, kontinuierlich, ohne sichtbaren Einschnitt zusammen... Allmähliche Steigerung und plötzlicher Umschlag sind die Regeln dieser dialektischen Dramaturgie."; S. 245: "Es ist dramaturgisch geschickt, diesen Prozess der Persönlichkeitswerdung an einem jungen Menschen vorzuführen."

7. Die Chinesische Mauer:

1) Ausser in einigen für das Ganze nicht sehr bedeutenden Einzelheiten in der Darstellung der Fabel unterscheidet sich die zweite Fassung von der ersten vor allem in der Hauptfigur, im Dialog, in der Sprache. So ist die Sprache in der zweiten Fassung unpersönlich, fast formelhaft, der Dialog knapp und daher in seiner Aussage gezielt, wirkungsvoller (vgl. die Schlussworte Mee Lans). Aehnlich lässt sich auch das Verhältnis der beiden Hauptfiguren festlegen. Verficht der Heutige in erster Linie die Sache der Menschheit, ist der "junge Mann" vor allem persönlich engagiert. Frisch bringt dies in der ersten Fassung u.a. dadurch zum Ausdruck, dass er die Hauptfigur mit Min Ko identifiziert, er ist "die Stimme des Volkes". Er trägt dem Prinzen, dem Kaiser und Kleopatra das Lied vor, das das Volk zu Beginn gesungen hat; der volksliedhafte Bau und die kritischen Töne erinnern an die Songs in Brechts Stücken, dies mag mit ein Grund sein, weshalb das Lied in der zweiten Fassung fehlt. Min Ko ist auch verantwortlich dafür, dass das Volk in den Palast eindringt, er erkennt aber gleich, dass dies "ein alberner Plan, ein verruchter Plan" ist, "solange ein einziger Mensch unter euch ist, den ich lieben kann..." ("Die Chinesische Mauer", Basel 1947, S. 119). Der Heutige ist nicht in gleicher Weise politisch aktiv, er ist zurückhaltender als Min Ko, bei ihm gilt weniger die Tat als das Wort. Vgl. dazu auch: H. de Haas, "Welt", 10.7.56, Aufführung in Recklinghausen: "1955 setzte er seine Geschichte von dem Tyrannen und seinem Stum-

men einer Art Elektronenbeschuss aus. Er verheutigte sie radikal. Spektral-
analyse auf dem Theater... Der Meister des Spiels ist jetzt 'der Heutige', ein
Intellektueller. Er ist Ansager... und ist wissende Kassandra. Aber er wird
hineingerissen..."; Bänziger, Frisch und Dürrenmatt, S. 64: "In der zweiten
Fassung... geht Frisch in dieser Beziehung noch einen Schritt weiter. Die Thematik Geist und Macht tritt in den Hintergrund; im Vordergrund steht das reine
Spiel... das Ganze enthält weniger Gemüt, dafür mehr Tanz und Figürlichkeit.";
Max Frisch, Akzente 1955, zur 1. Fassung: "Sprechen wir vom Fehler so mancher Regisseure, die immer inszenieren wollen, was dahinter ist, statt zu zeigen, was da ist, so hat der Verfasser sich an den eignen Ohren zu nehmen; er
beging genau den gleichen Fehler; statt die Geschichte von dem Tyrannen und
dem Stummen hervorzubringen, bemüht sich das Stück, uns die Bedeutung eben
dieser Geschichte einzupauken... Ein Monat, so dachte ich (nach der Aufführung
des Berner Gymnasiums von 1954) auf der Heimfahrt, dürfte genügen, um die
'Bedeutung' abzukratzen und das Stück auf seine blanke Handlung zu reduzieren."

2) vgl. 50, Anm. 17
3) vgl. G. Kaiser, Ueber Max Frisch, S. 121/2: "In den Masken erscheinen aber
auch die immer gleichen Lebenssehnsüchte, die sich in uns erfüllen, die stets
gleichen Kräfte des Menschen, die uns helfen wollen, unser Leben zu erneuern...
In den Masken ist das Gute und Böse der ganzen Menschheit gegenwärtig, und in-
folgedessen ist auch ihre Aeusserungs- und Erscheinungsweise doppeldeutig."
4) vgl. 64/65
5) "Wer heutzutage auf dem Thron sitzt, hat die Menschheit in der Hand..."
(D 163)
6) vgl. 34
7) vgl. 50, Anm. 18
8) Kritiken zum Stück: F. Luft, "Welt", Aufführung in Berlin, 30.9.55: "Frischs
Spiel mit dem Zeitgeist hat doppelten Boden. Nach oben hin ist es erfrischend
frech, respektlos, wahrheitshaltig und streckenweise hochamüsant. Dann glei-
ten ihm Figuren dieser Sphäre ins Klischee ab." (1. Fassung); "Zeit",
13.10.55, gleiche Aufführung: H. de Haas, "Welt", 10.7.56, Aufführung in
Recklinghausen, (2. Fassung); A. Schulze, "FAZ", 12.7.56, gleiche Aufführung;
"Stuttg. Zeitg.", 14.7.64, Aufführung in Bad Hersfeld; G. Schulte, "Welt",
14.7.64, gleiche Aufführung; J. Jacobi, "Zeit", 5.3.65, Aufführung in Hamburg; Ch. Will, "Stuttg. Zeitg.", 4.3.65, gleiche Aufführung; W. Haas,
"Welt", 1.3.65, Aufführung in Hamburg: "es wird alles darin genau und wiederholt erklärt, und was nicht erklärt wird, ist eben blühende Dichterphantasie
oder je nachdem romantische Spielerei oder etwas Aehnliches."; W. Schulze-
Reimpel, "Welt", 25.5.68, Aufführung in Recklinghausen: "Zu desperat und
zu wenig miteinander verknüpft sind die Ingredienzen, zu viele ästhetische Fragen drängen sich auf und bleiben unbeantwortet. Höchst intelligente, dramatisch-
dichte Passagen wechseln mit Platitüden ohne thematische Notwendigkeit.";
H. Vormweg, "Süddt. Zeitg.", 27.5.68, gleiche Aufführung; O.F. Beer,
"Zeit", 17.8.62, Von Santa Cruz nach Andorra: "Deutlicher als anderswo wird
hier Frischs Bestreben erkennbar, Bühnengestalten zu Archetypen zu erheben.
Hier zeigt auch gleich der Stoff, woher er die Form hat: von der chinesischen
Oper mit ihrer Absage an Illusion und Realismus, ihrem souveränen Spiel mit

Schauspielern und Requisiten, ihrem Adspectatores-Agieren und ihrer Modell
bühne." Vgl. auch G. Kaiser, Ueber Max Frisch, S. 116ff; E. Brock-Sulzer,
"Tat", 23.10.46, Uraufführung in Zürich: "Kurz, es herrscht ein reiches
Spiel auf der Bühne, ... dass man darüber auf weite Strecken vergisst, wie
monologisch lehrhaft das so gespielte Stück ist."; ebs., "Tat", 14.11.55,
Aufführung in Zürich.

8. Die Einakter:

1) vgl. 65, Anm. 18 und 19
2) vgl. J. Jacobi, "Zeit", Aufführung in Frankfurt, 10.10.58: "Im Bühnen-'Biedermann' wurde das Bekenntnis offenkundig. Den Untertitel 'Ein Lehrstück ohne
   Lehre' könnte man übersetzen: Brecht ohne Kommunismus."
3) vgl. 60/61
4) vgl. 61 und Anm. 21
5) am deutlichsten zeigt dies der Vergleich mit der "Chinesischen Mauer".
6) Kritiken zum Stück: J. Jacobi, "Zeit", 10.10.58, Aufführung in Frankfurt (mit
   Nachspiel); K. Korn, "FAZ", 1.10.58, gleiche Aufführung; W. Drews, "FAZ",
   2.4.58, Uraufführung in Zürich, (am Schluss Kritik über "Hotz"); H. Jacobi,
   "Welt", 2.4.58, gleiche Aufführung; W. Haas, "Welt", 8.6.59, Aufführung
   in Hamburg; H. Karasek, "Stuttg. Zeitg.", 28.10.60, Aufführung in Stuttgart;
   E. Brock-Sulzer, Welttheater: "Die Jahre haben ihre Frucht getragen und
   Frisch nun zu einem Theaterstück geführt, das untadelig gekonnt ist und Tief-
   sinn zur durchsichtigen Oberfläche der theatralischen Form emporzuheben
   vermag."
7) Der Einwand, dass der Schluss als kurzgefasste Parodie auf den üblichen
   Schwank angelegt sei, während der Hauptteil seine Problematik ausdehnt und
   damit ihre Fragwürdigkeit herauszustreichen sucht, wäre zulässig; es ist jedoch als sicher anzunehmen, dass eine solche Interpretation ganz und gar nicht
   nach dem Sinn des Dichters ist.
8) vgl. Karasek, S. 77/8: "Aus diesem grotesken Zurückbleiben der Taten hinter
   deren Absichten resultiert ein Dialog, der von stupender Komik ist."; und 84,
   Anm. 6

IV. Frischs Dramaturgie der Variation

1) Oef. S. 90ff (Schillerpreis-Rede); die Zitate stehen auf den Seiten: 96 (2), 97, 98,
   99. Vgl. auch "Der Autor und das Theater" S. 68ff
2) Dass die Dramaturgie der Permutation hier erstmals von Frisch erwähnt wird,
   glaube ich aus dem ganz am Anfang ausgesprochenen Satz schliessen zu dürfen:
   "Was mich zur Zeit beschäftigt, ist etwas anderes" (Oef. S. 90) - es folgen
   die in der Zusammenfassung vorgeführten Ueberlegungen.
3) Dram. S. 13
4) Die hier geäusserten Gedanken sind aber nicht als die Grundlage der in der
   "Biografie" angewendeten Dramaturgie zu werten, sie wurde dadurch höchstens
   in ihrer endgültigen Form geprägt.

5) "während vorher die Kunst ihren elitären Schnickschnack zur Propagierung eines besonders unbrauchbaren Menschenbildes ohne weitere irdische Dreinreden betreiben durfte: Hier Kunst ... dort eure schnöde Wirklichkeit."

6) "er suchte am liebsten exotische Bilder"

7) Karl und Franz Moor "sind nach Schillers Weisung nie zusammen auf der Bühne... Er konnte sich diesen zwei Seiten oder Figuren seines Bewusstseins nur nacheinander zuwenden. - Puntila und Matti sind ein Paar, das die Bewusstseinsbewegungen Brechts ausdrückt... sie wären zu spielen als ein Bewusstseinszwilling, als das unlösbare Problem Brechts, als seine persönliche Verlegenheit."

8) "Das Bewusstsein imitiert sich nicht, sondern es drückt sich aus."

9) Dram S. 8/9

10) Dram. S. 16

11) Dram. S. 17

12) Dram. S. 18

13) Oef. S. 99

14) Dram. S. 15

15) Dram. S. 28

16) Der Registrator leitet mit den Worten: "Wünschen Sie noch einmal die Schulzeit?", die Szenen der Vergangenheit ein (D 721ff). Die Zukunft wird in der Szene im Spital vorgeführt (D 790ff).

17) Dram. S. 17

18) Walser

19) Dram. S. 17

20) vgl. 87

21) Dram. S. 16

22) "Die Bühne bleibt Bühne" (D 157); "Die Bühne soll so leer wie möglich sein..." (D 845)

23) T S. 22; 35/36

24) Dram. S. 17

25) vor allem in "Santa Cruz"

26) 97

27) Dram. S. 28

28) Auch in der "Biografie" wiederholt Frisch Sätze, Worte, Gesten und Klänge.

29) "Das wäre 1927" - "Das wäre 1934" (D 722/25), oft sogar, wie schon das erste Datum, auf den Tag genau: "14.4.1940" (D 732), dies aber nur, wenn der Registrator aus dem Dossier vorliest, was unter dem bestimmten Tag eingetragen ist.

30) W. Höllerer, Dram. S. 24: Sie "könnten den Zweck haben, einfach die Zeit zu markieren: das im Leben Kürmanns passierte dann und dann... Aber Ihrer Recherche nach sollen sie doch mehr bewirken. In diesen Nachrichten steckt eine Dimension Ihres Stückes, die der öffentlichen Vorgänge, sie sind hier nur genannt, nicht mit ins Spiel gebracht."

31) Dram. S. 29/30

32) W. Höllerer, Dram. S. 22

33) Dram. S. 27/28

34) Dram. S. 32

35) Dram. S. 29

36) Die Schuld dafür, dass das Spiel mit den Varianten sich nicht auf eine seine
Eigenart besser bezeichnende Weise entfalten kann, und auch für die in ihm
spürbare Fügung wurde von Höllerer der Figur des Registrators "als einer
Art allzu theaterpraktisch verwendetem innerem Gewissenswurm" (Dram.
S. 22) zugeschoben. Frisch erkennt ihm zu, dass er eine Hilfskonstruktion
bleibe, eine Brücke vom Gewohnten her, wodurch das Gewohnte wieder im
Spiel bleibe, und dass es ohne ihn gehen müsste. (Dram. S. 29) Auch diese
Erkenntnis ist, wie so viele andere, nach beendeter Arbeit, bei der Aufführung,
gekommen. Sie kann in folgenden Versuchen erst vom Dichter ausgewertet wer-
den.

37) vgl. 90

38) Dram. S. 27

39) Dram. S. 27

40) vgl. 98, Anm. 36

41) Dram. S. 27

42) Dram. S. 29

43) Kritik zum Stück: Uraufführung in Zürich: J. Kaiser, "Süddt. Zeitg.",
3./4.2.68; F. Schärer, "Weltwoche", 9.2.68: "In der Tat überraschte einmal
mehr die aussergewöhnliche Sicherheit, mit der Frisch die szenische Komposition beherrscht. Das Stück lebt in vielen kleinsten Details."; H. Karasek,
"Stuttg. Zeitg.", 3.2.68; G. Rühle, "FAZ", 3.2.68: "Wenn Frisch aus den
alten Zwangsabläufen des alten Theaters ausbrechen wollte, mit einer Freiheit
suggerierenden Dramaturgie, so ist er auf eine höchst umständliche Weise
wieder in sie hineingefahren. Nichts ist peinlicher auf dem Theater als einge-
übte Freiheiten, als Möglichkeiten, die doch erlernt werden müssen wie Ham-
lets Monolog."; F. Torberg, "Welt", 3.2.68: "Die leeren Seiten des Dossiers
warten auf Text, der noch nicht gelebte Abschnitt einer Biografie wartet darauf,
geschrieben zu werden, am besten von Max Frisch."; D.E. Zimmer, "Zeit",
9.2.68: "Die überraschende Schlusspointe allerdings ... steht der 'Biografie'
schlecht. Es wäre die Pointe zu einem andern Stück, oder umgekehrt: Sie
ändert das Stück nachträglich." - "Szenisch und schauspielerisch lässt das
Stück mit seinen drei Haupt- und siebenunddreissig Nebenrollen und seiner
weitgehenden Beschränkung auf Wohnzimmergespräche sowieso nicht sonder-
lich viel Spielraum; aber weniger trockene Inszenierungen scheinen mir durchaus denkbar." - "Je mehr sich die Bühne bemüht, nur sie selbst zu sein, um
so mehr wird sie zu einem Ort, der eine Bühne bedeuten soll. Aber das genügt
in diesem Fall letzten Endes auch." - Aufführungen in Düsseldorf, Frankfurt,
München: "Zeit", 9.2.68. "Dudek hat Frischs meiner Meinung nach brüchige
theoretische Dramaturgie erfolgreich überspielt - dennoch gleichsam assistiert
vom Autor. Man wird den Verdacht nicht los: Frisch war der geheime Verführer zu szenischem Leben... immer noch ist er ein phantasievoller und suggesti-
ver Manipulierer der Theaterwirklichkeit." (René Drommert, Düsseldorf) -
"Eine andere Frage scheint mir der Dauererfolg des Stückes. Ein Argument,
dem ich in Frankfurt gesprächsweise wiederholt begegnete: 'Eine Theaterprobe
ist eine Weile ja ganz interessant, aber das ist doch kein Stück'." (Johannes
Jacobi); "Welt", 5.2.68; G. Rühle, "FAZ", 5.2.68: "in Frankfurt zeigte sich,

dass Frischs Thema von der Variation von Lebensentscheidungen um so deutlicher wird, je stärker der Kontrolleur eingreift."; Peter Hamm, Aufführung in München, "Stuttg. Zeitg.", 6.2.68: "Wenn alle Figuren nämlich nur, wie das in 'Biografie' der Fall ist, 'Bewusstseinsfiguren' sind, haben sie dann am meisten Authentizität, wenn sie ihrem Autor am nächsten sind, das heisst, wenn er persönlich über sie oder von ihnen spricht..."; "Süddt. Zeitg.", 5.2.68; J. Nolte, "Welt", 25.11.68: "Schade ist nur, dass Frisch als Vorwand für dieses Spiel nichts anderes eingefallen ist als eine Ehegeschichte und dass die Frau des Herrn Kürmann darin zwar die entscheidende Rolle spielt, dass sie aber trotzdem nur die Stichworte liefern darf."; "Welt", 1.4.68, Aufführung in Berlin; g.r. "FAZ", 5.2.68, Berliner Aufführung: "Das Raffinement dieser Komödie besteht darin, dass sie mit allerlei Trivialspässen verdeckt, dass ihr kühner szenischer Entwurf nur anscheinend ausgeführt ist. So enthüllt der Erfolg der 'Biografie' mehr über die Situation von Publikum und Theater, als wir (in unserer Verehrung für Max Frisch) fürchten wollten." - H.H. Holz, Ueber Max Frisch, S. 252: "Um die dramaturgische Konstruktion zu begreifen, muss man nur genau die Anmerkungen Frischs lesen." - "... vielleicht ist die 'Biografie' nur ein Uebungsstück für die grossartige Klaviatur einer neuen Bühnendarstellung. Was Frisch als dramaturgisches Mittel hier erprobt hat, kann jedenfalls zu einem subtilen und adäquaten Instrument des Theaters im wissenschaftlichen Zeitalter werden." (S. 260)
vgl. auch Karasek, S. 92/3: "Als Motto hat Frisch seinem Stück ein paar Sätze Werschinins aus Tschechows 'Drei Schwestern' vorangestellt ... Es ist, als ob Max Frisch seinen Werschinin zum Kürmann umgewandelt hätte, um deutlicher und eindeutiger, als es das stockende Verheddern der irrealen Konditionalsätze bei Tschechow tut, zu zeigen, dass auch eine reale Wahlmöglichkeit ungenutzt bliebe, oder besser: im Grunde zum gleichen Ergebnis führte." Karasek fährt fort, S. 97: "Es ist, als ob Frischs 'Biografie' Werschinins stockend-unbeholfene Sätze über ein mögliches Leben in Reinschrift mit einem Drama belegt, das zeigt, wie wenig 'Reinschriften' zu gelingen vermögen - selbst dann, wenn sie das Theater ermöglicht." - Warum nennt Frisch das Stück eine Komödie?: B. Schärer, "Weltwoche", 9.2.68: "Aber als Komödie dürften dann nicht erst die aussichtslosen Versuche wirken, neu anfangen zu wollen, komisch werden müsste, was Kürmann für seine Biografie hält. Sie müsste Kürmann, solange er sie neu proben will, um dann immer an derselben Stelle hängenzubleiben, immer weiter ins Lächerliche vortreiben."; D.E. Zimmer, "Zeit", 9.2.68: "Dennoch handelt es sich um eine Komödie - um die Bemühung, Kürmanns verzweiflungsvolle Anstrengungen komisch zu nehmen, wie sie ja, aus genügendem Abstand betrachtet, tatsächlich auch komisch sind."; H.H. Holz, Ueber Max Frisch, S. 259: "Nur im Reich der Notwendigkeiten kann es Tragödien geben... Wo das Denken mit den Möglichkeiten des Daseins spielt, werden tragische Konflikte wieder aufgehoben. Die Komödie entlarvt die Unwahrheit der Redensart 'wenn ich noch einmal anfangen könnte, wüsste ich genau, was ich anders machen würde'." B. Allemann, Ueber Max Frisch, S. 266, erklärt den Begriff "Komödie" im Zusammenhang mit Dürrenmatts Stücken, was nicht sehr überzeugt.

V. Theater als Prüfstand

1) Dram. S. 38/9
2) vgl. 13ff
3) Dram. S. 41/2
4) Dram. S. 34; 18/19 und 46
5) vgl. 98ff
6) Dram. S. 40, ähnlich in: D.E. Zimmer, "Zeit", 22.12.67, Gespräch mit Frisch.
7) Die Erkenntnis, dass sie sich Unrecht taten, indem sie einander eine Komödie vorspielten, und dass Gott das alles viel schöner meinte (D 83), gilt nur für Elvira und den Rittmeister, ihr Leben wird sich durch sie ändern; ihr Kind aber, Viola, wird alles von neuem erfahren, alles noch einmal beginnen. Hotz wird seiner Kurzsichtigkeit wegen in der Fremdenlegion nicht aufgenommen und kehrt zu Dorli zurück. Es ist aber wenig wahrscheinlich, dass nach allem, was vorher zwischen ihnen vorgefallen ist, die plötzliche Versöhnung endgültig ist, fehlt doch hier die erste Voraussetzung, die notwendig ist, um dieser Stimmung Dauer über den ersten Moment hinaus zu garantieren, wie es in "Santa Cruz" möglich war: Dorli und Hotz stehen am Schluss nicht anders da als zu Beginn, sie haben sich nicht verändert. Auch Kürmann kann, wie gezeigt, mit Antoinette nicht ein aufgrund ihres veränderten Verhältnisses zueinander neues Leben beginnen.
8) "Nun sinden sie wieder", "Biedermann und die Brandstifter", "Andorra"
9) vgl. auch 13ff
10) vgl. 101
11) Dram. S. 38; Frisch hat sich der Sozialdemokratischen Partei für die National-ratswahlen von 1971 zur Verfügung gestellt, nicht als Kandidat, sondern als Gesprächsleiter. Vgl. dazu: Max Frisch, "So wie jetzt, geht es nicht", "AZ", 3.9.71, und "Manifest 1971", (Propaganda-Heft der SP), gleicher Text. - Dram. S. 40: "Im Unterschied zu vielen Schriftstellern, die ihm als Schriftsteller keineswegs nachstehen, ist Sartre glaubwürdig als politische Figur: weil er nicht eine politische Theorie entlehnt, um Literatur draus zu machen, sondern er produziert Theorie..."
12) Die Stücke sollen auch daraufhin untersucht werden, wie Frisch in ihnen sein immer ähnliches Engagement variiert.
Zum Engagement der 'Biografie' vgl. noch: H. Karasek, "Stuttg. Zeitg.", 3.2.68: "Kein anderer Autor hat mit der gleichen Beharrlichkeit seine Themen, oder soll man sogar in der Einzahl sagen: sein Thema, gedreht und gewendet, weil er in jeder neuen literarischen Bewältigung auch eine neue Verschleierung, in jeder Erkenntnis eine neue Beschwichtigung mit wachem Misstrauen vermutete. So wird nicht nur eine Biografie neu erprobt, wobei der Autor die Theatermittel auch gegen sich selbst überprüft, sondern auch die Themen vieler Frisch-Stücke geraten erneut auf den Prüfstand des Theaters."
13) T S. 65/6
14) Oef. S. 21
15) T S. 141
16) Oef. S. 20
17) Ph. "Nun singen sie wieder" S. 4

18) Ph. "Als der Krieg zu Ende war" S. 2

19) Ph. S. 4. Frisch bezeichnet das Stück auch als historisches Stück, was es meines Erachtens nicht ist, steht doch im Mittelpunkt die Fabel von der deutschen
Frau und dem russischen Offizier. Was sich in Warschau abgespielt hat,
nimmt am Schluss Einfluss auf das auf der Bühne gegenwärtige Geschehen, es
existiert aber nur im einmaligen Hinweis und ist also zu schwach, um dem
Stück historische Prägung zu verleihen.

20) in "Nun singen sie wieder" indirekt, in "Als der Krieg zu Ende war" direkt.

21) Dram. S. 34

22) Zumindest für "Nun singen sie wieder" ist die folgende Aussage Bänzigers,
S. 63, in Frage zu stellen: "Die beiden... Kriegsdramen sind so sehr aus der
Zeitgenossenschaft heraus geschrieben, dass dabei gewisse elementare Voraus-
setzungen des Theaters verloren gingen; es sind seine schwächsten Stücke.
Frisch war derart von Teilnahme erfüllt, dass er wichtigste Bestimmungen
der Bühne bagatellisierte: zu unterhalten und den Menschen, am Rande seiner
Existenz, auf die grossen Spiele der Welt aufmerksam zu machen."

23) T S. 68

24) T S. 69; T S. 70

25) Das Problem wird doppelt vorgeführt: im Staatsanwalt und im Mörder.

26) (D 371/2); vgl. auch Max Frisch, "AZ", 3.9.71

27) Dram. S. 41

28) vgl. 103

29) (D 463) "Wie geht's der Geometrie?" - "Danke." ff

30) (D 447)

31) vgl. dazu: O.F. Beer, "Zeit", 17.8.62: "Aber sein Beitrag zur Frage 'War
Don Juan ein Don Juan?' kreist bereits um den Gedanken, dass einer verführen
muss, weil er für einen Verführer gehalten wird."; F. Stössinger, "Tat",
8.5.53: "Dramaturgisch ist aber diese Alternative ungenügend, weil sie nicht
bühnenmässig darstellbar ist. Don Juans Hang zur Geometrie kommt im Verlauf des Abends einigemale zur Sprache, und der Architekt Frisch gibt dem
Dichter Frisch in einigen Sätzen mit Fluidum eine Ahnung vom Unendlichkeits-
rausch geometrischen Denkens und Forschens. Da aber kein Dramatiker die
Liebe eines Helden zu einer abstrakten Wissenschaft bühnenwirksam machen
kann, erreicht das Oder des Titels ... keine theatergemässe Realität, die
Szene bleibt in bezug auf die Geometrie leer..."

32) T S. 30/1, vgl. auch T S. 36

33) Ph. S. 2/3

34) vgl. H.H. Holz, Ueber Max Frisch, S. 239: "Es geht hier nicht nur um die
deutsche Vergangenheit, wenn diese auch den Erfahrungsgehalt abgab, der in
dem Stück verarbeitet ist. Genügend Veränderungen sind an der Vorlage des
Hitler-Faschismus ... angebracht, um das historisch Einmalige ins Beispielhafte zu verwandeln."

35) H.H. Holz, S. 243

36) vgl. auch als Beweis, wie falsch das Stück z.T. verstanden wurde, E. Wicken-
burg, "Welt", 14.4.62, Aufführung in Wien: "Dass der Eindruck etwas zwie-
spältig blieb, lag an dem Stück selbst, welches in Oesterreich vielleicht am
wenigsten am Ort ist: die Assimilierung war hier, mindestens in Zeiten der

alten Monarchie, so weit fortgeschritten, dass das von Frisch aufgestellte
Exempel keine Gültigkeit hat. "

37) Biedermann verdrängt die Wirklichkeit und baut sich eine Scheinwelt auf, in der
für ihn nur als wahr existiert, was ihm angenehm ist und vor allem was ihm Vor-
teile bringen kann. Und er passt sein Sprechen und Handeln, soweit er es kon-
trollieren kann, dieser Scheinwelt an. Wie sehr er sich verstellt, kommt besonders in seiner Sprache zum Ausdruck: mit seinen Aeusserungen tastet er ab,
wie ihn der andere einschätzt und wie er sich zu ihm verhalten soll. Immer
wieder taucht die Frage auf: "Wofür halten Sie mich eigentlich?", gleichzeitig
möchte er aber auch den andern beeinflussen, auf ihn das Bild, das er von sich
selbst hat, übertragen: "Ich bin kein Unmensch" - "Ich bin zu gutmütig. "

38) A. Weise, S. 94

39) vgl. 49, Anm. 10

40) Dram. S. 18

41) Dram. S. 19

42) Frisch bezeichnet das Stück als "Farce". Vgl. dazu: Max Frisch, Akzente 2, 1955
Nach 50, Anm. 18, sagt er: "Daraus ergibt sich keine Parodie auf das Heilige -
was gar nicht möglich ist - höchstens eine Parodie auf unser Bewusstsein, eine
Farce des Inkommensurablen. Das Stück nennt sich denn auch eine Farce.";
E. Brock-Sulzer, "Tat", 14.11.55: "Immer noch nennt sich das Werk eine
'Farce' und zwar im deutschen Wortsinn. Gibt diese aber den handwerklich
festen Boden ab für ein Stück? ... Gehen wir aber zum allerersten Sinn des
Worts 'farce' zurück. Es bedeutet zuerst eine Art von Sammelsurium, von Pot-
pourri ... Wie also inhaltlich streng genommen alles zu einem 'schlechten
Witz' werden kann in einer Welt, die aus den Fugen ist, so kann formal genommen alles Platz finden in einem solchen Sammelsurium. Was dann jegliche Kritik an der Aufführung des Stücks ausschlösse... Woraus zu entnehmen wäre,
eine 'Farce' sei ein Stück, das jede Kritik an der Welt vom Autor aus erlaubte
und jede Kritik am Stück vom Zuschauer aus verwehrte. "

43) vgl. 84, Anm. 2

44) vgl. Max Frisch, Ph. "Biedermann und die Brandstifter", S. 5 ff, "Was ist
komisch?"

45) vgl. Brecht, Ueber eine nichtaristotelische Dramatik, werkausgabe ed. suhrkamp, 15, z.B. S. 267: "Das Theater bleibt Theater, auch wenn es Lehrtheater
ist, und soweit es gutes Theater ist, ist es amüsant."

46) Dram. S. 28

47) vgl. Karasek, S. 84/5: "Versucht man für einen Augenblick das Stück - was
sicher unzulässig ist - auf eine einzige historische Realität festzulegen, so
stellt 'Andorra' die unbequeme Frage, was geschehen wäre, wenn die Deutschen in die Schweiz einmarschiert wären - und es stellt sie hinsichtlich des
Verhaltens gegenüber den Juden. Der Modellcharakter von 'Andorra' ist so
auch eine Vorsichtsmassnahme des Autors, der die Gefahr vermeiden wollte,
dass das Thema vom deutschen Zuschauer als eine Art Exkulpationsdramatik
missverstanden werden könnte." vgl. auch 111, Anm. 34

48) "Santa Cruz", "Als der Krieg zu Ende war", in gewissem Sinn auch "Nun singen
sie wieder" und "Graf Oederland"; "Biedermann und die Brandstifter".

49) 53/54

50) Ph. "Biedermann und die Brandstifter", S. 4

51) vgl. 10 und Karasek, Max Frisch, "Das Werk auf der Bühne", S. 98ff; v.a.
die kurz zusammengefassten wichtigsten kritischen Aeusserungen über die Erstaufführungen von "Andorra" und der "Biografie".

URAUFFUEHRUNGEN UND DEUTSCHE ERSTAUFFUEHRUNGEN

Santa Cruz: Schauspielhaus Zürich, 7.3.46
Deutsches Theater Konstanz, 22.8.48

Nun singen sie wieder: Schauspielhaus Zürich, 29.3.45
Münchner Kammerspiele, Dezember 1946

Die Chinesische Mauer: Schauspielhaus Zürich, 10.10.46 (1)
Hamburger Kammerspiele, 24.11.48
Theater am Kurfürstendamm, 18.9.55 (2)

Als der Krieg zu Ende war: Schauspielhaus Zürich, 8.1.48
Theater der Stadt Baden-Baden, 31.3.50

Graf Oederland: Schauspielhaus Zürich, 10.2.51 (1)
Städt. Bühnen Frankfurt, 4.2.56 (2)
Schillertheater Berlin, 25.10.61 (3)

Don Juan: Schauspielhaus Zürich, 5.5.53
Schillertheater Berlin, 5.5.53
(die 1. Fassung unterscheidet sich kaum von der 2./1962)

Biedermann und die Brandstifter: Schauspielhaus Zürich, 29.3.58
Darmstadt, Januar 1959
Theater am Kurfürstendamm, Berlin, 28.2.59

Andorra: Schauspielhaus Zürich, 2./3./4.11.61
München, Frankfurt, Düsseldorf, 21.1.62

Biografie: Schauspielhaus Zürich, 1.2.68
München, Frankfurt, Düsseldorf, 3.2.68

LITERATURVERZEICHNIS

Zu Max Frisch ist kürzlich eine ausführliche Bibliographie von Klaus-Dietrich Petersen (Thomas Beckermann, Ueber Max Frisch, Frankfurt 1971) erschienen. Ich führe deshalb nur Werke und Aufsätze an, die ich für meine Arbeit brauchen konnte, und solche, die Petersen nicht nennt.

1. Max Frisch - Werke und Aufsätze

Frisch Max
- Gesammelte Stücke, Lizenzausgabe für den Buchclub Ex Libris Zürich
- Die Chinesische Mauer, Basel 1947
- Als der Krieg zu Ende war, Basel 1949
- Graf Oederland, Frankfurt a. M. 1951
- Don Juan oder Die Liebe zur Geometrie, Frankfurt a. M. 1953
- Stücke, Verlag Volk und Welt, (Ost-)Berlin 1966

- Tagebuch 1946-1949, Buchclub Ex Libris Zürich (Frankfurt a. M. 1950)
- Mein Name sei Gantenbein, Buchclub Ex Libris Zürich (Frankfurt a. M. 1964)
- Erinnerungen an Brecht, Kursbuch 7, 1966
- Rip van Winkle, Hörspiel, rub 8306, Stuttgart 1969
- Oeffentlichkeit als Partner, edition suhrkamp 209, Frankfurt a. M. 1970
- Wilhelm Tell für die Schule, Frankfurt a. M. 1971

- Brecht als Klassiker, Weltwoche, 1.7.55
- Zur Chinesischen Mauer, Akzente 2, 1955
- Brecht ist tot, Weltwoche, 24.8.56
- Ich schreibe für Leser, Dichten und Trachten 24, 1964
- Theo Otto, Skizzen eines Bühnenbildners, Quader-Bücher 35, St. Gallen 1964
- Blick nach Osten, Weltwoche, 24.5.68
- Demokratie ohne Opposition, Weltwoche, 11.4.68
- So wie jetzt, geht es nicht, AZ, 3.9.71

2. Zum Drama und zum Theater

Brecht B.
- Schriften zum Theater, Gesammelte Werke, Band 15 u. 16, werkausgabe edition suhrkamp, Frankfurt a. M. 1967

Dietrich M.
Stefanek P.
- Deutsche Dramaturgie von Gryphius bis Brecht, List Tb. 287, München 1965

Dürrenmatt F.
- Theater-Schriften und Reden, Buchclub Ex Libris Zürich, Zürich 1966

Freytag G.	- Die Technik des Dramas, Leipzig 1863
GrimmR.	- Episches Theater, Köln 1966
Michael F.	- Geschichte des deutschen Theaters, rub 8344-47, Stuttgart 1969
Petsch R.	- Wesen und Formen des Dramas, Allgemeine Dramaturgie, Halle 1945
Staiger E.	- Grundbegriffe der Poetik, Zürich 1968
Szondi P.	- Theorie des modernen Dramas, edition suhrkamp 27, Frankfurt a. M. 1968
Walser M.	- Theater als Seelenbadeanstalten, Zeit, 29.9.67

3. Zu Max Frisch und seinen Dramen

Bänziger H.	- Frisch und Dürrenmatt, Bern 1967
Beckermann Th.	- Ueber Max Frisch, edition suhrkamp 404, Frankfurt a. M. 1971
Bienek H.	- Werkstattgespräche mit Schriftstellern, dtv 291, München 1969
Dietrich M.	- Max Frisch, Das moderne Drama, Kröner Tb. 220, Stuttgart 1961
Duwe W.	- Max Frisch, Deutsche Dichtung des 20. Jahrhunderts, Band III, Zürich 1962
Esslin M.	- Das Theater des Absurden, Bonn 1967
Fechter P.	- Das europäische Drama, Band III, Mannheim 1958
Höllerer W.	- Max Frisch, Dramaturgisches, Ein Briefwechsel, Berlin 1969
Jurgensen M.	- Max Frisch, Die Dramen, Bern 1968
Karasek H.	- Max Frisch, Friedrichs Dramatiker des Welttheaters 17, Hannover 1968
Kesting M.	- Panorama des zeitgenössischen Theaters, München 1962
Kesting M.	- Max Frisch, Handbuch der deutschen Gegenwartsliteratur, München 1965
Kuckhoff A.-G.	- Nachwort zur Lizenzausgabe des Verlages Volk und Welt, Berlin, für die Deutsche Demokratische Republik, Berlin 1966
Mann O.	- Max Frisch, Geschichte des deutschen Dramas, Kröner Tb. 296, Stuttgart 1963
Mayer H.	- Dürrenmatt und Frisch, opuscula 4, Pfullingen 1963
Melchinger S.	- Welttheater, Braunschweig 1962 (E. Brock-Sulzer, Max Frisch)
Neumann G.	- Dürrenmatt, Frisch, Weiss, München 1969
Petersen C.	- Max Frisch, Köpfe des XX. Jahrhunderts, 44, Berlin 1970
Rosengarten W.	- Max Frisch, Schriftsteller der Gegenwart, Freiburg i. B. 1963
Schmid K.	- Unbehagen im Kleinstaat, Zürich 1963
Stäuble E.	- Max Frisch, St. Gallen 1967

Weber W.	- Zeit ohne Zeit, Aufsätze zur Literatur, Zürich 1959
Wehrli M.	- Gegenwartsdichtung der deutschen Schweiz, Deutsche Literatur in unserer Zeit, Göttingen 1959/61
Weise A.	- Untersuchungen zur Thematik und Struktur der Dramen von Max Frisch, Göppinger Arbeiten zur Germanistik 7, 1969
Ziskoven W.	- Max Frisch, Zur Interpretation des modernen Dramas, Frankfurt a. M. 1961
R. B.	- "Die Schweiz hat Angst vor der Zukunft", Max Frisch sprach in New York, Tat, 30.3.60
Beer O. F.	- Von Santa Cruz nach Andorra, Zeit, 17.8.62
Braem H. M.	- Autoren sind kein Ersatz für Priester, Stuttgarter Zeitung, 20.11.64
Gerster G.	- Der Dichter und die Zeit, Neue literarische Welt, 10.10.52
Grack S.	- Hinterblieben, Stuttgarter Zeitung, 30.3.66
Häsler A.	- Wir müssen unsere Welt anders einrichten, Gespräch mit Max Frisch, Tat, 9.12.67
Hagelstange R.	- Rede auf den Preisträger, Deutsche Akademie für Sprache und Dichtung, Jahrbuch, Darmstadt 1958
Hilty H. R.	- Prolegomena zum modernen Drama, Akzente 1958
Horst K. A.	- Notizen zu Max Frisch und Friedrich Dürrenmatt, Merkur 8, Heft 6, 1954
Horst K. A.	- Bildflucht und Bildwirklichkeit, Merkur 9, 1955
Jacobi J.	- Der Anti-Brecht, Die politische Meinung, Heft 8, 1957
Karasek H.	- Max Frisch oder Belehrung für Unbelehrbare, Stuttgarter Zeitung, 14.5.66
Krapp H.	- Das Gleichnis vom verfälschten Leben, Spectaculum 5, Frankfurt a. M. 1962
Müller J.	- Max Frisch und Friedrich Dürrenmatt als Dramatiker der Gegenwart, Universitas 7, 1962
Plard H.	- Der Dramatiker Max Frisch und sein Werk für das Theater der Gegenwart, Universitas, Heft 9, 1964
Rühle G.	- Was wird denn nun mit Brecht?, FAZ, 15.10.64
Schäble G.	- Vergangenheitswahlrecht, Stuttgarter Zeitung, 17.1.68
Schmid K.	- Versuch über Max Frisch, Schweizer Annalen 3, No 6/7, 1946/7
Sd. P.	- Max Frisch oder der Streit um die Dissonanz, Tat, 16.12.58
Zimmer D. E.	- Noch einmal anfangen können, Gespräch mit Max Frisch, Zeit, 22.12.67
Santa Cruz:	
Braun H.	- Im Residenztheater: Die Mär von Santa Cruz, Süddeutsche Zeitung, 8.10.51
Brock-Sulzer E.	- Max Frisch: "Santa Cruz", Tat, 9.3.46
Programmheft	- zur Zürcher Uraufführung (Frisch, Hilpert), 1945/6

Nun singen sie wieder:

Brock-Sulzer E.	- Schauspiel in Zürich, Schweizer Monatshefte 4, 1945
Pechel J.	- Nun singen sie wieder, Deutsche Rundschau 71, Heft 2, 1948
Programmheft	- zur Zürcher Uraufführung (Frisch, Horwitz), 1944/5

Die Chinesische Mauer:

Brock-Sulzer E.	- Max Frisch: "Die Chinesische Mauer", Tat, 23.10.46
Brock-Sulzer E.	- Frisch: Die Chinesische Mauer, Tat, 14.11.55
	- Ueberraschung mit Max Frisch, Stuttgarter Zeitung, 14.7.64
Haas de, H.	- Im Schatten der Wasserstoffbombe, Welt, 10.7.56
Haas W.	- Weltanschauung, zirzensisch, Welt, 1.3.65
Jacobi J.	- Die Chinesische Mauer, Zeit, 5.3.65
Luft F.	- Der Wissende aber bleibt heute ohnmächtig, Welt, 30.9.55
Programmheft	- zur Uraufführung in Zürich (Muschg, Frisch), 1946/7
Schulte G.	- Welttheater vor der Stiftsruine, Welt, 14.7.64
Schulze A.	- Warnung, Denkspiel, Revue, FAZ, 12.7.56
Schulze-Reimpell W.	- Die Ohnmacht des Intellektuellen, Welt, 25.5.68
Vormweg H.	- Leicht verwelkter Intellekt, Süddeutsche Zeitung, 24.5.68
Will Ch.	- Fröhliche Apokalypse, Stuttgarter Zeitung, 4.3.65

Als der Krieg zu Ende war:

Buschkiel J.	- Die tödlichen Regeln des Vorurteils, Stuttgarter Zeitung, 18.5.65
Buschkiel J.	- Die Mechanik des Vorurteils, Welt, 12.5.65
Pe. W.A.	- Als der Krieg zu Ende war, Zeit, 6.4.50
Peters W.A.	- Frisch nach siebzehn Jahren, FAZ, 18.5.65
Programmheft	- zur Zürcher Uraufführung (Frisch, Spoerri), 1948/9
Weber W.	- Max Frisch: "Als der Krieg zu Ende war", NZZ, 9.1.48

Graf Oederland:

Brock-Sulzer E.	- Max Frisch: "Graf Oederland", Tat, 13.2.51
Happ A.	- Gewalt kann diese böse Welt nicht ändern. Die Axt ist keine Lösung, Welt, 7.2.56
Karasek H.	- Der entfesselte Graf, Stuttgarter Zeitung, 27.9.61
Korn K.	- Oederland III, FAZ, 27.9.61
Luft F.	- Gepackt vom Raptus der Freiheit, Welt, 27.9.61
Programmheft	- zur Zürcher Uraufführung (Schmid), 1950/1

Don Juan oder Die Liebe zur Geometrie:

Braun H.	- Don Juan oder Die Liebe zur Geometrie, Süddeutsche Zeitung, 23.5.53
Haas W.	- Don Juan oder Die Liebe zur Geometrie, Welt, 14.9.62
Rüf P.	- Don Juan oder Die Liebe zur Geometrie, Schweizer Rundschau 53, Heft 3, 1953
Schimming W.	- Max Frischs "Don Juan", Süddeutsche Zeitung, 7.5.53
Sölle D.	- Don Juan: Jagd nach dem Jetzt, Programmheft des Zürcher Schauspielhauses 1963/4
Stössinger F.	- Max Frisch: Don Juan oder Die Liebe zur Geometrie, Tat, 8.5.53
Weickert Ch.	- Max Frisch-Erstaufführung in der DDR, Tat, 10.12.66

Biedermann und die Brandstifter:

Drews W.	- Familie Biedermann und Dr. Hotz, FAZ, 2.4.58
Haas W.	- Was hat es auf sich mit Bühnen-Arabesken?, Welt, 8.6.59
Hg.	- "Biedermann und Hotz", NZZ, 30.3.58
Jacobi H.	- Weltuntergang in kleinem Format, Welt, 2.4.58
Jacobi J.	- Wie leicht wird das Spiel zur Spielerei, Zeit, 10.10.58
Karasek H.	- Gutbürgerliche Höllenfahrt, Stuttgarter Zeitung, 28.10.60
Korn K.	- Herr Biedermann liefert sich aus, FAZ, 1.10.58
Melchinger S.	- Das waren Etüden im neuen Stil, Zeit, 17.4.58
Philipp F.	- Verdikt über Herrn Biedermann, Tat, 10.12.65
Programmheft	- zur Zürcher Uraufführung (Frisch), 1957/8
Spiel H.	- Max Frisch und die Londoner Biedermänner, Süddeutsche Zeitung, 3.1.62

Andorra:

Berg von R.	- Warum "Andorra" am Broadway scheiterte, Süddeutsche Zeitung, 23.2.63
Brock-Sulzer E.	- Max Frisch: "Andorra", Tat, 6.11.61
Brock-Sulzer E.	- "Andorra" oder die mörderischen Bilder, FAZ, 6.11.61
Ferber Ch.	- Andorra gibt es überall, Welt, 21.3.62
Ferber Ch.	- Jeder ist gemeint, Welt, 26.3.62
Glasersfeld v.E.	- "Andorra" in Mailand, Stuttgarter Zeitung, 29.11.62
Hdt	- Mit unheimlicher Arglosigkeit, FAZ, 26.3.62
Hilty H.R.	- Tabu "Andorra", Du, Mai 1962
Horst K.A.	- Andorra mit anderen Augen, Merkur, Heft 4, 1962
Jacobi J.	- Fünf deutsche Bühnen im Spiegel von Max Frischs "Andorra", Zeit, 30.3.62
Kaiser J.	- Andorra in Deutschland, Süddeutsche Zeitung, 22.1.62
Leo	- Wo liegt Andorra?, Zeit, 26.1.62
Lietzmann S.	- Unbehagen über "Andorra", FAZ, 12.2.63
Luft F.	- "Blickt in eure Spiegel und ekelt euch!", Welt, 6.11.61

Melchinger S.	- Der Jude in Andorra, Stuttgarter Zeitung, 4.11.61
Michaelis R.	- Andorra bei uns, Stuttgarter Zeitung, 8.5.62
Niehoff K.	- Berliner Beifall für "Andorra", Süddeutsche Zeitung, 26.3.62
Pfeiffer-Belli E.	- Betroffen und begeistert (und Haas de H.), Welt, 23.1.62
Programmheft	- zur Zürcher Uraufführung (Frisch, Enzensberger), 1961/2
Riess C.	- Mitschuldige sind überall, Zeit, 3.11.61
g.r.	- Dreimal "Andorra" (und A.S.V., W.Dr.), FAZ, 22.1.62
Vossen F.	- "Monsieur Frisch, Ihr Andorra...", Süddeutsche Zeitung, 9.2.65
Wb.	- Max Frisch: "Andorra", NZZ, 3.11.61
Wickenburg E.	- "Andorra" hat es in Oesterreich schwer, Welt, 14.4.62

Biografie:

Dilloo R.	- Domäne der Literatur ist das Private, Welt, 17.1.68
Hamm P.	- Biografie, Biografie, Stuttgarter Zeitung, 6.2.68
Kaiser J.	- Kürmann probiert's auch in München... (und H. Vormweg, U. Schultz über Düsseldorf und Frankfurt), Süddeutsche Zeitung, 5.2.68
Kaiser J.	- Frischs Kürmann kann nicht wählen, Süddeutsche Zeitung, 3./4.2.68
Karasek H.	- Verhaltensforschung, Stuttgarter Zeitung, 3.2.68
Karasek H.	- Die Premiere findet nicht statt, Zeit, 6.10.67
Krämer-Badoni R.	- Beinah-Faust aus der Schweiz (und W. Schulze-Reimpell, E. Pfeiffer-Belli), Welt, 5.2.68
Lindtberg L.	- Das Leben ändern, nicht die Welt, Welt, 3.2.68
Mengershausen von J.	- Und noch einmal "Biografie", Süddeutsche Zeitung, 1.4.68
Nolte J.	- Frisch à la Sudermann, Welt, 25.11.68
Programmheft	- zur Zürcher Uraufführung (Frisch, tz.), 1967/8
Rühle G.	- Was wählt Max Frisch?, FAZ, 3.2.68
g.r.	- Biografische Probleme, FAZ, 5.2.68
Schärer B.	- Die Bedeutungslosigkeit des Privaten, Weltwoche, 9.2.68
Schwab-Felisch H.	- Max Frischs Schauspiel in Düsseldorf ... (und W. Drews, München; G. Rühle, Frankfurt), FAZ, 5.2.68
Zimmer D.E.	- Der Mann, der nicht wählen konnte (und R. Drommert, J. Jacobi, R.W. Leonhardt), Zeit, 9.2.68

LEBENSLAUF

Am 5. Juli 1943 wurde ich als Tochter des André Suter und der Gertrud geb.
Meister in Zürich geboren. Nach sechs Jahren Primarschule und nach drei Jahren
Gymnasium trat ich 1959 in die Diplom-Abteilung der Töchter-Handelsschule der
Stadt Zürich über, die ich 1962 mit dem Diplom verliess. 1964 bestand ich die
kantonale Maturitätsprüfung Typus B. In den folgenden Jahren studierte ich bei
den Herren Professoren Hotzenköcherle, von Muralt, Sonderegger, Stadler,
Staiger, Wehrli und Woodtli an der Universität Zürich Geschichte der deutschen
Sprache und Literatur, Geschichte des Mittelalters und der Neuzeit und Didaktik
des Mittelschulunterrichts. Am 14. Juli 1972 habe ich die Doktorprüfung bestanden.

Herrn Professor Staiger danke ich für das Verständnis, das er der Wahl meines
Dissertationsthemas entgegengebracht hat, und für seine verständnisvolle Förde-
rung meiner Arbeit.

EUROPÄISCHE HOCHSCHULSCHRIFTEN

Feb 03 '09
10/14/2011